RIGODON

LOUIS-FERDINAND CÉLINE

RIGODON

PRÉFACE
DE FRANÇOIS GIBAULT

GALLIMARD

Il a été tiré de l'édition originale de cet ouvrage quarante-trois exemplaires sur vélin de Hollande van Gelder numérotés de 1 à 43 et cent quinze exemplaires sur vélin pur fil Lafuma-Navarre numérotés de 44 à 158.

L'extrême patience, l'intégrité de Maître François Gibault nous donnent le texte de Rigodon *sans changer ou omettre un mot, un signe.*
Je l'en remercie.

Lucette Destouches.

PRÉFACE

Nord, D'un château l'autre *et* Rigodon *constituent
une trilogie dont le dernier volet n'est livré au public
que plus de sept ans après la mort de Céline.* Rigodon
*fut écrit à Meudon en 1960 et 1961, sur papier jaune,
d'une belle écriture, difficilement lisible et parfois
presque illisible.*

*Céline, qui sentait l'approche de la mort, avait tra-
vaillé sans relâche à ce dernier livre et le 1er juillet 1961,
au matin, il prévint sa femme Lucette que* Rigodon
*était achevé, puis il écrivit à Gaston Gallimard pour
l'en avertir. Le soir à 18 heures il était mort.*

Deux versions successives de Rigodon *témoignent du
labeur de Céline, car il n'y a pas de page et peut-être
de ligne qui n'ait fait l'objet de rature; un mot remplace
un autre, puis un troisième est finalement remplacé par
le premier, puis toute la phrase est révisée, replâtrée,
reprise; c'est un ravaudage de tous les instants qui
montre s'il en était besoin que Céline avait un tel
souci du style qu'il ne laissait sa phrase en repos
qu'après s'être assuré que le lecteur pouvait désormais
croire qu'elle n'avait pas été écrite, mais dite... et du
premier jet.*

C'est à André Damien, avocat-orfèvre, que Lucette Céline demanda de déchiffrer Rigodon. *Conscient de l'importance de chaque détail, il consacra à cet immense travail vacances judiciaires et suspensions d'audience. Céline n'avait-il pas écrit dans le corps de l'ouvrage :*

...à peine un accent... une virgule... il faut se méfier des correcteurs, ils ont n'est-ce pas le solide « bon sens »... le solide « bon sens », mort du rythme!...

Lentement, Rigodon *émergea de son manuscrit, mais il fallut encore des mois de travail pour mettre au point le texte définitif.*

On retrouve dans Nord, D'un château l'autre *et* Rigodon *les mêmes circonstances de temps, de lieu et d'action, et aussi les mêmes personnages : Céline, sa femme Lucette, l'acteur Le Vigan dit La Vigue, et Bébert.*

C'est en 1932 au rayon des animaux de La Samaritaine que Le Vigan acheta ce chat qu'il appela Bébert et qui devait devenir le chat le plus célèbre de la littérature française contemporaine.

Adopté par Lucette et Louis-Ferdinand Céline, il fut leur compagnon de voyage à travers l'Europe en flammes; il connut l'hôpital, la prison, l'exil et mourut à Meudon en 1952 à l'âge de vingt ans.

Tels sont les principaux acteurs du livre, car les autres ne sont que figurants : chefs de gares détruites, généraux sans armée, cadavres multiples, nurses et enfants perdus, animaux divers, vaste cortège lamentable de vivants et de morts, tous, avec Céline, témoins de l'Apocalypse.

Rigodon n'est pas un roman, mais une chronique. Céline s'y qualifie du reste lui-même :

Moi, chroniqueur des grands guignols.

Spectateur fortuit? Victime du hasard ou amateur avisé, toujours au premier rang des catastrophes, pour mieux les voir, les vivre et les raconter?

Dès 1914, âgé seulement de dix-sept ans, il écrivait prophétiquement dans un texte retrouvé peu avant sa mort et publié sous le titre Les Carnets du cuirassier Destouches :

Mais ce que je veux avant tout c'est vivre une vie remplie d'incidents que j'espère la providence voudra placer sur ma route...

et plus loin :

...si je traverse de grandes crises que la vie me réserve peut-être je serai moins malheureux qu'un autre car je veux connaître et savoir...

Plus tard, le 30 décembre 1932, dans une lettre à Léon Daudet, il disait :

Je me réjouis que dans le grotesque aux confins de la mort.

Et dans Féerie pour une autre fois :

Rien m'enivre comme les forts désastres, je me saoule facilement des malheurs, je les cherche pas positivement, mais ils m'arrivent comme des convives qui ont des sortes de droits.

Dans la nuit du 23 au 24 mai 1968, vers 23 heures, le feu se déclara dans ce qui fut le bureau de Céline à

Meudon, puis gagna les autres pièces, dévorant meubles, souvenirs et manuscrits. A minuit le pavillon principal n'était plus qu'une carcasse aveugle.

On imagine le récit que Louis-Ferdinand Destouches aurait fait de cette catastrophe « célinienne »; quelle fresque il aurait brossée! Quelle fin pour Rigodon! Lui qui n'avait plus la force de s'attacher aux choses et qui n'ambitionnait plus que la fosse commune!

Mais à quelques pas des décombres la cage des oiseaux était intacte et Toto bien vivant. Il est désormais le maître de ces ruines, perroquet témoin, gardien de fantômes, il attend les Chinois dans ce décor de Grand Guignol.

François Gibault.

Aux animaux

Je vois bien que Poulet me boude... Poulet Robert condamné à mort... il parle plus de moi dans ses rubriques... autrefois j'étais le grand ceci... l'incomparable cela... maintenant à peine un petit mot accidentel assez méprisant. Je sais d'où ça vient, qu'on s'est engueulé... à la fin il m'emmerdait à tourner autour du pot!... vous êtes sûr que vos convictions ne vous ramènent pas à Dieu!

— Putain que non!... je suis bien sûr! je suis de l'avis de Ninon de Lenclos! le bon Dieu, invention des curés! absolument antireligieux!... voilà ma foi une fois pour toutes!

— Une autorité votre Ninon!... c'est tout, Céline? hum! hum!

— Si! si Poulet! mieux encore!

— Ah!... j'attends! je veux savoir!

— Toutes les religions à « petit Jésus », catholiques, protestantes ou juives, dans le même sac! je les fous toutes au pas! que ce soit pour le mettre en croix ou le faire avaler en hosties, même farine! même imposture! racontars! escroquerie!

— Alors?

7

— Alors, je prétends encore mieux! essayez de me suivre très cher abruti.

— Allez! Allez!

— Il n'y a qu'une seule religion : catholique, protestante ou juive... succursales de la boutique... « au petit Jésus »! qu'elles se chamaillent s'entretripent?... vétilles!... corridas saignantes pour badauds! le grand boulot le seul le vrai leur profond accord... abrutir, détruire la race blanche.

— Comment Céline? vous?

— Pur métissage, mariage pardi! avec tous les sacrements! Amen!

— Je vous comprends mal Céline...

— Comprenez, condamné à mort! tous les sangs des races de couleurs sont « dominants », jaunes rouges ou parme... le sang des blancs est « dominé »... toujours! les enfants des belles unions mixtes seront jaunes, noirs, rouges, jamais blancs, jamais plus blancs!... passez muscade! avec toutes les bénédictions!

— La civilisation chrétienne!

— Création, Poulet! imagination! escroquerie! imposture!

— Tout de même! création du grand.

— Métissage! destruction de vingt siècles, Poulet! rien d'autre! faite pour! créée pour! chaque création porte en elle-même, avec elle, avec sa naissance, sa propre fin, son assassinat!

— L'Église assassine, Céline?

— Et comment! et vous avec! elle ne fait que ça votre Église! cul béni!

— Vous aimez trop les paradoxes! Céline! les Chinois sont antiracistes!... les noirs aussi!

— Bonne cette foutrie! qu'ils viennent ici seulement un an ils baisent tout le monde! le tour est joué! plus un blanc! cette race n'a jamais existé... un « fond de teint» c'est tout! l'homme vrai de vrai est noir et jaune! l'homme blanc religion métisseuse! des religions! juives catholiques protestantes, le blanc est mort! il n'existe plus! qui croire?

— Céline vous me faites rire...

Je n'ai jamais revu Poulet... j'ai lu ses articles de temps en temps... des petites allusions... pas plus... je l'ai un peu vexé...

Drrrring!... un monsieur journaliste téléphone...

— Maître!... Maaaître! auriez-vous l'infinie bonté de lire la lettre que nous vous adressons?

— Monsieur!... monsieur! les lettres!... toutes les lettres je les fous au panier depuis belle!... sans les lire!... où irais-je!

— Maître, ô très cher Maître! votre opinion! deux mots!

— Mais foutre Dieu je n'en ai pas!

— Oh que si Maaître!

— Sur quoi, du diable?

— Sur notre jeune littérature!

— Cette immonde vieillerie? palsambleu, elle n'existe pas! bredouillage fœtal!

— Écrivez-nous-le!... très très véné...né! ré! Maître!

— Plus vite fait! reprenez, pillez Brunetière! il a tout dit!

— Oh par vous! par vous! très cher Maaaître!

— Vous ne m'emmerderez plus? vous ne viendrez pas?

— Juré! juré! Maaître!

— Il a dit que la littérature, toute serait dévorée!

— Mais par qui Maître?

— Par les charlatans!

— Écrivez-nous-le Maître! Maître!

— Bigre, foutre non! me reviendra d'écrire quand me repousseront des dents!

— Et si nous venons chez vous quand même! recueillir vos extraordinaires paroles?

— Pas les miennes! Brunetière! Galopins! Brunetière!

— Si vous nous faites cet honneur! Maître! pour notre journal! Grâce!

— Quel journal?

Comment faire pour qu'ils ne viennent pas?

— *L'Espoir!*

— Mais y a pas d'espoir, malheureux!

— Oh, pitié écrivez-nous-le! Maître! Maître, les jeunes vous ignorent!

— Tant mieux les cochons! qu'ils aillent au besoin, la tête en bas et queu leu, leu, s'exténuant! repeignent la tour...

— Vous désespérez la jeunesse! Maaaître! vous mésestimez la France et ses prodigieuses ressources et l'Algérie, l'Académie, et les participes!

— Aux chiottes, je vous dis! tout! tout ça! un pays qui n'existe plus, n'a plus que des ordonnateurs!... pompes et funèbres... cent langues plus fortes que la nôtre, n'existent plus! Allez-vous parler l'hittite? l'araméen!

— Alors très décidément cher Maître nous irons vous voir! Nous bousculerons vos domestiques, nous tuerons vos chiens, et nous foutrons vos tripes à l'air! et votre cervelle dingue et pourrie! allô! allô! vous nous entendez? vous nous comprenez?

11

— Eh, bigre que oui! je prends mon pied! l'interview féroce! j'en suis! face aux fauves! le colloque romain! j'éructe!

— Oh oui! oh, Maître!

— Venez! Venez vite chers garçons! que je vous étreigne! je vous baise!...

— *Mgam! Mgam!*

Un gros costaud et un petit maigre... les voici!...
je boucle les chiens dans leur enclos... que ces deux
jeunes hommes aillent pas après partout se vanter
que je les ai livrés à mes fauves... ces deux jeunes
hommes, le gros, le maigre, sont acnéiques, pas très
propres, soignés, ils ont l'haleine forte... l'air buté, je
dirais fermés, convaincus... pas discutables... je n'ai
aucune envie... ils ont voulu venir, ils sont là... alors?

— Vous venez de *L'Espoir?*

— Parfaitement Céline! Nous étions à nous demander, et nous demandons encore, nous et nos amis, si
vous êtes vraiment si immonde qu'on l'affirme partout?... nous venons vous demander.

— Qui sont vos amis?

— Ah tout d'abord l'immense Cousteau!

— Une belle ordure pour ce qui me concerne!...
d'où sort cet individu?

— De *Je Suis Partout.*

— Donc un employé de Lesca et de la *Propaganda-
staffel.*

— Il a écrit que c'était vous qu'étiez à la solde des
Allemands, il l'a affirmé, noir sur blanc, avec son

immense courage, dans notre *Rivarol!* un *Rivarol*
vaut dix *Huma!* sachez-le! savez-vous?... que nous
répondez-vous Céline?

— Très ennuyeux puceaux sachez! que si je devais
répondre à toutes les conneries, les billevesées des
gazettes, et les lettres, tout ce qui me reste de vie
y passerait!... j'ai ma chronique à finir, et mes dettes
énormes à payer!... Cousteau était un petit jaloux,
député raté, bien fait pour fanatiser les turlupins de
votre espèce...

Le drôle là je pense... ces deux bouillants cafouilleux pourraient aussi bien être de droite, de gauche,
ou du centre... et d'âge en âge... identiques!... aussi
méchants tous férus cons... maillotins, conjurés des
Guises, partisans de Chambord ou du Téméraire!...
du Diable les Causes! Étienne Marcel ou Juanovici...
d'une année l'autre!... l'avenir décide! nichons de
vedettes et cuisses assorties!

— Céline nous l'avons dit au téléphone, nous vous
le demandons encore, jusqu'où vous pourrez aller
dans l'égoïsme, la trahison, la lâcheté?

— Oh, je vais très loin chers amis!

— Oui, mais attention Céline, vous n'avez plus
qu'une ultime chance! nous venons vous prévenir!
ralliez-vous! sinon il sera fait justice! fini! fini les
galipettes!

— Zut! et moi qui croyais que ça y était!

— Oh là, que non!... notre justice! l'impeccable!

— Alors?

— Alors vous n'avez pas lu?... bien sûr vous ne
lisez rien!... hors sans doute quelques cochonneries!

— Pitié! pitié! je veux savoir!

— Le programme de la nouvelle vague! notre

Espoir message de notre suprême Voyant! Écoutez, retenez, méditez, malheureux! « Il est conforme au sens de l'Histoire que la France et l'Allemagne deviennent fraternelles. »

— Bigre, foutez le camp! oh, ce que j'entends! les voyous! que vous voie plus! oser! je lâche les chiens! J'allais! qu'étaient prêts à les bouffer... plus personne!... mes deux zigotos disparus! le vent soufflait...

J'avais eu beau agir très vite, perdre un minimum de minutes pour foutre ces loustics à la porte, le lendemain les rédactions et les terrasses avaient fignolé l'incident. Vous savez, le pire des fumiers a relevé la tête, oui!... il ose!... il a traité notre sublime sir de très haut machin oui! en plus, il a prétendu qu'on l'avait dévalisé!... jeté en prison, etc... etc... et qu'il était mutilé de guerre 75 p. 100... et médaillé militaire bien avant Pétain.

Merde! un petit peu que je réagis!... je fouille, trifouille, trouvé... j'oppose un texte!... et pas à piquer des vers!... vite, une conférence de presse, je convoque... je lis!... texte de Barjavel...

« Pour moi, le vingtième siècle ne compte jusqu'à présent qu'un novateur, c'est Ferdinand. Et je dirai même qu'un seul écrivain. J'espère que tu n'en seras pas froissé. Il est tellement au-dessus de nous. Qu'il soit torturé et persécuté est normal. C'est affreux d'écrire cela quand on pense que c'est un homme vivant, mais en même temps, à cause de sa grandeur, on ne peut s'empêcher de le considérer en dehors du temps et des contingences qui l'écrasent. Je crois profondément que plus un homme est grand, plus il s'expose à être blessé par tous. La tranquillité n'est que pour les médiocres, ceux dont la tête disparaît dans la foule. Céline voudrait revenir à Paris ou en France, et tu fais tout ce que tu peux pour l'aider, mais dis-toi bien ceci : où qu'il soit, il sera persécuté. Son désir de trouver la paix ailleurs qu'à l'endroit où il est, n'est qu'un rêve. Il ne trouvera la paix nulle part. Il sera persécuté jusqu'à la mort; où qu'il aille. Et il le sait bien. Et il n'y peut rien, ni nous non plus. Nous pouvons seulement proclamer, à chaque occasion, qu'il est le plus grand, et encore en faisant cela nous attirons sur lui les haines décuplées des petits, des médiocres, des châtrés, de tous ceux qui crèvent de haine jalouse dès qu'on leur relève la tête pour leur montrer les sommets. Ils sont la multitude. »

Je m'attendais à un petit effet... aucun!... au contraire!

— Son Barjavel, oh, là! là! aussi pourri que lui!... à la fosse, avec!

Encore *drring!*... le téléphone... cette fois-ci vraiment c'en est trop! Molière est mort d'être dérangé... Poquelin!... Poquelin! ce petit Intermède! s'il vous plaît!... et ce ballet!... Louis XIV donne un grand dîner! ce soir!... deux mille couverts! ce soir même! Molière est mort d'être dérangé... aurait répondu : qu'il aille se faire foutre!... aux galères, Poquelin!... docile, il est mort en scène, crachant ses poumons, à bout de sang et de bonne volonté... je sais ce qui m'attend, moi pas Molière, à m'exténuer pour Ben Achille...

Je vais me détendre, c'en est trop... *drring!*... une autre sonnette! *Le Figaro!* mon habituel! comme il tombe pile... ma détente, sa nécrologie... mon nanan! comment les gens riches peuvent vivre vieux, et si heureux!... incroyable!... en leurs châteaux, rappelés à Dieu! 80... 90... 100 ans! bénis au possible... Grands-croix de tout! et Saint-Sépulcre!... de ces funérailles du tonnerre... oints, ointes, Évêque, Préfet, Syndicats et le Diable lui-même dans son tilbury...

Mon *Figaro*, ma détente!...

Je m'abonne pas pour rien... chaque jour cinq

colonnes de morts édifiants... remarquez, je cherche depuis des années... je cherche un sale collabo enterré parmi... avec honneurs, bénédictions... nib!... tels maccabs sont enfouis sans eau bénite, sans enfants de chœur, en terrain puant... innommables... tel faillit Poquelin... moi, déjà qu'on m'a tout biffé... gratté nos dalles au Père-Lachaise, papa, maman, moi...

Cher *Figaro*, mon scoubidou!... pas que sa nécrologie! une autre gaieté!... les nouvelles des ex-colonies... comment les récents électeurs s'entendent à décapiter, rissoler les attardés blancs... oh, sans du tout penser à mal, ni racisme! croque au sel!... pas de svastikas à Tombouctou! la peste brune ne prend qu'en Allemagne, une fois pour toutes!... Adolf est mort? riez encore! depuis Bismarck tous les chanceliers grands, petits, jeunes, vieux, archi-vieux, sont fêlés... l'affection, cocasse! le dernier là le sournois, croulant part en croisade! L'Europe aux pogromes anti-goyes! ses dix mille massacres par trottoir!... par nuit! antiracistes!... je ne verrai pas, vous verrai peut-être? l'Allemagne est là, elle veut toujours le rêve du fou...

Drrrring! un autre qui sonne!... où ai-je l'esprit?... je me parle à moi-même!... non! non! le téléphone!... encore! mais je n'ai rien à dire!... si!...

— Allô! allô! non monsieur, notre affaire est cuite! cosmiques nous sommes!

— Cosmiques?

— Oui, tous!... laissez-moi, je vous prie, terminer ma petite histoire!

— Quel titre Maaître? ô le titre?

— Pour quel journal?

— *La Source* pro-communi-pluto-chrétien!

— Bravo!... bravo!

— Mais le nom?

— Colin-Maillard!

— Pour le cinéma?

— Certainement!

— Alors quelles vedettes?

— A la pelle!

— Nommez, nommez, Maaître!

— Comment voulez-vous? stars, étoiles, le ciel! Delphes faisait des dieux, Rome n'a jamais fait que des saints, mais nous, monsieur, merveilles de ces temps, sortons cent vedettes par semaine!

Alors? à gros, nains, petits, moyens... je verrai!... *dring!* je coupe, ça va! un autre appelle... je ne réponds plus.

Voici Noël!... je me dis : on va me foutre la paix! à ça, qu'à moins d'être absolument détraqué pensent les vieux jetons... qu'on les laisse tranquilles... Vive Noël... surtout pas reluisant, vous n'avez plus rien à donner, et vous ne recevez plus de visites... exempt! Vive Noël!... vous ne recevez plus de cadeaux non plus! Vive Noël encore! plus à dire merci! Vive Noël!

Basta! on sonne!... une fois, deux fois, pas le téléphone... à la grille! en bas du jardin, trois fois... bien sûr que je peux faire le sourd, je suis pas domestique. *Ouah! ouah!...* tous les chiens s'y mettent! c'est leur métier... ils sont quatre, la petite et trois gros... eux aiment le bruit!... et que ce sacripant sonne toujours! peut-être un mendiant? merde! salut! on m'a assez pris, on m'a assez dévalisé, emporté tout, vendu aux Puces, et à la salle! putain que j'ai donné pour la vie! né, je voudrais qu'on me rende!... y a des pillés qui retouchent et fort! je suis pas de ceux!... je suis des autres qui doivent toujours!... *ouah!* l'entêté de la grille a sonné au moins dix fois, il amuse les clebs... ça va mal, Noël!... plus, je vous oublie, il pleut comme vache!...

il va être rincé, ce malotru... oh, ça le gêne pas!...
il resonne, mais un ennui, les voisins! s'ils se mettent
aussi à aboyer!... ils ont le droit! ils peuvent m'en
vouloir... dix ans!... vingt ans!... Zut! là c'est grave!
le mieux que j'y aille!... descende à la grille, chasse
le malotru! fort et vite!... je vois rien, si! un peu...
une forme dans le noir... dans le gris...

— Foutez-moi le camp! voyou! vite! voyou! saloperie! et j'aboie! avec les clebs! *ouah!*... et je râle!...
wrah! prêt à mordre!... à nous quatre ensemble je
peux dire qu'on se fait entendre! *wrah!* jusqu'à
Auteuil!... joyeux Noël! par la Seine, l'écho, vous
pensez! ce réveillon! mais ce goujat s'en va pas du
tout! même il m'apostrophe, il s'accroche à la
sonnette...

— Monsieur Céline, je veux vous voir!

— Monsieur, impossible dans la nuit!... allez-vous-
en! ne revenez jamais! je vous fais déchiqueter par
mes chiens!

Le foutu s'entête!

— Je vous ai écrit vingt fois! J'ai parlé de vous
dans cent articles! cher auteur! jamais vous ne
m'avez répondu! je vous ai traité de tout Céline!
Canaille!... Vendu!... pornographe!... agent double!
triple! jamais vous ne m'avez répondu!

— Jamais, je ne lis rien, frère de l'ombre! je ne
suis pas tenté, *ouah! wrah!*

— Alors tout de même vous m'entendrez! j'hur-
lerai à travers vos chiens! je vous demande pardon!
bien pardon! vous me pardonnez? grâce! grâce! Noël!

Il s'agenouille... et vlac, en pleine mélasse... *ouah!*
ouah! ce que je redoutais : le scandale! ça beau être
la nuit, on entend!

22

— Moi Révérend Père Talloire de l'ordre du Très-Saint-Empire! je vous demande pardon! je viens exprès... je vous ai gravement outragé! pour Noël Céline!

Il se frappe la poitrine, j'entends les voisins... et que ça proteste, hurle! je regarde pas.

— Aux arènes cureton!... aux lions, cul béni, *ouah! wrah!*

Mais il ne veut pas! non! il se rebiffe... il relève d'à genoux... et il me traite!

— Toi aux arènes! toi-même! damné pervers!... ta place!

Il prend le sentier, je voudrais qu'il culbute, qu'il s'ouvre le crâne! sous la pluie à déconner, ce cureton m'a fait attraper le pire! je suis sûr! pas que je sois douillet mais je connais l'effet... je sors jamais la nuit, je sais ce que je risque... qu'il me reparle de son Noël, lui ou un autre! Roi Mage! soutane sous soutane!... qu'il remonte le sentier, voir, façon de dire, on s'est pas vu...

Je m'allonge, Lili remonte chez elle, au premier
étage... je vous donne ces détails indiscrets, que vous
compreniez un peu la suite... enfin, j'espère! je pense
à ce curé, ce culot!... je l'ai viré, certes, il méritait,
cent fois! mille fois! il aurait été rabbin, anabaptiste,
pasteur de l'Église réformée, orthodoxe, je l'aurais
éconduit la même chose, tous militants du petit Jésus,
absolument dans le même sac!... leurs bisbilles,
zizanies me trompent pas, tous issus de la Bible,
absolument total d'accord qu'on est que blancs,
viandes à métissages tournés noirs, jaunes et puis
esclaves, et puis soldouilles et puis charniers... je
vous apprends rien... Bible le livre le plus lu du
monde... plus cochon, plus raciste, plus sadique que
vingt siècles d'arènes, Byzance et Petiot mélangés!...
de ces racismes, capilotades, génocides, boucheries
des vaincus que nos plus pires grands guignolades
tournent pâles et rosâtres en rapport, « suspenses »
pour écoles maternelles... après la Bible, Racine
ou pas, Sophocle ou non, tout est guimauve... un
peu de plus ou moins roudoudou, c'est tout... j'irais
pas, pensez, m'aligner encore, si j'étais pas harcelé

de dettes, je resterais bien tranquille, j'ai l'âge, la retraite et le ferme propos! envie de très petites promenades, avec cannes, et lunettes « fumées »... pas être remarqué par personne... *assez nous avons fait*... zut! tout est dit!... surtout chez mon mec Ben Achille qui publie vingt romans par jour... plus sa *Revue compacte*... et son bulletin *Votre Férule*... *mensuel des fouettards et brouteurs*... j'irai lui dire que je renonce! voilà ma résolution!...

Je me couche et j'attends... pas long! je secoue mon page!... un frisson!... deux!... toujours lucide je me dis : ça y est!... ce pristi maudit boueux curé m'a fait attraper la crève!... je le savais en l'écoutant!... je voulais pas y aller!... certain aussi que j'allais délirer, l'accès!... délire vous passe le temps... mais délirer est délicat devant des personnes... vous pouvez regretter vos paroles... puisqu'il s'agit d'un paludisme que je traîne depuis quarante ans, depuis le Cameroun, vous pensez que je suis pas surpris... ce coup de cureton, sous la flotte, trempé à l'os, au vent du nord, à écouter ses sornettes, ça allait de soi!... si c'était tout!... mais non!... mais non!... autre chose dans le coin... à la porte... je suis sûr, quelqu'un d'assis... je vais pas allumer... bouger... c'est peut-être seulement l'effet de la fièvre! l'autre aussi a parlé de Noël... peut-être une idée, et la fièvre... un intrus?... tout se peut!... ce foutu ratichon est bien venu sonner... peut-être revenu?... je jurerais pas... en tout cas dans le coin là, quelqu'un... je vais pas y aller... je tremble, et transpire... quelqu'un?... quelque chose?... assez à faire!... l'esprit demeure, remarquez... je considère... oui! mieux! verdâtre ce quelqu'un assis... une lumière de ver luisant... j'ai bien fait d'attendre... ces apparitions ne durent pas... je le vois maintenant presque... c'est un militaire... il vient me parler? qu'il parle!... j'attends... il parle pas, il bouge pas... assis... verdâtre...

— Alors?... alors?

Je questionne... je tremble... Oh! il me fait peur!... bigre mais c'est lui!... je le connais... je le connais! là, verdâtre... luisant... plus ou moins...

— Vaudremer!

Je l'appelle... il répond rien... il est là pourquoi? pour Noël?... comme le ratichon?... il est passé par la grille?... à travers?... les chiens n'ont pas aboyé... bizarre frasque!... ce Vaudremer je l'ai connu médecin quatre galons... c'était où?... vous pensez un peu la mémoire dans mon état de fièvre, sudation, saccades de tout le page... j'ai le droit de pas être sûr... surtout qu'il ne m'aidait pas du tout... je hausse le ton... je me force, vous remarquez...

— Vaudremer!... semi-lumineux!... je vous somme!... qu'est-ce que vous me voulez?... vous êtes là?... oui?... non?... revenant d'où?...

Il ne bouge pas... je vois pas sa figure... mais! c'est lui... nous consultions là-bas ensemble... lui médecin-chef... il se faisait drôlement insulter d'une baraque l'autre... l'esprit était détestable... tous les ménages se plaignaient qu'ils avaient froid, qu'ils avaient faim, qu'ils avaient soif, tout le personnel S.N.C.A.S.O., campé en baraques Adrian! ouvriers, maîtrise, ingénieurs, et les infirmiers... que c'était la honte!... que nous médecins étions criminels, ennemis du peuple, réactionnaires, que nous avions tout préparé, les *stukas*, la cinquième colonne, le trust des denrées, que les pauvres gens meurent de faim et d'épidémies... que nos soi-disant médicaments étaient bel et bien des poisons... la preuve que personne pouvait plus aller aux gogs (trois enfants noyés) tellement les feuillées débordaient, que c'était la brune inondation par les coliques, pisseries, dues à nos soi-disant remèdes... que la diarrhée générale submergerait tout... que les boches de Saint-Jean-d'Angély avaient leur tactique, tous leurs tanks en position pour nous refouler tous dans la merde qu'on meure tous, bouge plus, sous au moins un mètre d'excrément, si on faisait mine d'échapper...

Comment ils avaient fini? je me demande! une chose nous fûmes épargnés, Lili, moi, Bébert, en raison de notre ambulance... notre? non! celle de Sartrouville, que j'avais amenée jusque-là... le parcours dont on ne parle jamais dans les annales de l'épopée « La Seine-La Rochelle »!... et avec quel mal!... pas que moi et Lili, une grand-mère et deux nourrissons! j'avais dû les laisser en plan sur la grande place de La Rochelle... vous me direz : des inventions! pas du tout!... la preuve, la môme, la plus petite je me souviens encore de son nom : Stéfani!... elle doit être mariée à présent et mère de famille... au moment là elle avait un mois, tout au plus... le général commandant la place, général français, voulait que nous embarquions pour Londres avec la bouzine, et la grand-mère et les mômes, certes c'était tentant!... ma fortune prenait un autre tour, quel héros je serais l'heure actuelle! quelles stèles et quelles rues à mon nom!

— Mon général! non! je refuse! tout mon respect et mille regrets, mon général! consigne d'abord! ces nourrissons et la grand-mère, très alcoolique, appartiennent à Sartrouville! avec la bouzine!... je dois tout remonter à Sartrouville!

— Parfait! disposez docteur!

Je ne suis pas revenu au camp Adrian, si fétide... adieu Saint-Jean-d'Angély!... je n'ai jamais su s'ils avaient fini sous les tanks... ou sous les diarrhées...

Je n'ai jamais revu Vaudremer... pourtant n'est-ce pas c'était bien lui, il était là, assis, ne disant mot... et fluorescent!... je vais l'interpeller à la fin!... non!... je ne peux pas... une chose, j'oublie!... je vous ai dit je m'embarquais avec joie pour Londres... vous direz il nous affirme ça pour les besoins de la circonstance pour avoir l'air résistant... que non! mais non! j'ai des raisons et pas d'hier, d'être anglophile... bien plus que ceux qui y ont été! je pense à ce général qui m'offrait... je pense à ce fantôme de Vaudremer là, fluorescent, assis... enfin l'espèce de fantôme... et je sais que je m'en vais... oh pas n'importe où!... ici même l'espèce de Vaudremer s'éteint... il s'éteint parce que les chiens hurlent... *ouah!*... vraiment les chiens... pas du rêve!... je dégouline transpire, je grelotte encore fort, mais c'est la fin... depuis trente ans que je pique des accès, je sais comment ils finissent... et aussi leurs façons d'attaque... ce coup-ci c'est ce foutu ratichon qui m'a tenu à la grille... j'aurais pas dû l'écouter... *ouah!*... *ouah!*... maintenant là qui c'est?... Lili et les chiens... elle allume... toutes les lampes... elle a pas peur...

— Tu parlais avec quelqu'un?

— C'était Vaudremer...

Elle n'insiste pas... elle croit que je divague **encore...**

28

— Dis donc t'es retournée à la grille?
Moi qui questionne...

— Oui quelqu'un pour toi... un colonel...

— Quel colonel?

— Cambremousse!

— Qu'est-ce qu'il veut me dire?

— Tu peux peut-être le recevoir?

— Je suis bien fatigué...

— Qu'il vienne! mais vite! et foute le camp! je tremble encore!

Il entre, bien lui, Cambremousse, pas un ecto-plasme... rougeaud, pléthorique, je connais sa tension... il s'en fout!... il est trop passionné de cuisine et de rénovation nationale pour perdre son temps à des vétilles, régimes et compte-gouttes... lui la chère exquise et la France, joyau de monde! l'inouïe de toutes les nations, le dépit, la rage...

Cambremousse attendant d'entrer a entendu tout ce que je disais... tant mieux!... ça ira plus vite!

— Céline, nous montons un néo-mouvement de résurrection nationale! nous comptons sur vous!

— Vous avez tort!... je ne veux rien faire revivre du tout!... l'Europe est morte à Stalingrad... le Diable a son âme! qu'il la garde!... l'empestée putasse!

— Céline, vous êtes défaitiste! toujours le même!... mais vous pouvez nous aider!

— Eh que là, bordel des Anges, non! les Chinois à Brest le plus tôt possible!... mon plus fervent vœu! le Q.G. de l'armée jaune à la Préfecture maritime! tous les problèmes seront résolus!... cinq sec! ces gens qui n'ont jamais mangé se rempliront de crêpes!... vous êtes superflu Cambremousse!

— Que vous êtes amusant Céline!... malgré vous!

J'ordonne...

— Toto, siffle!... pour le colonel! qu'il apprenne!...

Toto siffle, mon perroquet... scrupuleux, obéissant, il n'a qu'un air!... *Dans les steppes de l'Asie centrale* par Borodine...

— Colonel tout l'avenir est là... écoutez Toto, apprenez!... Lili emmène-les à côté! je veux dire dans l'autre pièce, qu'ils me laissent penser à ma « Chronique »... j'ai du travail sérieux, moi!... avant que les Chinois arrivent! mettons cinq-six mois... un an... qu'ils répètent leur *Asie centrale!*... les deux! je veux pas les entendre... Cambremousse, Toto...

— Tout de même! notre programme!... deux mots!...

Encore lui!... il m'interpelle!

— Non, colonel! non! tout est dit!... les pompes funèbres! le grand ordonnateur est partout! il a l'œil et l'oreille à tout! écoutez Toto! taisez-vous... apprenez!

Et je me remets au travail...

Vous n'allez pas demander ce qu'elles pensent, à des personnes ici ou là... si elles sont pauvres elles s'en foutent bien!... Belzébuth, les Chinois, les Russes!... les Algérois?... pourquoi pas?... les riches eux demandent qu'une chose... que ça bouge pas!... communistes?... crédié! un peu qu'ils le sont tous! très!... ploutocrates super-évolués... le Grand Soir, en habits « bleu de nuit »... tous les dirigeants des grandes banques ont fait leurs classes à Moscou, oubliez pas, avec les géants de la peinture, les rois de la chanson, les princes du zinc et du coton...

Ce retard de la base!... évaluez! piteux militants!... ceinture rouge et 1900... guignols, contresens de l'Histoire! *Carmagnoles*, jazz, barricades abstraites... moi là qui date, et qui le sais, vous pensez que je suis très en quart! que surgissent les Afro-Asiates, enchaînent Achille, bradent la N.R.F., alors! dare-dare, vieillard!... suis! je vous retrouve!... où nous en étions!

Je vous reprenais à Zornhof... je ne vous perdais plus... mais encore un intervieweur!... oui!...
et qui vient de la part de Marcel... et aussi de mon
confrère Gendron... deux mots, alors!... deux mots
seulement!... pas de présentation!... si!... par moi-
même!... je gueule de mon lit, qu'il se donne pas
la peine...

— Inconnu, sachez que je suis! l'époque est méga-
lomaniaque!... je suis le plus grand écrivain du
monde! vous êtes d'accord?

Il hurle sa réponse :

— Parfaitement Maître! pas plus grand que vous!

Il faut que j'insiste...

— A côté de moi rien n'existe! que charlatans
et cafouilleux... cacographes grotesques, purulentes
blattes!

— Oh que vous avez raison, Maître! tout au
bûcher!... leurs cendres au vent!

Parfait!... parfait!... mais que peut être ce si discret!... qu'il se montre!

— Oh non! non! Maître! votre œuvre!... il ne
vous reste que si peu de temps!

Quel individu renseigné!... c'est mieux de ne pas
le voir...

— Vous reviendrez plus tard! deux mois!... huit
jours!

— Certainement... certainement!...

Oui, mais voilà... comme tout ça date!...

— Nous sommes trop vieux!... nos histoires ne veulent plus rien dire!

— Si!... si, Marcel!... quelques gens encore s'intéressent!

— Quels?

— Oh, les folkloristes!

— Tu crois?

— Dix lettres par jour!

— Tu les lis?

— Non!... mais le téléphone!

— Combien?

— Deux fois par semaine... tu comprends Marcel, toi qui ne comprends pas grand-chose, surtout depuis ta maladie, c'est tout question d'inondations!... suis moi!... essaye! je recommencerai pas... quand j'étais môme, tout môme, nous allions beaucoup à Ablon, hiver comme été... là que j'en ai appris un bout, je peux dire, tous les petits secrets du fleuve, des berges et des sablières... là que j'ai appris, je craignais personne, les vraies finesses de la godille... j'ai su remon-

ter, glisser au port, à la remontée de l'énorme courant, au mille! d'une cuillère, artiste! crois-le! un poil
en deçà : le torrent t'emporte youyou, bonhomme,
qu'un cri! fini!... j'étais phénomène à la crue! j'ai
su faufiler, au poignet, entre convois, remorqueurs,
péniches moustachues, mortels gouvernails, bien
avant de savoir les quatre règles, et même l'addition... or Marcel retiens, admire ce phénomène, le
contre-courant! moi qui te parle, et qui ne bouge
plus guère, qui n'ai plus l'envie ni la force, je me
suis connu, encore tout môme, champion du bief, à
la remontée « contre-courant »!... tout ça t'ennuie,
Insipide!... l'inondation ne peut rien te dire, t'étais
pas né!... tout était si submergé, la Seine si furieuse,
barrages et les berges arrachés, et les tilleuls, halages
noyés, et les vastes plaines et les villas et mobiliers...
désastre national!... qu'encore des années plus tard,
tout était que boue, et la Cour de Rome... Marcel
tu ne peux pas te rendre compte...

— Tu le dis... ça va!...

— Ça va et je le prouve! doutif! mais nous n'avons
plus comme au reste, que des simili sorties de fleuves!...
depuis 1910 je te parle, les éléments font juste mine
qu'on va voir de ces déluges!... et ils bougent à
peine...

— Où tu veux en venir Ferdinand! abrège! je
dois déjeuner, il est midi et j'ai du monde...

— Voici malotru!... sache bien que les torrents
qui brisent tout, interdisent la navigation, tordent
tous les ponts, écrasent les villes, déchiquettent
remorqueurs et convois, respectent le petit liséré
des berges!... ainsi les furies de l'opinion! t'es au milieu
à travers t'es pulvérisé...

35

Il me laisse pas finir...

— Tu l'as déjà dit! il est midi cinq, j'ai du monde!

— Ce n'est pas tout!... il faut apprendre, sapristi mufle! le petit liséré contre-courant, là que le vrai artiste nautonier barre et maintient son esquif! très finement t'entends! du travail que t'as pas idée, gougnaffe velu! affamé d'hors-d'œuvre!

— Je te comprends!... et je te laisse!

— Une seconde encore! dessous de tout! les manuscrits de la mer Noire?... t'as entendu?

— Dis vite!... qu'est-ce que c'est?

— Une humanité disparue!

— Alors?

— Celle-ci va disparaître aussi!

— T'en sais des trucs!

— Que ça m'a coûté assez cher! maintenant je prends mes précautions! j'ai prévu pour l'année prochaine, damnée der, je prévois plus que pour l'an 3000!

— Ah!

— Tout ce qui se passera!

— Je prévois pas les programmes! l'année 3000... ce qui s'enseignera dans les lycées et les écoles communales histoire et géographie!

— Tu *prognostiques!*

— Nostradamus!... tu l'as dit! mais lui c'était en sibyllin, flou, allégorique, moi là tu vas voir, c'est net, honnête et sans charades...

— Alors dis vite!

Il regarde sa montre... ce qu'il peut m'agacer!

— T'as peur de manquer les radis?... les anchois? la terrine du chef? avoue, innommable!

36

— Non! mais tu me retardes pour rien!...

— Ah, c'est pour rien!... je te gâte, tu m'insultes!

— Vas-y!

— « Les hommes blancs avaient inventé la bombe atomique, peu après ils ont disparu. » Tu veux que je te dise comment?

Il hausse les épaules... il baisse les paupières, demi-baissées, genre croco...

— Ça sera long?

— Non! tiens tu vois, à peine deux pages!... tu peux écouter, pâle inepte!... plusieurs thèses : ils sont disparus dans les guerres, et par l'alcoolisme, l'automobile, et le trop manger... d'autres auteurs sont plutôt d'avis qu'ils ont succombé aux religions et fanatismes succédanés, politiques, familiaux, sportifs, mondains, toutes leurs religions, catholique, hébraïque, réformée, franc-maçonne... avant tout, par-dessus tout, Rome, ou rue Cadet! même crédo : métissez! crédo absolu! tu saisis, ignare?

— Oui... pas grand-chose!...

— Écoute la fin! le sang des blancs ne résiste pas au métissage!... il tourne noir, jaune!... et c'est fini! le blanc est né dans le métissage, il fut créé pour disparaître! sang dominé! Azincourt, Verdun, Stalingrad, la ligne Maginot, l'Algérie, simples hachis!... viandes blanches! toi tu peux aller déjeuner!

— Tu m'as engueulé, t'es content?

— Toi t'as assez voulu qu'on me pende!

— Non, jamais!

— Oh, qu'on me fusille! et comment!... taille, Tartuffe!

Hi!... hi!... il rit le torve! en somme nous étions fâchés... notre brouille a duré quinze jours... il est

37

revenu, et on a parlé d'autres choses, un certain
âge se fâcher sert plus à rien... on va prendre tous
le train, c'est tout : assassins, assassinés... le même!
chut!! chut!! la machine... l'heure, la minute... qu'il
revienne, l'ordure!... métissé... pas!...

Je pourrais vous amuser encore, enfin essayer, avec mes « Nostradamus », l'armée jaune à Brest, l'armée noire gare Montparnasse, la capitulation de Saint-Denis, mais comme j'aurai soixante-dix ans quand paraîtra cet ouvrage, ces faits auront été ressassés par tous vos journaux habituels, photographiés toutes les coutures par mille et un magazines... « nous n'amusons plus personne » Marcel m'a prévenu... soyons modestes!... à propos, vous trouverez encore à New York aux environs de Battery Place, petites rues alentour, des vieilles demoiselles, dans mes prix, à cinq cents mètres de Times Square, célibataires en très petits appartements, qui se fignolent de ces mobiliers, se brodent des fauteuils, se tapissent, passementent des prie-Dieu, vous peinturlurent ornent de si amusants cache-pots qui vous feraient des prix rue de Provence... ces demoiselles se chauffent au bois, ont leurs commerçants attitrés, tout près, vivent comme moi ici à Meudon, insensibles aux vogues, très paisiblement démodées... mais pas si pressées de disparaître! pourtant plein de jeunes vieilles filles autour... adonnées à la tapisserie aussi prêtes à reprendre les toiles, les laines... Marlène, Maurice Dache, ou Chaplin, vous comprenez, même filocelle pour ces demoiselles! un Président? l'autre? patati! stratosphère et boule de gomme et cinquième avenue! on voit les gratte-ciel, leurs cimes, car bien des gens, certes y demeurent, il paraît... ces demoiselles elles aux œuvres sérieuses pas de temps à perdre... regarder en l'air! un coussin brodé prend un an... moi non plus pas le genre inutile, le touriste bouffe tout ahuri, nenni! acharné à mes tout petits pensums rémunérés par Achille? dérisoire, clopinettes! qu'importe! fines tapisseries, broderies d'astuces, le style, j'en suis!... rares amateurs vous me direz et si fort haineux! tant mieux! que Diable ceux-là me seront fidèles! jaloux? à la folie!... ils parleront encore de moi, de mes horreurs de livres, que les Français existeront plus... traduit en mali je serai, ce petit cap d'Asie absolument effacé! les gens de là, d'autrefois blancs... blonds, bruns, noirs! invraisemblables!... blague de l'Histoire!... déchiffré entre les langues mortes, j'aurai ma petite chance... enfin!

En attendant je vous fais languir, je vous ai quitté à Zornhof, Harras et le *Reichsbevoll* venaient de nous quitter... je vous laisse en plan et mes *comics*, vite, vite mes oignons que je vous retrouve!... par ici, Mesdames et Messieurs!... encore deux mille pages au moins! l'Achille qui me voudrait décédé! seul héritier, de tout! *gratis pro Deo!* né pour! soi-disant mâtin! qu'il prenne la queue et suive le guide! je suis! vous allez voir un petit peu... cette lanterne magique, je dis magique! d'époque et tout! comme si vous y étiez!

Bergson nous le dit! vous remplissez une boîte
en bois, une grande boîte, de toute petite limaille
de fer, et vous donnez un coup de poing dedans, un
fort coup de poing... qu'observez-vous? vous avez
fait un entonnoir... juste de la forme de votre poing!...
pour comprendre ce qui s'est passé, ce phénomène,
deux intelligences, deux explications... l'intelligence
de la fourmi tout éberluée, qui se demande par quel
miracle un autre insecte, fourmi comme elle, a pu
faire tenir tant de limaille, brin par brin, en tel
équilibre, en forme d'entonnoir... et l'autre intelligence, géniale, la vôtre, la mienne, une explication,
qu'un simple coup de poing a suffi... moi chroniqueur
j'ai à choisir, le genre fourmi, je peux vous amuser...
aller et venir dans la limaille... avec l'explication coup
de poing je peux encore vous divertir, mais beaucoup moins... les Chinois à Brest... toutes les Églises
dans le même sac... Anéantissantes C⁰... Hébraïque,
Rome, Réforme, *tutti frutti!* « Ligue des Métissages »! pour le peu qui me reste à vivre, mieux que
je vous vexe pas trop... vous traite de titubants
ivrognes... Byzance a très bien tenu dix siècles à

41

bluffer le monde... le monde a rien vu que conjurations, doubles et triples courses de chars et troufignolerie, et puis les Turcs... et puis rideau... que ça se passera pareil ici? possible! vous demandez pas mieux... moi chroniqueur des Grands Guignols, je peux très honnêtement vous faire voir, le très beau spectacle que ce fut, la mise à feu des forts bastions... les contorsions et mimiques... que beaucoup ont réchappé!

— Ouais! Byzance! mille ans! byzantin vous-même! Byzance n'avait pas les moyens que Dieu merci nous possédons!... le progrès, monsieur! atomique! mille ans! vos mille ans : une minute!... un quart de tour au cyclotron! la science, monsieur! vous avez bonne mine, votre Byzance!... attardé ralenti primate! une minute, monsieur, tout au plus! votre décadence!

— Archaïque!... Grégeois!

Un autre insulteur... je vous dis pas d'où et pas qui... je ne réponds rien... je les connais...

— Allons Céline!... vos lecteurs ont un petit peu
le droit que vous cessiez de faire le pitre... vous aussi!
vos histoires de Chinois à Brest peuvent amuser
un moment... pas plus! toutes vos Églises, métis-
seuses, antiblanches, hum! hum! facéties vraiment
douteuses!... votre public veut autre chose!... vous
ne le savez pas?... des opérations « plein crâne »,
vivisections en couleurs, des accouchements à trois
forceps, et des fabrications, de « génies » dans
les usines chromoplastiques de la Cordillère, par
4 000 mètres d'altitude...

— Zut! « peau blanche » que je suis, monsieur!
et buté comme tel!

— Les « peaux-rouges » ont bien disparu!

— L'alcool les a beaucoup aidés, je ne bois que
de l'eau... les « peaux-rouges » ont eu leurs « réserves »
et leurs privilèges... leur conquérant les protégeait...
ici moi « peau blanche » le conquérant ne pense
qu'une chose m'avilir encore toujours plus! me tout
voler, m'humilier à mort... qu'à fond d'égout, tel
flic du « grand autolysat » s'avise, me détecte, Fré-
jus n'est rien à côté de ce qui m'échoit, les torrents

d'acide sulfurique! Buffalo Bill avait le cœur wes-
tern, bien placé!... très raciste certes, mais loyal...
le Sioux avait sa chance!... au galop! *ptaff*!... mais
là aux égouts, zéro!... nous ne passerons jamais au
Châtelet... espèce à biffer, hontes c'est tout... ram-
pants d'épandages...

Que j'ai du mal à m'y mettre!... j'ai promis, il
faut!... l'âge? demain ne peut être que pire baderne,
assez réfléchi!

Nous voici!... hommage au lecteur!... révérence!...
nous nous retrouvons à l'endroit même... Harras
vient de partir... maintenant c'est agir ou jamais!...
nous possédons l'essentiel, le permis signé, tamponné
Reichsbevoll... et l'idée, la même, le Danemark... et
traversée, la côte en face, Nordport... toujours
un certain trafic, ils ont dit, il se peut... on verra!...
le tout d'aller vite... notre permis ne vaudra plus
rien dans deux... trois jours...

— Qu'en dis-tu La Vigue?

Il me laisse décider... voilà, La Vigue lui, restera
ici... avec Bébert... nous on ira à Warnemünde,
voir... il nous attendra, pas plus de deux, trois jours...
si vraiment le ferry marche encore?... si c'est possible d'embarquer?... et en clandestins? je suis pas
chaud, La Vigue non plus... on l'est tels quels déjà
assez, clandestins... enfin on saura si en face, Danemark, ils ne sont pas pires que ce côté-ci?... possible!...

— Tu garderas les affaires et le greffe... et t'iras
pas te promener trop loin!

Pas de fantaisies!

— Tu peux me croire!... mais le manoir je connais un peu!

— T'iras à la ferme en face!

— Oh, sûr que non!... partout mais pas là!

Impossible de le raisonner... on le laisse...

— Au revoir La Vigue!... à bientôt Bébert!

La route Moorsburg on connaît... on a le « permis »... tout de même... on rencontre personne... ils doivent se méfier... je banquillonne... mais assez vite... je sais me servir de mes deux cannes, pas de temps à perdre... tout de suite à la gare! on trouve... plein de gens à la porte... et plein dedans, militaires, civils, laboureurs, ouvriers, tout, comme dans le métro... et toutes les langues... il est pas venu de train depuis six jours... le Berlin-Rostock... y a qu'à attendre... je crois que nous sommes plutôt habitués... on est là, debout... puis on va s'asseoir dehors, le banc de fer, en face... ce dur on le verra bien venir!... s'il vient... ah, mais quelqu'un!... en fait de dur!... La Vigue!... oui, lui! il a pas traîné à Zornhof!... il nous rejoint, il a pas tenu... il arrive avec une « remorque ».

— T'as dropé! dis! qu'est-ce que t'amènes?

— Les affaires!

Je vais regarder... un paquet de chemises, sales... et des sacs à betteraves, vides...

— Tu crois, ça valait la peine!... et Bébert?...

Il l'a mis dans sa musette, en bandoulière... Bébert fait *miaou!*... on le caresse...

— T'as à briffer?...

Il me montre... dans sa canadienne, plein de *butter-brot*...

— Tu les as piqués?

46

— Oui!... chez les Kretzer, ils étaient plus là!

— La remorque?

— Chez eux aussi!... ils avaient de tout!

Je vois qu'il se débrouille...

— Dis ma crèche moi, ils se sont pas gênés!... c'était un petit peu plus fourni!... dis, quatre vélos!... tu penses!... et ce qu'était dans les armoires!... c'est la mode! bon!... bien!

Je vois, il est plus du tout dans le rêve... il est réaliste... il est fier...

— Tu vas rester dans la gare?

— T'aurais voulu qu'ils me tuent là-bas?

— Tu crois?

— Plutôt!

— Tu vas nous attendre?

— Y a de la compagnie, je serai pas seul!... du monde! beaucoup de monde!... personne me remarquera!... y a que ça, les gares!... tout le monde attend, je vous attendrai!... moi et Bébert!

— Comme tu veux!... on sera pas long!...

— Si vous êtes trop longs vous nous retrouverez plus! oh pas retournés à Zornhof!... tranquilles!... jamais!

Voilà qui est net... il a encore une réflexion...

— J'ai Bébert! heureusement! Pour moi vous reviendrez jamais! écoute!... écoute!...

Il entend quelque chose... c'est vrai! *chutt! chutt!* un train... poussif... loin encore et plein de fumée... *chutt!*... ce doit être le Berlin-Rostock... depuis huit jours qu'il est annoncé... mais les billets? je demande autour... y a plus de billets, plus de guichets, on monte comme ça... on payera plus tard, qu'ils disent... mais on monte comment? là maintenant

47

on le voit ce tortillard... il est tout en bois... cinq...
six wagons... tout hérissés vous diriez par tout ce
qui dépasse des fenêtres... des chenilles sont ainsi,
hérissées... là vous voyez tout ce qui dépasse... cent
bras, cent jambes... et des têtes!... et des fusils!... je
connais des métros à craquer, des trains si combles
que vous y glisseriez pas un doigt, mais là ce tortillard est si bourré, si hérissé de jambes, de bras,
de têtes, que vous êtes forcés de rire... tout ce qui
lui dépasse des carreaux... il s'approche... *pchutt!*
pchutt! mais c'est pas tout!... immédiat après la loco,
une plate-forme, un canon et des artilleurs...

— La Vigue, je te jure! attends-nous! t'as Bébert!
Chutt! chutt! le dur est à quai... il va repartir...
je dis il est plein... pas que des bras des jambes...
des têtes, je vous ai dit... encore une... et puis une
autre... comme endormies... une autre les yeux grands
ouverts, fixes... ce train avait dû être criblé, je crois
d'en l'air... là dedans, ça se plaignait fort, mais d'où?
pas que des têtes, des bottes... des grivetons sûr...
et des civils... c'était pas à trouver une place... peut-
être essayer le tender, je l'avais vu vide... on parle-
mente... ils sont deux Fritz, mécaniciens... je leur
montre notre permis pour Rostock... mais ils doivent
charger ici même tout leur tender, six tonnes de
coke... ils nous montrent maintenant tout en queue
une autre plate-forme, qu'on vient d'accrocher...
« l'anti-aérien » il paraît... peut-être eux voudront
nous prendre?... nous fonçons!... cinq ils sont sur cette
plate-forme, cinq artilleurs *Luftwaffe*, plusieurs centaines de femmes, enfants, et militaires s'agrippent
aux rebords et aux roues... à l'assaut!... tous ont des
papiers et tampons et les agitent... et des biberons

et des bébés... de ces assaillants y en a qu'ont vu
passer quatre durs, un mois à quai, se sont fait casser dix fois les doigts... personne a jamais tenté d'ouvrir un wagon... trop bourrés de tout, blessés, voyageurs et cadavres, impossible de les détacher, trop
agglutinés, emmêlés... de la plate-forme les cinq arti-
flots se défendent... à coups de piquets de mine...
flach!... et *brang!*... sur toutes les mains qui se pré-
sentent... *ouach!*... si ça hurle!... les servants sont bien
placés pour se défendre!... haut! *brang!* les assaillants peuvent supplier!... *bitte!*... *bitte! Luftwaffe hier!*
armée de l'air, à moi!... brassard croix rouge...
Défense passive de Bezons... je leur crie, je leur
montre, brassard, tampon, papier... *Reichsbevoll...*
ces brutes savent pas lire!... si! un sait! *da!*... *da!*...
j'insiste... qu'il se rende compte... je lui force sous
le nez, l'aigle... il voit... c'est pas un permis ordi-
naire... il me fait...

— Tous les trois?... *alle drei?*

Lui qui commande la plate-forme...

— *Nein!*... *nun uns zwei!* seulement nous deux!

Je lui montre, Lili, moi... il regarde encore... ce
tampon, l'aigle, la croix gammée...

— *Gut!*

Qu'on monte!... il accepte mais par l'autre côté,
l'autre remblai... il y a déjà trois inconnus, l'autre
bord, qui doivent aussi être des « spéciaux »... oh,
hiss!... du coup on grimpe tous les cinq!... maintenant advienne que pourra!... on est presque dépan-
nés!... bien par mon initiative!... et le brassard! et
le tampon!... il devait être sous-officier celui qui a
lu? il me semble... pas de galons à voir tout barbouillé comme les autres, graisse et suie... forcé! toute

la fumée leur rabat dessus!... ils ont bien voulu nous prendre. On s'est imposés... les autres... *bitte! bitte!* pas fini de se faire broyer!... ils monteront jamais! jamais!... ceux des wagons c'est pareil, ils ont dû se faire prendre dans les portes ou dans les carreaux cassés, ou écraser contre un ballast... on voit que des jambes nues par les fenêtres, on a sûrement pris les chaussures, d'une station l'autre... ou c'est des morts? toujours ils remuent plus... ce tortillard a bien six wagons en bois, plus les plates-formes, la dernière classe, sûr... ils devaient être au rancard quelque part... on l'a remis sur roues... je demande aux autres d'où il arrive?... de Berlin direct!... avec les blessés des derniers bombardements... on évacue!... on évacue!... bien sûr il en meurt en route, on en laisse à chaque station... à grand-peine on les extirpe... la preuve ce tortillard fait drôle, tout hérissé de guibolles nues, de têtes et de bras morts... et aussi de fusils coincés entre les vitres et les portières... tout ça pour Rostock!... ils ont de tout là-bas, il paraît... surtout pour la chirurgie... ce train est déjà plus que bondé, il ne s'arrêtera plus nulle part... Rostock direct!... on en sait des choses!... l'hôpital là-bas je croyais pas beaucoup... une façon de se débarrasser... d'envoyer pourrir plus loin... bien le genre allemand... pas d'infirmiers, pas de médecins... moi j'étais là, moi mon brassard, je pouvais peut-être aider un peu?... *ach, kein sum!* ah! pas la peine!... ce sergent devait savoir ce qu'était pas la peine... les artilleurs avaient cassé au moins cent mains... et hardi! hardi!... toujours d'autres à s'agripper!... à chaque station... au piquet de mine!... y avait eu un wagon de pris, et écartelé! éventré!... plein de vivants en étaient sortis... qu'étaient couchés sous les autres, sous l'amalgame le sergent me renseigne que ce tortillard est plein de faux morts, resquilleurs et resquilleuses qu'ont saisi de profiter de la chance... quitter Berlin!... qu'ils verraient là-haut à Rostock!... qu'on y mettra ordre à Rostock!... je veux bien mais pourquoi on ne part pas? le coke à prendre, pardi!... tout un tender!... et l'eau!... plus de chef de gare ni de cheminots... le mécanicien fait tout lui-même... qu'est-ce qui s'est passé?... les Russes?... le sergent sait pas... il sait que le télégraphe marche plus, ni le téléphone ni la plaque tournante... la ville paraît-il est vide... les Russes, personne les a vus... alors? une chose, Rostock direct, sans arrêt!... puisque tous les wagons sont pleins, qu'on ne peut sûrement plus prendre personne mieux brûler les sept... huit stations... brûler façon de dire, vingt à l'heure!... on verra en arrivant ceux qui peuvent sortir... les autres on fera ce qu'on pourra... paraît-il ils ont des infirmiers là-bas et des brancardiers... en allant doucement, les plaques tournantes et les signaux, à la main, on mettra cinq heures... on ne peut pas plus avec le coke... y a à peine de neige, pourtant nous sommes en novembre, une poudre... c'est un drôle d'hiver... il fait froid, mais juste « moins 5 »... il paraît que ça viendra d'un coup... là, voilà, le mécanicien nous fait signe... il a tout son coke!... nous sommes prêts aussi! personne n'a pu escalader sauf les trois là, qu'étaient installés avant nous... à réfléchir, l'autre plate-forme, celle tout de suite après le tender, était moins enfumée que la nôtre... la fin du train qui prend le plus de suie... mais c'était plus question de changer! les repous-

51

sés de la plate-forme pleurent encore, gémissent, implorent... ils ont pas fini!... ils attendent le prochain convoi... *chutt! chutt!* on part!...

— Au revoir La Vigue! tu bouges pas!... si on peut passer on revient! tout de suite!

Il pleure de nous voir partir, il a pas confiance... nous pleurons aussi... pourtant je suis sincère, raisonnable, je le bluffe pas du tout!... on va tenter voir le moyen de passer en face... une petite chance?... les animaux pour ça ont l'avantage, ils savent tout de suite ce qu'est possible, pas... nous on hésite, vasouille, titube, l'ivresse nous va... nous vivons presque sept vies de chat, ça se voit, sept fois plus cons qu'eux... la question Rostock et ces wagons de tortillard, fallait d'abord, essentiel, qu'on ne se trompe pas d'aiguillage... qu'on s'envoie dans la nature... le sergent craignait aussi... *chutt! chutt!* surtout avec la fumée... une épaisseur, vous auriez dit sous un tunnel... mais la direction quand même! pas le droit de nous tromper!... Rostock était nord-nord-est... le sergent avait une boussole... moi aussi... il regarde d'abord à la sienne... avec sa *torch...* et puis à la mienne... oui! oui! bravo! nord-nord-est!... le mécanicien s'est pas gourré... c'est un champion!... il fait tout lui-même, coke, chargement, plaques tournantes, signaux... heureux qu'on ne nous demande pas de descendre pousser... je vois rien d'impossible!... et qu'est-ce qu'on envoie comme panache! je vous disais fumée, mais aussi les escarbilles!... de quoi faire brûler toutes les meules... et que c'est plein d'R.A.F. en l'air, s'ils nous bombent pas c'est qu'ils nous méprisent... on sera arrivé pour minuit, à moins de déraillement... ils nous broyeraient, la

R.A.F., que ça serait pas un dommage... on ferait pas cent francs à la casse, wagons, les canons, la locomotive... il faut des conditions spéciales, bien extraordinaires, pour faire rouler un train pareil... arrive que pourra!... le cas de le dire... maintenant il fait nuit... les artilleurs sont rassemblés, accroupis autour du canon... les quatre resquilleurs qui sont montés avant nous se tiennent à part, nous parlent pas, on roule... *tchutt! tchtt....* nous brûlons plusieurs stations... aiguillages heureux puisque nos boussoles varient pas... Nord-nord-est... mais qu'est-ce qu'on avale comme panache! ils le font exprès, c'est à croire... voici bien quatre heures qu'on bringuebale... ramponne et vas-y!... *brang!...* sûr, y a eu des rails coupés... rajoutés!... ah!... le sergent me fait voir une lumière, un feu... loin devant nous... sur la gauche un feu rouge... il doit s'attendre... on ralen- tit... je lui demande ce que c'est?... Rostock?... non!... mais arrêt!... on va ouvrir les wagons, on va tout descendre, il me demande si je peux aider?... mais certainement!... Lili aussi!... et les trois autres là qui parlent pas!... oh, mais y a déjà du monde!... en plein champ... drôle d'idée de nous faire stopper là... d'abord qui nous a fait le signal?... je demande au sergent... mais lui, là!... vous le voyez pas?... je voyais mal ce « lui »... ce « lui » s'approchait de notre plate-forme... je me penche...

— Doktor Erbert Haupt!

Il se présente... malcommode dans l'obscurité... il répète...

— Oberartz Haupt!... Rostock!...

Lui le médecin-chef de Rostock... nous devons pas être loin... tout de même en plein champ... et dans la nuit... il ne fait pas chaud... il ne gèle pas fort, mais assez... à mon tour!... je lui montre mon papier, les signatures, le tampon *bevoll*... il regarde le tout avec sa *torch*... sa *torch* qui fait feu rouge... ou blanc... une *torch* des chemins de fer... pourquoi cette halte en pleine nuit?... je peux pas le voir lui, mais il m'indique... je compris son allemand...

— Ces gens-là vont vider le train...

— *Wo?*... où?

Je demande... il a des équipes... des gens pour ça?... là, dans la plaine?... des infirmiers?... je ne sais pas...

— Demain on verra!

Il précise...

— Demain!... après demain!... nous verrons!... ceux qui bougent!... ceux qui sont morts!...

Voici! simple!... il ne veut pas du tout que nous aidions...

— *Ach! nein!... nein!*

Il va nous conduire à l'hôtel... bien!... comme il veut!... en avant! au revoir aux quatre artilleurs, et aussi aux trois compagnons... nous voici sur ce remblai... suivons l'Oberartz! il connaît le chemin!... il va bon pas... je peine à le suivre... cet hôtel ne doit pas être bien loin... nous passons devant un aiguillage une longue baraque... pas de lumière, pas d'aiguilleurs... ils doivent être partis aussi... pas de réflexions!... ah, une rue!... nous sommes sortis du chemin de fer...

— Voici votre hôtel!

En effet, c'était tout de suite... un vrai hôtel... rien d'écroulé... enfin ce que je crois voir... sûr, Rostock a été touché, mais pas là, pas encore... je regarde

54

ma montre... il est deux heures du matin... il tombe toujours une petite neige, une poudre... je pense à ces gens là-bas au train... sortir tous ces corps des wagons... on a bien failli nous aussi... d'où viennent-ils d'abord tous ces gens?... des évacués de Berlin, je sais... mais combien?... on a jamais su... ceux qui les extirpent des wagons sont par équipes, je crois des hommes et des femmes... un moment, dans des conditions trop brutes, vous faites plus beaucoup attention à si c'est des hommes ou des femmes... surtout comme nous les avions vus, en groupes de loques... enfin il va me montrer sa tête, cet Oberartz Haupt... y a une ampoule allumée... pour tout le hall...

Un homme à peu près de mon âge, mais très sûr de lui... pas commode... uniforme kaki... broderies d'or, bottes, brassard « croix gammée » il nous regarde à peine...

— *Papier!*

Nos papiers qu'il veut revoir... voici!... où nous voulons aller? il demande...

— *Wo wollen sie?*

— Warnemünde!

Bien!... il veut bien!... mais nous devons attendre... il faut qu'il prévienne Warnemünde...

— Pour combien de jours?...

— Un jour!

— *Gut!* bon!... demain matin!... *Stadthaus!* Mairie!...

Il veut nous revoir... entendu! on y sera, à sa mairie!... il part il nous laisse... il a dû nous retenir une chambre... je vois c'est pas l'hôtel déglingué tout en crevasses, comme le *Zenith* à Berlin... mais personne non plus... juste une femme âgée à la caisse, il me semble, à moumoute... elle nous fait remplir nos fiches... ni aimable ni hostile... « bonne nuit! »... le confrère Haupt s'en va... voilà un mot qui prouve rien : bonne nuit!... en réclusion, le préposé qui vous boucle, double tour, vous envoie aussi son : bonne nuit!... *god nat!* la dame du bureau nous conduit au second étage... là notre chambre... deux lits bien durs et une très mince couverture... enfin, pas à se plaindre... le sergent lui voulait nous mettre aux wagons, au déchargement... ce Haupt a pas l'air affable mais cependant pas trop hargneux, pas le décidé antifranzose... on le reverra demain : dix heures!... je dis à Lili : « ça vaut mieux de rester comme on est!... » je veux dire : habillés... on entend encore des sirènes... très loin... mais elles peuvent devenir toutes proches!... une minute, l'autre!... nous connaissons le jeu des sirènes... dans le demi-somme je parle de Bébert... et de La Vigue... de ce qu'ils peuvent faire en ce moment?... Lili me répond... vaguement... je dois continuer à bredouiller... oh je ne dors pas!... nous devons être prêts en cas d'alerte!... surtout ici, dans un endroit inconnu... est-ce que c'est très détruit Rostock? demain nous verrons...

— *Toc! toc!*

A la porte... quelqu'un... très doucement... j'ai bien fait de rester habillé... j'entrouvre...

— Vous m'excuserez cher confrère!... à cette heure!... mais il est bon que je vous parle, prévienne! demain je ne serai peut-être plus là... on ne sait jamais...

Ce cher confrère chuchote... il a un accent... mais pas l'accent *schleu*... d'où vient-il? Je vais lui demander...

56

— Attendez, j'ai une bougie!

C'est vrai... j'en ai même plusieurs... et des allumettes... je gratte... voilà!... je prie cet inconnu d'entrer...

— Toutes mes excuses!... nous nous sommes allongés, c'est tout!... nous attendons une alerte!...

Il m'explique...

— Il n'y a eu que deux alertes depuis que je suis ici...

Il y a six mois qu'il est ici...

— Beaucoup de bombes?

— Non!... trois fois!... quatre chapelets!... mais ils reviendront!... je ne me suis pas présenté!... pardonnez-moi!... Proseïdon... grec, médecin de la Faculté de Montpellier!... Proseïdon!

— Enchanté, cher confrère!

— Ma femme aussi est médecin!... de Montpellier!... je ne sais pas où elle se trouve en ce moment... elle doit essayer de me rejoindre... nous sommes échappés de Russie... moi par la Pologne... mais elle par la frontière roumaine...

Et il nous raconte, ils ont été aux Soviets, lui et sa femme, par conviction politique... mais ils ne se sont pas entendus avec les Soviets... pas pendant un jour! ils ont résidé et travaillé avec eux!... dix ans!... mais jamais membres du parti!... ils ont refusé... simplement dans les hôpitaux...

— Je suis, n'est-ce pas, pathologiste, ma femme m'aidait... médecins de laboratoire en somme... ils m'ont affecté à la lèpre... j'ai fait toutes leurs républiques... en Mongolie, beaucoup de lèpres... notre pratique, cinq ans et demi en Mongolie extérieure... un an à la peste en Arabidjan... ils nous voulaient

57

dans le parti... je ne voulais pas... eux ne vont pas tous dans le parti... huit sur cent... huit sur cent... seulement... nous avons dû nous sauver... et pourtant l'avenir est à eux... toute l'Europe... toute l'Asie... vous savez?...

Je l'écoute... il parle à voix basse... debout, sans bouger...

Moi qui interroge :

— Alors? ici cher confrère?

— Ici ils sont fous! tout aussi fous que les Soviets, mais les Soviets sont bien plus forts, plus énormes... ils peuvent se permettre... leur fable ici : race, sol, sang, n'intéresse qu'une petite famille... snobisme de village... les Soviets eux n'ont pas besoin... ils veulent tout prendre, ils prendront tout.

Tout de même... une réserve...

— A moins qu'Hitler tienne un an... deux ans!... mais je ne crois pas... il perd trop d'hommes!...

— Alors?

— Voilà!... je voulais vous prévenir... vous voulez bien?

— Joliment reconnaissant, confrère!

— Que vous sachiez où vous êtes...

Il doit savoir le quoi du quès... cette arrivée en plein champ? et en pleine nuit?...

— Il ne vous a pas expliqué? technique nietzschéenne... l'Oberartz Haupt est nietzschéen... la sélection naturelle!... les forts survivent! le froid, la neige, la nudité, les fortifient... surtout les blessés!... les faibles succombent, on les enterre... technique de l'Oberartz Haupt, on vide les wagons, tous, on pose tous les corps à même la prairie... tels quels... on les laisse là... deux jours... trois jours... au froid, à la

neige, tout nus... ceux qui peuvent se lever font
l'effort... on les voit, même sur une jambe... ils vont
vers Rostock... là on sépare!... ceux qui vont à l'hôpital, en chirurgie... et ceux qui restent aux terrassements... qui creusent les fosses... pour les morts,
ceux qui ne bougent plus après deux... trois jours...
    Proseïdon avait été médecin de service... à la
prairie et aux fosses...
    — Il va vous y mettre peut-être?
Je comprenais qu'il y ait tant de main-d'œuvre,
que j'aie vu tant de loqueteux autour des wagons...
la méthode n'était pas sotte... mais moi le Danemark
mon intérêt! pas la sélection nietzschéenne... j'avais
un but... qu'il me parle d'Haupt, de ses manies...
et surtout si nous avons le droit d'aller voir la mer?
    — Oui!... mais une seule fois!... et douze heures...
douze heures seulement... il ne peut pas plus! Warnemünde ne dépend pas de lui... Warnemünde c'est
l'Amirauté... la plage, les défenses, la côte...
Il m'explique encore que tout ce qu'ils voulaient
à Berlin était vider leurs hôpitaux... sur n'importe
où!... Hanovre... Wiesbaden... Rostock... Lübeck...
le hic c'était partout pareil!... plus un lit!... ils ne
pouvaient plus prendre personne... un détail drôle :
les lépreux de Berlin... le Comité Croix-Rouge en
avait rassemblé douze... douze qui erraient dans les
décombres... qui devaient venir des réfugiés de l'Est...
on les lui avait adressés, à lui, à Rostock... Proseïdon,
spécialiste... et douze ampoules de *chaulmo-gras*...
et puis plus rien... l'hôpital ici les avait refusés, ces
lépreux!... alors il n'avait pu qu'une chose, les mêler
aux autres, aux travailleurs de la prairie... à déchar-
ger les wagons et creuser des fosses... ça allait... on

ne parlait plus des lépreux, ni de lèpre... l'Oberartz
Haupt ne demandait pas de nouvelles... pourvu que
les wagons soient vides et morts soient enfouis profond!... Nietzsche qui le passionnait, lui... je pouvais
m'attendre qu'il me questionne... il me jugerait
d'après Nietzsche... à ce propos, Proseïdon, pourtant
prudent, avait gaffé... il lui avait dit ce qu'il pensait,
que Nietzsche était qu'un romantique, ergoteur tout
en épates et charabias... depuis ils ne s'étaient pas
parlé, pas beaucoup...

— Je vous demande bien pardon, madame!... si
bavard!... si indiscret!... je pourrais parler toute la
nuit!... vous savez là-bas je n'ai parlé à personne
pendant des années... dix ans!... ni aux confrères
ni aux malades...

— Allons voyons! nous sommes ravis!

— Il faut dormir!... nous avons encore...

Il regarde sa montre...

— Il est trois heures!... je me sauve!... encore
pardon!...

Voici un confrère bien poli... et certainement très
frugal... il vit de pain noir et jamais de beurre...
je pense à lui... j'ai que ça à faire, allongé, tout habillé...
vraiment il a le profil grec!... il y a d'autres beautés,
bien sûr, mais pas beaucoup de si réussies... défini-
tives... je vois moi, ma grosse tête... j'y pense, je me
fais rire...

— Qu'est-ce que t'as?

— Je pense à ma tête!

— Tu ferais mieux de dormir!

Vite dit, dormir!... je perds pas conscience... et
puis des hululements vers l'Est... toujours... faibles
mais toujours... nous verrons l'aube à la lucarne...

60

l'heure au fait!... la *torch*... ma montre... d'abord
quatre heures... et puis cinq... en demi-sommeil...
il est six heures... sept heures, debout!... il faut trouver de l'eau pour se débarbouiller et peut-être un
petit genre café? Proseïdon est devant notre porte...
il mâchonne son bout de pain noir, toujours le même
il me semble... on se dit bonjour, il me demande si
ça a été?... « admirablement, confrère!... » il m'aver-
tit qu'il n'y a plus de domestiques... ni de cuisiniers...
qu'ils sont tous partis, y a un mois... tous, on ne sait
où!... bien sûr plus de café!... ni d'ersatz... lui vit de
pain noir... de ses tickets... il ne mange que ça...
en plus, quelque chose, il sait où on trouve des
tickets!... est-ce que j'en veux?... et comment!...
toujours là, tout de suite, il va nous chercher ce qu'il
faut! une boule de pain de troupe et un broc d'eau...
mais puisque je dois voir l'Oberartz je voudrais un
peu d'eau chaude, me débarbouiller... l'enduit de la
plate-forme, la glu, ne partira pas à l'eau froide...
le confrère va nous trouver de l'eau chaude!... il
dit... à l'hôpital! on va l'attendre... on l'attend!...
il est pas long... voici l'eau chaude... on se décrasse...
à nous maintenant d'aller voir!... c'est à côté!... eh
bien je vois! y avait pas besoin de s'en faire! vraiment! dès l'escalier!... l'Oberartz Haupt pouvait
être nietzschéen de choc, ça nettoyait pas ses étages!...
ni les couloirs!... tous les pansements à la traîne...
pas balayés depuis des mois... sparadrap, charpie,
coliques... sûr, il avait besoin de main-d'œuvre!
mais la chirurgie, je voyais pas... le Grec m'avait dit :
il en élimine beaucoup!... je me demandais comment?
et lui-même?... sa consultation? je cherche... ah, une
vieille malade!... elle descend marche par marche...

agrippée... « plus haut! plus haut! » elle me fait...
je monte plus haut... je vois une porte... pas de nom
écrit, mais une croix rouge... peut-être là?... je
frappe... ça répond... mais on ouvre pas...

— Que voulez-vous?

Je crois que c'est sa voix...

— Un permis pour Warnemünde!

Oui c'est lui, l'Oberartz...

— Vous pouvez y aller! pas besoin de permis...
ils savent!...

Mais le billet?... pas besoin de billet, c'est gratuit!... nous payerons plus tard!... y a pas de gare
non plus... c'est le ballast!... comme train ça sera
celui « des poissons »... leur « train de marée »... on
va avec, on revient avec... permis de rester à Warnemünde le temps qu'ils chargent... deux heures au
plus!... on ira pas excursionner! enfin, nous voulions
voir la mer!

— *Warten sie!*

Il faut que je l'écoute à travers la porte...

— Vous irez chercher vos affaires!... vous ne retournerez plus à l'hôtel!... plus d'hôtel!... défendu!...
fini l'hôtel!... les usines aussi fermées!... Heinkel!...
ordre de Berlin!... vous retournerez direct Warnemünde Berlin!... Proseïdon sait aussi, il partira avec
vous, et ses malades, direct Berlin!... il vous attendra...
vous me comprenez?...

— Oui! Oui! nous allons!

Pas un mot de plus... pas le moment de discuter...
ce bizarre Haupt nous piffre déjà assez mal...l'hôtel!...
ah nous y sommes!... je trouve l'écriteau... je l'avais
pas vu en arrivant... « Phenix Hotel »... on ne doit
pas payer non plus?... il semble... ainsi toutes les

fins de régimes : Cauchemar, Gratuité, Vichy, Berlin, Sigmaringen... vous verrez demain où ce sera... London?... Prague?... Moscou?... vous irez voir... ici, immédiat, y a la peur de quoi?... un débarquement des Anglais? ... des Russes?... nous demanderons à Warnemünde... vite à notre chambre! un petit paquet de nos affaires!... Proseïdon est dans le couloir... c'était exact, il a reçu l'ordre... je lui dis : alors ils vident Rostock?... il ne sait pas... peut-être?... lui il attendra que nous repassions... lui et ses lépreux... tous dans le même compartiment... jusqu'à Moorsburg avec nous... et puis eux alors prennent une autre ligne... Stettin!... mais tiens! tiens! nos dames sont là-bas!... elles sont bien plus loin sans doute?... je le saurai si on revoit Harras, sacredié farceur!... Proseïdon croit savoir qu'ils ont monté une léproserie à Stettin... il n'est pas sûr...

— Un grand avenir Proseïdon!

Nous en tout cas une certitude on a deux heures pour voir la mer... et revenir...

— Au revoir!... au revoir!

A la porte de l'hôtel là deux soldats semblent nous attendre... pour nous arrêter?... nous passons devant eux... ils nous suivent... à dix... quinze pas... nous prenons le remblai du petit train... les deux soldats ne nous quittent pas... toujours à la même distance... d'autres gens prennent aussi le sentier, le même... drôle, y a personne dans les rues de Rostock, là d'un coup, du monde! civils, militaires... quelle langue parlent-ils?... je le demande à un... danois et hongrois!...

— Il ne restera personne à Rostock!...

L'autre m'a dit à travers la porte... à propos, il

63

m'a pas soufflé mot de son Nietzsche... son seul souci :
qu'on décampe!... bien!... toujours on va voir cette
Baltique!... et le port... on a deux heures... tous ces
gens vont prendre le bateau... mais je le vois!... je
vois le bateau... un peu plus loin... Rostock est un
port, j'oubliais... un port très étroit... le remblai fait
quai... allons-y!... tous ces gens, sûr, vont s'embarquer... on s'approche... c'est un petit cargo... sur son
flanc sur toute la hauteur en très grandes lettres
blanches : Danemark y a pas à se tromper... nos
deux soldats qui nous suivent se rapprochent, ils
nous font signe : pas par ici!... par là!... plus loin!
je vois la passerelle, et ces autres gens, hongrois,
danois, qui montent, un par un... nous nous en
allons, dépassons le cargo... ce cargo n'a pas de
nom, seulement un chiffre : 149... la mer, la plage?
plus loin!... plus loin! oui, c'est ça... le canal s'élargit...
et voici un autre genre de port... un port de voiliers,
des cotres de pêche... là y a du monde!... plein les
quais... ça doit être ça Warnemünde?... ni du sable
ni du galet... du petit caillou noir, du petit caillou
blanc... pas vilain... tout de même très deuil... et
puis quantité de chalets... toute la plage... chalets
baroques... style « allemand frivole »... et de toutes
les couleurs... surtout framboise et vert pistache...
pas de baigneurs du tout, volets rabattus... une
plage à la mode, Warnemünde... pour le moment pas
question!... nous n'avons parlé à personne... personne
ne nous a approchés... on doit nous prendre pour
un couple que nos deux soldats mènent quelque
part... la belle saison, quinze jours par an, climat
Baltique... ah, un peu plus loin, où ils chargeaient
les poissons, le train pour Berlin est formé... on peut

aller voir!... deux compartiments « réservés »... pour nous sans doute?... assez la plage! nous avons vu!... prenons place! nous et notre soldat le plus âgé... nous nous reposerons... le jeune monte à côté... ils ne nous ont pas beaucoup parlé ni l'un ni l'autre... là assis on voit bien ce qui se passe, la montée des autres à bord... ah, on les filtre!... au moins dix flics en uniforme... se passent les papiers... tamponnent et retamponnent! questionnent... surtout les militaires hongrois, à calots rouges... on peut dire que c'est épluché!... on passe pas au Danemark comme ça!... surtout nous! avec nos accompagnateurs... je me demande ce qu'ils sont? S.A.?... S.S.?... je leur vois pas d'insignes... ni de galons... je leur demanderai, un moment, admirons encore cette plage!... nous ne serons pas venus pour rien... c'est pas la mer agitée... une platitude grise... le ciel, les petits galets, l'eau... tout se rejoint là-bas, très loin... à Zornhof c'était la plaine qui faisait l'effet de pas finir... ce cargo le « 149 » va donc là-bas au-delà du ciel et de la mer... on essayerait bien nous aussi... je vois personne au large, pas une barque... ils doivent pêcher qu'à certaines heures?... peut-être que la nuit?... cette plage était l'endroit select, le plus ultra-chic de l'Allemagne du Nord... on ne dirait pas... rien ne devient plus cafardeux que les plages soi-disant de joie, chalets, casino, sitôt que les télégrammes affluent, les mauvaises nouvelles et la foudre... alors nous là à regarder le ciel et les mouettes planer, à espérer quoi?... toujours d'autres mouettes piquer des filets et paniers... au pont du cargo... et puis croasser de plus belle! plein la plage!... toujours et encore... on va pas y aller!... on bouge pas de notre compartiment... je regarde nos deux sentinelles... un doit avoir dans les quinze ans... l'autre bien plus âgé... l'âgé donne un ordre... le jeune bondit!... cavale à travers la plage... il va à une baraque du chenal... nous attendons... il revient avec deux gamelles... et un litre... il a fait vite... ils ont soin de nous... c'est chaud... deux gamelles de poisson au riz... et un litre d'eau... depuis trois jours, je veux l'habitude, mais tout de même sans Proseïdon on aurait rien mangé du tout... nous faisons honneur aux gamelles... le jeune nous demande si c'est bon? « plutôt! *ja! ja! danke!* merci! »... une matelote en somme... et revenue au beurre!... le luxe!... soudain comme ça! ah, on se sent mieux pour regarder... y a à voir... le cargo s'en va... on dirait... oui!... il ne siffle pas... les hélices battent... tout doucement... on voit encore mieux son plat-bord... toute la hauteur... et l'immense Danemark en lettres blanches... ça sera voulu si on le torpille... « bon voyage! »... je fais le geste, je salue par la portière... personne me répond... personne n'apparaît... la consigne sans doute... enfin voilà le « 149 » prend le chenal... oh, tout doucement... la mer... il s'en va... la mer bien plate, bien grise... voilà on a vu ce qu'on devait... nos deux soldats nous font signe qu'on rende nos gamelles et la bouteille vide... le plus jeune se sauve avec... il les rapporte à la cabane... je vois plus loin que nous, sur la voie, le « train des poissons » est formé... on pousse notre wagon jusque-là, on nous raccroche... des manœuvres et des pêcheurs... le jeune griffe revient, encore avalant, il remonte avec nous... ils ne nous ont pas beaucoup parlé, ni l'un ni l'autre... vraiment rien dit... enfin le train de Berlin est formé...

Berlin direct... il faut tout de même qu'on prenne notre confrère à Rostock... lui et ses malades... je remarque que ce sont les femmes qui font le service du chargement qui bourrent les wagons, qui se passent les paniers et paniers... le même blot qu'aux Sables, Fécamp ou Malmö... le métier qui fait les êtres, un *komissar*, un député sans blabla, une mareyeuse sans papiers, existent plus... ils sont gens du monde, vacants, prêts à tout... là une chose elles essayent pas de nous parler, savoir qui nous sommes... sûrement elles se méfient des gens comme nous avec factionnaires! *chutt! chutt!* la locomotive!... ce train n'a pas de plate-forme armée... pas d'artilleurs... nos deux factionnaires, c'est tout... on part... *chutt! chutt!*... Oh c'est pas long... Rostock!... le dur s'arrête, Proseïdon était là, nous attendait... pas tout seul, il a ses malades avec lui... je lui demande... oui! ce sont eux!... il a pu les rassembler, il en manque qu'un... il a aussi pris nos affaires à l'hôtel Phénix... pas lourd, un petit sac... deux chemises, des serviettes, du savon... maintenant Moorsburg!... cent bornes!... nous ne reverrons pas l'Oberartz... l'ardent nietzschéen!... je l'aurais jamais vu, je l'ai qu'entendu... et pas aimable, à travers sa porte... je me ferai une raison!... nous ne sommes pas comme à l'aller... tous ensemble... Proseïdon est dans l'autre compartiment avec ses lépreux... il ne doit pas les quitter... juste un demi-battant nous sépare... je les vois là tous, ils ne sont pas hideux, ils n'ont pas d'âge ainsi dire, ils sont hors d'âge... assez boutonneux, et emmitouflés, la plupart de très gros pansements... surtout des hommes, il semble... nous roulons... ce train, c'est vrai ne s'arrête nulle part... oh,

67

mais ne va pas vite... les lépreux se tamponnent beaucoup le nez et les yeux... leurs loques servent à ça... vous pouvez faire leur diagnostic, facilement... ils saignent du nez et des yeux... ils ne devaient pas être fameux aux terrassements... on peut les emmener ailleurs... une léproserie?... où?... toujours on roulait... les avions ne s'occupent pas de nous... pourtant ils vont viennent là-haut piquent tournoient... ils doivent connaître ce train de poissons, son heure, et qu'il est pas armé du tout... ça devait être comme entendu qu'ils laissent passer la marée... nous à Moorsburg on avait jamais vu de poisson... c'est ainsi pour toute la planète les grands s'entendent pour se gâter... vous verrez lors de la prochaine, l'atomique, ils s'enverront des paniers de fraises, du Finistère à Svarnopol, et par fusées... je plaisante mais pas tant... j'oubliais de vous parler de la neige... maintenant y en avait... pas haute épaisse mais tout de même... à ne plus voir les rails... j'oubliais aussi les mouettes!... pourtant elles ne nous ont pas quittés... pensez quatre wagons de poissons!... elles tournoient haut, planent, se posent sur nos toits... et Proseïdon?... il ne parle pas, il réfléchit... nous ne sommes plus loin... encore une... deux... trois stations... là ça va y être!... je vois, je crois voir les maisons... la neige empêche... le train ralentit... si on peut dire... mètre par mètre... *tchutt! tchutt!* oui, il s'arrête, c'est Moorsburg... et dans la gare même!...

— Ferdine! Ferdine!

C'est La Vigue!... Lili répond, une question!

— Bébert?... Bébert?

— Il est là!

68

Nous descendons... et Proseïdon, et son personnel...
ils s'aident à descendre, ils se donnent le bras... ils
veulent bien aller n'importe où...

— Par ici confrère! par ici!

La voix, c'est Harras! il est pas seul, il est avec
Matchke... tous les deux en grande tenue de guerre,
peinturlures caméléon... énormes bottes, grenades à
manche, Mauser comme ça! je lui demande

— Alors les Russes?

— Non!... mais pas loin!

— Ah, amenez-les!

— Pas besoin! ils viendront bien seuls!...

Le mot drôle toujours! et la prévenance! il m'indique, il nous attendait... il a fait mettre en état un
coin de salle d'attente pour nous quatre... Lili, moi,
La Vigue, et Proseïdon...

— Où allons-nous?

— D'abord vous reposer, vous pouvez un peu
dormir?

— Oui!... oui!... un peu...

— Manger?

— Oui!... oui!... aussi!

— Alors du poisson!

Nos deux sentinelles n'ont pas quitté le train, ils
se sont assis à nos places... eux doivent aller jusqu'à
Berlin... ils n'ont ni mangé ni dormi... service!...
service!... et puis revenir, même train de marée...
mais il se pourrait que tout change qu'il n'y ait plus
de train pour Warnemünde... que là-bas la pêche
cesse... interdite!... Harras est mieux renseigné que
nous... les Anglais avaient envoyé, paraît-il, deux
grandes péniches devant Zopotte... posé des balises?...
ou des mines?... y avait à craindre! y avait de la

drôlerie dans l'air! à propos l'Oberartz Haupt?
qu'est-ce qu'il en disait?... il était pas original?... sa
prairie d'épreuve?... ses moribonds au travail?...
Harras savait très bien tout ça...

— Oh, vous savez il ne peut faire mieux!... dans
les circonstances! aliéné il est, je vous l'accorde, mais
à sa place?

Le thermomètre marque — 4°...

— Ce n'est pas trop froid... c'est bien, le train des
poissons restera là, à quai... il repartira avec vous...
je vous dirai demain... je préférerais qu'il me dise
tout de suite... nous allons voir cette salle d'attente
pleine de soldats allongés, qui semblent dormir...
toutes les gares allemandes sont de même, des soldats qui dorment... aussi des blessés... le coin à
droite est préparé, quatre gamelles... soupe aux
choux... je vois La Vigue, et le Grec plus pouvoir...
ils ne touchent pas à leurs gamelles, tout de suite
ils s'endorment...

— Destouches!... Destouches! je vous présente
Sœur Félicie!...

Sœur Félicie a l'air tout à fait à son aise... pas du
tout triste... gaie même, dirons... jeune, la tren-
taine...

— Ordre de la Sagesse!... et soignante!... aux
contagieux... elle était à La Charité... vous savez,
notre grand hôpital!... Sœur Félicie!

— Oui! oui Harras!

Je la présente à Proseïdon... Proseïdon s'extirpe
de sa paille... s'incline très bas... et demande pardon...

— Sœur Félicie!...

Harras m'explique, elle vient d'arriver de Berlin...

en tank... directement... volontaire pour la léproserie... c'est elle qui les soignait là-bas aux contagieux... je vois ils se connaissent, ils s'embrassent...
la première fois que je les vois réjouis... elle soignait
à la Charité depuis dix ans... d'abord pour un stage,
pour les malades catholiques, et puis elle n'était pas
partie... on ne l'avait pas expulsée... elle ne demandait pas à partir... bien des sœurs comme elle et de
tout le pays à la « Charité »... et des diaconesses...
elles avaient autre chose à faire qu'à s'occuper des
événements... seulement depuis les raids, les blessés...
elle, Sœur Félicie, ne s'occupait que des contagieux... on avait groupé les lépreux, tout, dans son
service... de là les dix... les quinze... et il devait en
venir d'autres... y en avait encore dans les camps...
il paraît... l'idée de léproserie venait du ministère,
de Conti... Sœur Félicie était équipée, chaussures
d'infanterie, musette, pain noir... les lépreux voulaient qu'elle les soigne, tout de suite, qu'elle leur
refasse leurs pansements... elle voulait bien, mais
nous n'avons ni bandes ni ouate... si! si! y avait!
Harras avait au premier étage, chez le chef de gare,
tout un matériel d'infirmerie... tout préparé... Kracht
allait tout descendre...

— *Ja! ja! ja!*
Mais Sœur Félicie voulait pas tout de suite... elle
voulait refaire sa cornette, tout de suite!... Harras
lui dit qu'il y avait pensé aussi! au « premier »!
un fer à repasser, une planche, du bois pour le
poêle, et qu'elle serait seule... le chef de gare et l'ai-
guilleur étaient partis pour le front Ouest... je
remarque Harras avait plus son gros rire... son
ooaah! il n'était pas triste mais il ne riait plus...

j'avais bien des choses à savoir... j'aurais voulu lui parler... on attendait assis dans la paille... et puis on s'est allongé... on attendait la Sœur Félicie... il me semble...

J'ai entendu encore un train... *chutt! chutt!*...
ralentir, et puis s'arrêter... un autre train de poissons?... peut-être?... et puis toute une troupe... des
bottes et des cliquetis d'armes... et des ordres,
contre-ordres rauques, en allemand... pas ouvert l'œil,
vous pensez!... leur rassemblement devant la gare?...
sans doute... et d'autres bruits là de cette salle
d'attente, des gens étendus... des ronflements et des
grognements et aussi des plaintes... parmi tous ces
étendus il devait y en avoir de très mal... c'était
pas le système nietzschéen comme là-haut Rostock,
la sélection par le froid, mais ça devait revenir au
même... je suis sûr, tous les trois-quatre jours, ils
devaient venir passer la revue... ce qu'était étendu
dans les gares, ceux qu'étaient raides on devait les
emmener... y avait des fosses... ça mourait beaucoup
en transports, par hémorragies et gangrène... forcément, de si loin, d'un front l'autre... des jours et
des nuits à même la paille, sans infirmières, sans
pansements... nous là toujours, on se reposait,
La Vigue, moi, Lili... pas à dormir, non!... mais
tranquilles... beaucoup de paille!... oh! pas insou-

ciants!... même Bébert dans sa musette était en quart, pas ronronnant... le tout dans les bruits s'y reconnaître!... ceux qui sont pour vous... j'en entendais deux là, certain... Harras... Kracht... à leurs pas dehors... ils nous cherchaient... oui! c'était eux!... ils enjambent les corps... Harras me repère... il m'éclaire avec sa *torch*...

— Destouches!... Destouches!... une chose! importante pour vous!... pour vous trois... voilà!... voilà!...

Je me sors de la paille, La Vigue aussi, Lili aussi...

— Je me suis permis... Madame vous me pardonnerez... important pour vous...

Nous écoutons... il chuchote fort...

— Le gouvernement français a quitté Vichy...

— Alors?

— Il se replie sur Sigmaringen...

Là il faut qu'il nous explique... Sigmaringen? en Allemagne?... oui! oui!... parfaitement...! mais tout au sud!... à la frontière suisse!...

Je vois La Vigue changer de couleur... lui qu'était blafard, presque défaillant, tourne pourpre...

— Ah, Ferdine!... Ferdine! le salut!

Il s'exclame...

— Attention aux autres La Vigue! nous verrons là-bas!...

— Alors on part! quand?

— Mais oui! mais oui!

La Vigue se tient plus!

— On va retourner dis! en France!

Mais comme nous sommes, moi couché lui debout, je le vois mal... cette salle est noire... je l'entends... Kracht et Harras illuminent... il sursaute, bondit de

joie, sur place... entre les corps... va-vient... enjambe...
il est sorti du cauchemar... il se voit déjà en Suisse...
et presque chez lui, à Montmartre...

Je le calme.

— La Vigue, pote, c'est pas fini! écoute le docteur
Harras!... tu gueules! ces litières sont pleines de
mouches! y en a partout! tu le sais pas?...

Harras m'interrompt... il sort un tampon de sa
poche...

— Donc voici!... regardez!

Nous examinons... ce n'est plus le *Reichsgesund*...

— Un ordre de l'armée pour Sigmaringen!... plus
sérieux! n'est-ce pas?

Il n'est pas à rire, je trouve... il me met en garde...
le plus difficile sera Berlin...

— Là vous savez ça va mal... à la gare vous
trouverez tout le monde... pas seulement des
réfugiés... aussi des soldats... plein!... pour Ulm,
pour le sud... vous connaissez la gare *Anhalt?*...

Oui, certainement!... nous notre « train de marée »
nous arrêtera avant Berlin... nous descendrons... et
nous irons jusqu'à *Anhalt* avec nos deux factionnaires, ils connaissent le chemin...

— Certainement!... certainement!

Le tout, qu'on arrive!

Je lui donne nos papiers, La Vigue aussi... le
tampon, pourtant magnifique *Reichsbevoll* ne suffit
plus, il nous faut celui de l'*O.K.W.*... *Oberkommando
der Wehrmacht*... Commandement suprême de
l'Armée... Harras y ajoute, de sa main : *Wehrmacht
befehl!* Sigmaringen... je crois que comme ça nous
sommes parés... mais les billets?... tout est gratuit,
décidément!

— Vous payerez plus tard! plus tard!

Quelle dette nous aurons! en effet j'ai vu... plus tard! que c'est pas encore fini!...

Là il s'agissait de nos papiers... les voici! je rempoche le tout!... y compris les visas de La Vigue, il préfère... maintenant c'est pas tout!... encore une formalité!... il faut qu'on prévienne Berlin... l'A.A. et la Chancellerie... et toutes les lignes sont coupées... souterraines... ou aériennes... au fur à mesure qu'on les répare... je savais déjà... on se doute qui c'est... on a arrêté cent suspects... on peut bien en arrêter mille!... les techniciens de la *Wehrmacht* ont mis au point un système « entraînement vélo-magnéto » que personne ne peut saboter... je vais voir... on va voir... ce que je vois... monté en haut d'un traîneau le vélo de Kracht!... si on le connaît!... le fervent du vélo, Kracht!... mais alors là sa bécane amarrée solide, fixée soudée... et la roue arrière motrice, reliée par courroie entraînant une magnéto... Kracht monte en selle et pédale!... pédale!... je crois comprendre... lui qui fait l'électricité... hardi mollegommes!... la longue antenne tout à l'avant du traîneau, émet! et aussi capte!... antenne à deux fins... Harras nous explique... mais il faut pas que Kracht mollisse!

— *Noch! noch!...* encore!

Harras cherche Berlin... il émet... il me fait voir son petit appareil... tout petit... dans le creux de la main... et puis que Berlin lui réponde... Harras est casqué... il écoute... voilà!... ça y est!... pas été long!...

— Je les préviens que vous arrivez... il faut! Je suis bien d'accord!... *tac... tac... tic!*

Je vois qu'il a appris le télégraphe, l'autre là-haut sur sa bicyclette est pas non plus pour s'amuser...

— *Noch!... noch!...* Kracht!... encore!

Kracht se donne!... il s'agit de la magnéto! et pas par à-coups!... continu!... que l'antenne bégaye pas!... stop!... fini les envois!... brusque!... maintenant recevoir! le plus délicat la réception!... Kracht doit pédaler l'autre sens... à l'envers... hardi!... et ça y est!... heureux que Kracht est entraîné...

— *Gut!* Kracht! *Gut!...*

En effet, on voit à l'antenne, le crépitement... Harras entend... il entend Berlin... il entend la Chancellerie...

— Destouches, ça va! accepté!... *ja!... ja!...* vous pouvez partir!... attendez encore un instant!... *noch! noch Kracht! Stettin!...* je dois prévenir Stettin! ils doivent savoir!...

C'est vrai!... notre confrère grec et les lépreux et sa bonne Sœur... je les oubliais!... douze pustuleux... quinze... tout un traîneau... deux traîneaux... Stettin répond pas!... Kracht a beau donner tout ce qu'il peut! eh, tant pis!... ils n'iront pas se perdre!... il n'y a qu'une seule piste pour Stettin... très bien marquée et très surveillée... très entretenue... je vois... un chasse-neige tous les kilomètres... tout le trafic, civils, réfugiés, militaires, Stettin-Berlin passe par cette piste... et aussi Moorsburg-Baltique... Harras m'avait parlé de ces petits chevaux tartares, exprès pour traîneaux... je les vois là, attelés... en effet si poilus, barbus... mais à vrai dire, ils font plus poneys pour enfants qu'attelages d'extrême Nord... trottineurs des neiges... tout ça vient de Stettin, leur remonte... ils se retrouveront bien!... Harras renonce à ses appels... Stettin demeure sourd... il faut dire aussi que Kracht S.S. est à bout de force... il tire la langue... et que notre antenne ne crépite plus...

— *Noch! noch!*

Harras a beau le stimuler...

— *Nun! nun! lasse!* laissez!

Kracht dégringole de la selle... il s'étend là dans la neige... sur le flanc, rendu... lui qu'était fervent de vélo!... on le laisse... on va voir les autres... prêts au départ... la Sœur a refait tous les pansements... plus un moignon qui dépasse, tout est sous charpie, et crêpes et ouates... comme emmitouflés ils sont, têtes, corps, jambes, mascaradés en touaregs... et si contents!... le traîneau doit les amuser, et de partir loin... et d'avoir retrouvé la Sœur... ils n'iront pas vite... cinq jours il paraît, pour Stettin... c'est un tringlot qui conduit... chaque attelage, deux chevaux, par les mors... le tringlot à pied et en armes, grenades, carabine... je vois que c'est sérieux... des relais tout le long il paraît... là-haut le dépôt à Stettin... et la léproserie... pas dans la ville même, le village avant... notre Proseïdon, je le vois, est pas enthousiaste... il ne proteste pas, mais il préférerait rester avec nous... il a fait du traîneau dix ans, il connaît... et des lépreux... il partirait bien avec nous, n'importe où, sud!... mais son ordre de route est : Stettin!... il ne proteste pas, mais dans son genre il fait la gueule... c'est-à-dire encore plus discret que d'habitude... et met tous ses lépreux en rang et il les emmène aux traîneaux, il les installe, et la bonne Sœur, là tous bien assis... il nous dit : adieu!... nous lui répondons : au revoir!... au revoir!... les deux traîneaux glissent... décollent... ça y est!... la piste...

ils en ont pour au moins quatre jours... ils ne nous font pas de signes... ni les lépreux, ni la bonne Sœur, ni Proseïdon...

En fait nous ne les avons jamais revus, ni entendu parler d'eux... ni de cette léproserie... ni de Stettin... j'ai bien demandé par-ci... par-là... à des voyageurs, soi-disant... villes et villages ont changé de noms, il paraît... et les habitants sont partis... il faudrait y aller... voir... pensez!

Donc, nous trois, Lili, moi, La Vigue, et notre greffe, reprenons notre « train de marée »... même compartiment... nos deux soldats n'ont pas bougé, ils nous attendaient... voilà... Harras nous recommande encore...

— Vous aurez un peu à marcher, une demi-heure, du dépôt des locomotives à la gare *Anhalt*... les deux soldats ne vous quitteront pas.

— Parfait, cher Harras!... à la grâce de Dieu!... et *heil Hitler!*...

Nous nous serrons les mains... fort... il embrasse Lili... il embrasse Bébert... voilà!... dans le fond bien sûr y a de la tristesse... même le sentiment que nous ne nous reverrons pas de sitôt... Kracht tout de son long dans la neige souffle... souffle... il nous regarde...

— Au revoir, Kracht!

— *Heil! heil Doktor!*

Lui aussi a été bien brave... bourrique... oui il fallait!... le quitter nous fait de la peine... qu'a-t-il pu devenir?... on le connaissait bien...

Oh, mais notre « train de marée » démarre... tout de même!... *tchutt! tchutt!* patine... en route! encore au revoir à Harras... et Kracht!... c'est tout... je les ai jamais revus... ni Proseïdon, ni la Sœur, ni de l'autre là-haut, le nietzschéen de Rostock... ni de ses sélections naturelles... dans les « Superjets » ils se quittent pas, ils vont à New York en trois heures, et foutre bon Dieu tous ensemble, c'est dans les voyages bric et broc que vous êtes forcé de bien faire gaffe, que vous laissez plein de monde disparaître pour un oui un non, que c'est miracle même de se souvenir, la preuve le mal que j'ai moi-même à vous donner un petit peu de preuves, que ces personnes furent bien réelles et agissantes, plaignez le pauvre chroniqueur!...

Le train nous emmène... d'abord tout doucement... et puis brutalement... tout de même, cette voie est meilleure... y a des tas de cailloux, ils réparent... nous nous sommes installés, bien sages... nous avons à réfléchir... plus d'Harras, plus de Kracht... à nous maintenant de nous débrouiller... nos deux soldats mouftent pas... on verra à cette station... la station avant Berlin... y a un peu d'avions en l'air... mais qui s'occupent pas de nous du tout... on passe... on ne s'arrête nulle part... des baraquements... gares ou dépôts? nos deux soldats ne nous parlent pas... sûr, ils ont l'ordre... avec Harras ils parlaient... voici bien trois heures que notre train roule... il a sifflé... peut-être à chaque station?... ah, nous voici!... une plate-forme... nous devons y être... le plus vieux des deux fritz nous fait signe... oui!... oui!... ça va!... nous descendons... le sentier le long de la voie... queue leu leu... ce n'est pas pénible, mais sommes-nous loin de cette gare *Anhalt?*... je demande... « *ach, nein! nein!* »... en effet... voici des bicoques, un faubourg... bien endommagé ce faubourg... même très! en bouillie... il fume... enfin deux maisons sur trois... ils doivent être accoutumés, deux maisons sur trois... nous en avant la queue leu leu!... ah, on arrive, ah, je la reconnais... la gare *Anhalt*... ses quais en petits quadrillés!... seulement la ferraille bien plus tordue que la dernière fois, je veux dire là-haut, la verrière, la géante voûte... il en tombe tout le temps des bouts... *ptaf!*... *toc!*... ça n'arrête pas... une pluie de bouts de verre... sur les quais et les gens... et les trains tout couverts de ricochets d'éclats... pourtant quel monde!... nous notre quai, l'express pour le sud est déjà comble... comme la navette pour Rostock... mais celui-ci est en vrais wagons, hauts, larges... les gens cependant sont tassés debout, aussi encaqués que dans l'autre... il est pas question que nous puissions, nous là pourtant bien des plus maigres, nous faufiler, insérer, nous pourtant très compressibles... nous allons venons le long de ce train... ah, un wagon a pas l'air tellement occupé... nous nous demandons... y a pas que nous, y a une foule qui voudrait savoir si y a encore des fois... une place?... deux?... de tout, militaires en casques, en bérets, et femmes, et enfants... non!... y a pas!... y a pas!... alors d'un coup rien ne va plus!... ça hurle!... les assaillants s'agrippent à tout... je vois des *feldgrau* qui se démènent... cavalent d'une porte d'un bout à l'autre du couloir... essayent qu'ils décrochent des fenêtres... parlementent, commandent, salut! expliquent que c'est le wagon spécial, *sonderzug Wehrmacht*, qu'ils ont qu'à regarder l'écusson... l'aigle... et fanion au bout... s'ils y répondent!... bordées d'insultes!... et pires menaces! la plaque O.K.W. alors? ils l'arrachent au flanc du wagon, ils l'emportent... ça aurait pu durer longtemps...

Brangg!... et *crrrt!*... comme une explosion!... c'est
une des grandes vitres du wagon qui vole en éclats!...
un pavé!... et un autre!... une autre vitre!... et le
carreau de la porte au bout!... ils ouvrent, ils ont la
poignée!... ça monte à l'assaut, tous les hurleurs de
la plate-forme! beaucoup qui se vantent d'avoir vu
l'anarchie allemande, ils mentent, ils étaient pas là,
nous on était, et pas pour rire... j'ai vu bien des
choses mais l'Allemagne en furie nihiliste vous oubliez
pas... tous les mécontents et leurs mômes et les nourrissons dans les bras à l'assaut du *sleeping Wehrmacht*... si ça se bouscule, tout le compartiment!
méli-mélo... plein d'officiers en pyjamas, soldats, nourrissons, mémères... si ça s'empoigne!... tout le couloir!
les couchettes vite prises!... les pères grimpent avec,
tout ça s'engouffre... ils seront bientôt plus tassés
que dans notre tortillard Rostock... grands-pères et
grand-mères à présent... quelle langue? patois?...
un me dit... ils sont finlandais... ils devaient venir
à Zornhof, eux que nous attendions! ils y vont plus!...
ils veulent pas de Berlin!... sud qu'ils veulent aller!...
le premier train!... le dur pour Ulm!... c'est celui-ci!...
d'où qu'ils sont là tous, à l'assaut!... pas que des Finlandais, des Lettons, des Estoniens... et des Danois
du *Frist-Korps*... ceux-là n'est-ce pas, je devais les
retrouver plus tard, bien plus tard... mais là pour
le moment, je vous reconte cette anarchie gare
Anhalt... ils veulent qu'une chose : les couchettes
et virer les huiles, sortir les officiers tout nus, balan-
cer leurs uniformes par les portières, et les armes
avec!... et les bottes! ce sport!... tout ça viré! volé!
loin! et si ça jure!... tout le compartiment! et les
menaces!... les officiers comme ils sont, en pyjama,

contre toutes ces rombières furieuses, qui cassent encore des carreaux, sont forcés de se lever, de sortir, courir rattraper leurs culottes... le grand compartiment du milieu est occupé par un gros chauve à monocle, en robe de chambre... on lui a cassé sa porte... ils se sont engouffrés au moins quinze à s'installer sur les sofas et ses deux lits... d'autres hurlent plein le couloir... ce gros chauve s'oppose mais il ne peut pas... son uniforme vole par la fenêtre... et son manteau et ses bottes... et sa casquette... les mômes s'amusent vite à la mettre... et la déchirent... tous les voyous de la plate-forme... et l'uniforme! la tunique surtout, la croûte de décorations... et le sabre!... qui c'est lui?... un Allemand me le dit... pas un général!... un maréchal!... quel? Von Lubb!... ce nom me dit rien... toujours, il veut aller à Ulm... tout le wagon d'abord, tout ce train veut aller à Ulm... et toute la foule de la gare, pardi! c'est le wagon le pire, le couloir en bouts de verre... les plates-formes aussi... y a pas à se défendre... comme colère c'est pire que le métro... et si on piétine les éclats!... plus la ferraille de tout là-haut de la géante voûte... le maréchal veut s'en aller, sortir du couloir... oh, balpeau! les femmes s'opposent, il ne passera pas!... en plus elles veulent ses pantoufles!... il résiste! « *ach, nein!...* *nein!...* » elles lui sortent de force des pieds... maintenant qu'il aille! nu-pieds!... ses officiers se sont sauvés eux, avec leurs pantoufles... ils voient leur maréchal descendre, ils se précipitent à son secours... le porter!... ils le portent... si tout le train se marre!... le maréchal au pavois... tout le long du train... *heil!* *heil!* ils se fait traiter!... von Lubb!... von Lubb!... *schwein! schwein!* le curieux il répond très aimable-

ment *schwein!... schwein!...* l'ovation des voyageurs
cochon!... et par des graves gestes de tête... et des
bras... il doit être sourd... ils sont au moins dix à le
porter... comme ça, au pavois... et plus loin!... plus
loin que le coke... un... deux... trois énormes ten-
ders... pas le petit tortillard « navette »... le vrai
costaud dur... cette locomotive, une usine! fumante,
pouffante... de fumée âcre et de jets bouillants...
pas à s'approcher mais les officiers porteurs sont au
moins vingt à présent... von Lubb au pavois... triomphal... ils lui donnent à agiter le fanion et la plaque
de leur wagon... O.K.W.... *Commandement Suprême
Wehrmacht...* le mécanicien hurle... leur hurle... je
comprends...

— Ça va! montez!...

Il doit savoir qui ils sont... qu'ils ont été expulsés de leur compartiment...

Alors eux aussi à l'assaut!... du premier tender!
le maréchal toujours au pavois! ils s'élancent à travers les jets et vapeurs... *fssstt!* et ça y est! ils
s'agrippent, ils y sont!... tous dans le coke!... en
plein!... ils seront pas si mal... et nous, les curieux?
demi-tour, vite! à notre wagon!... il doit s'y passer
des choses... ils se battaient, ils ont peut-être fini?...
c'était surtout pour les enfants... je crois que nous
le mieux dire que Bébert est notre nourrisson... on
le voit pas dans son sac, fermé... oui!... oui!... nous
y sommes... Lili le berce... les femmes à la portière
refusent!... elles, elles sont casées!... oh mais Lili
est acrobate... ni une ni deux... rétablissement! par
la fenêtre! y a plus de vitre, seulement des éclats...
hop! elle y est!... je lui passe Bébert dans son sac...
pour moi ça sera plus compliqué... nos deux soldats,

nos deux si discrets nous ont repérés, ils sont là...
ils me saisissent, chacun un pied, et *hop!*... j'y suis!...
au tour à La Vigue!... maintenant y a plus qu'à se
forcer, s'amalgamer aux voyageuses, aux Lituaniennes debout ou sous elles... bosniaques? je ne sais
quoi... et les maris et les grand-mères... disparaître...
et bébés partout, plein les filets!... pensez si ça
piaille... tétée! tétée!... *vrroum!* la machine tremble!...
et tout le convoi!... on démarre... y a une locomotive en queue, pas que celle-ci, qui crache comme
la nôtre, plein les plates-formes... j'ai vu...

— Important La Vigue, important! on s'en va!...
En fait, ça y est... oh, tout doucement...

— T'entends, tu sens La Vigue?
J'insiste...

— Le maréchal vient avec nous...

— Faisan, je te dis! pas plus maréchal que moi!
Son impression...

— Dis donc Rostock, Ulm c'est une traite!

— Ulm? Ulm? t'y crois toi Ulm?
On peut pas dire qu'on a la foi.

Foi ou pas, le train a démarré... assez facilement...
tchutt!... tchutt!... cette locomotive de tête est plus
nerveuse que celle qui pousse, nous pousse... les
wagons arrière patinent... nous là-dedans, nous trois
et Bébert, dans l'amalgame de ces femmes baltes,
loupiots et familles, sûr nous nous étions fait remarquer... mais nous y étions entrés quand même,
fouchtre! dans leur méli-mélo de croupions, nichons,
bras et cheveux... coincés imbriqués de façon qu'on
puisse pas beaucoup nous jeter hors... moi au moins
trois cuisses et un pied autour du cou... sur la tête...
question wagon vous diriez qu'il en a assez, qu'il va
se fendre, s'ouvrir, partir en morceaux, qu'il est
mûr... cahots et tremblote... mieux disposé vous
pourriez chercher voir si ce sont les rails, la voie
ou les roues... tout de même ce dur vogue, secoue
moins que ceux de la Baltique... là-haut on peut
dire, on a bien ri!... ce convoi des lépreux et poissons... où il pouvait être à présent?...

Assez de souvenirs!... tout de suite là, ce qui
se passe!... ces femmes parlent... vraiment des
idiomes étrangers... je veux dire des langues pas à

comprendre... même les mots simples, des mères à leurs mômes... nib!... oh j'apprendrais quand même et vite si ce voyage devait durer un peu... facilité pour les langues? don de python et de portier d'hôtel... l'idiome est qu'une viande, vous dandinez devant, tout ahuri... et *worzt!* vous piquez! l'avez plein cœur!... au rythme!... mais ce n'est pas tout, ce train roule, avance, je vous disais, et nous sommes casés... ce train roule enfin à sa façon, saute presque des rails... *pfim!*... s'y replace, s'y retrouve, et reroule... là un peu faisons le point, notons... partout où nous montrâmes nos tronches depuis presque bientôt trente ans, que ce soit dans les brasiers des villes, on en a fait des douzaines, mi-consumées, ou plus que cendres, bribes de décombres, de Constance presque en Suisse à Flensburg là-haut ou en France, mettons Courbevoie ou passage Choiseul ou rue Lepic toujours bien eu le sentiment que j'aurais jamais dû exister... ni même ici même à Meudon, pourtant infiniment discret, on ne peut plus courtois bien élevé, serviable, si on m'a fait voir ce qu'on pensait... d'abord par pétitions, tambours, et puis plus fort tambouriné, tout ce que murmuré, et puis par disques et haut-parleurs, tout ce que j'étais, tous les détails... dix fois Petiot, hyper-Landru... super-Bougrat, traître à vingt-cinq masques, pornographe à cent organes... oh, sans surprise!... le même incroyable à Copenhague, même qu'à Montmartre, même qu'à Zornhof Prusse, même qu'à Honolulu demain... surtout culot de se plaindre! toutes âmes trempées autour de lui! héros sublimes : *quos vult perdere!* (pages roses).

Mais au fait! je m'amuse, notre train!... question

d'être comprimés, pressés, pillés, pressurés, bientôt je vous disais on a juté tous nos liquides, urine, sueur et sang... ce wagon retombe aux rails, mais pense qu'à verser, à culbuter, à tous les bifurs... toujours est-il drôle ou pas nous avançons... je vois défiler entre deux hanches et trois nuques, prairies, boccages et une ferme... deux... ah et des enfants qui s'amusent!...

Ulm notre terminus!... par Leipzig il semble... je ne suis pas sûr... on verra... peut-être rien de vrai? qu'ils vont nous perdre dans une prairie?... la répétition de Rostock... nous avons des tempéraments à supporter bien des choses, et nous avons fait nos preuves... je pense... je leur demande aux deux là, Lili, La Vigue... ils sont d'accord... on est redevenu debout par à-coups des autres... plutôt par les cahots je crois... voici bien deux heures que nous voyons passer les arbres... nous ne sommes pas à réclamer, les autres qui se plaignent... nous trois et le chat ne réclamons rien... peut-être plus qu'eux l'habitude d'être malmenés, projetés, hue à dia... oh mais il me semble je voulais pas croire... un quai... et LEIPZIG... en grandes lettres rouges... bien!... le train va doucement... oui! ça y est!... mais d'autres pancartes... défendu de descendre... *Verboten!*... et des gendarmes tout du long... je vois que nous étions attendus... ah, des demoiselles avec des brocs... pleins... elles font la chaîne, nous offrent aux fenêtres... plus de carreaux... aux vides des portières... c'est du bouillon!... ça pourrait être quelque poison, un méchant breuvage, non, il ne semble pas!... d'autres en boivent... ça va! mais les quarts? il faut des « quarts »... tout est prévu!... et boules de pain... d'autres brocs pour

les mères et mômes... lait! lait! *milch!* biberons...
les biberons d'abord!... tout le wagon tète... les mères
plus vite que les bébés... *glou! glou!* sans tétines...
encore un autre broc!... d'autres jeunes filles foncent,
« croix-rouge », celles-ci apportent tout ce qu'elles
peuvent, panades, marmelades, que ces pauvres
mères baltes et enfants aient plus à chialer... tout le
wagon en veut!... *milch!...* *milch!...* le principal,
personne n'a bougé... personne n'a fait le saut...
bien respecté les pancartes... *Austeigen verboten!*
Verboten!

Maintenant je crois que les locos pouffent... oui!...
la suie... et pas qu'un peu!... épaisse... si épaisse...
le quai en est caché, aussi les demoiselles *Rote Kreuz*...
et les gendarmes, nous trois nous-mêmes nous on se
tient par les mains... le train a démarré nous voyons
plus... on serait séparés par les autres secousses des
corps... ils beuglent les corps! les bébés dessous...
ouin!... ouin!... et les pères, les grands-parents donc!...
toutes les langues... le dur s'en fout... on fonce...
tchutt!... tchutt!... en pente, je crois... déjà assez loin...
on devient « express »... entre deux jambes à la
fenêtre je crois je vois le remblai... y a moins donc de
suie, mais les yeux me brûlent... oui! et des arbres...
et des rochers... souvenir, Harras avait dit : vous
passerez sous les monts Eifel... nous devons y être!...
Eifel ou Taunus... en tout cas nous sommes en descente... ou peut-être sous un autre massif?... Herz?
pour accélérer je crois que ça y est!... Eifel ou Taunus!... je saisis un peu ce qui se dit autour... des
Lituaniennes qui parlent qu'allemand... les autres
femmes... lettonnes?... finlandaises? le principal que
ce train arrive... et qu'on n'étouffe pas sous le tun-

nel... ça se pourrait... ça serait peut-être voulu?...
on ne nous demande pas notre avis... pas plus que
pour Rostock-Berlin... qu'on se trouve momifiés,
enfumés au bout du parcours encaqué?... alors?
bien sûr!... en tout cas ça file! ça va!... comme en
roue libre... je crois... tout le bastringue s'engouffre
vous diriez avec le tonnerre... en même temps!
une voûte! une autre! je vous parlais de suffocation...
aussi brusque, brutal, tout freine! crisse, patine...
rrrrii... en queue... en avant... chocs et contre-
chocs... et encore!... oh, mais pas que des chocs!...
des bombes! des vraies... un chapelet!... deux! ils
attaquent! le bout de notre train! arrière!... heureusement nous sommes sous le tunnel... ils ont le bonjour!... *broum* encore! une autre dégelée... peut-être
sur les derniers wagons?... vous dites, attendez la
sortie!... bien l'avis de La Vigue.
— Non fils! on sera loin!
Je le rassure... La Vigue va me répondre mais juste
un coup d'air lui coupa la parole... air noir, plus suie
qu'air... et que nous sommes envoyés planer par-
dessus les familles... et en même temps un autre
souffle... de l'autre bout du tunnel... je me rendais
pas compte! ils sont à le défoncer le tunnel! crever
la montagne et la voûte!... par chapelets de bombes...
tout éventrer jusqu'à nous, jusqu'à notre train! nous
sommes placés, coincés je dirais, faits rats... chaque
arrivée aux rocs d'en haut nous sommes projetés, nous
répercutons contre les gens, les familles... pensez si
les wagons s'en donnent, gigotent, tout le convoi bringuebale, le tintamarre, chaînes et bouts de carreaux,
tout ceci dans de ces hurlements... ah, les chaînes
qui pètent, décrochent, raclent au remblai... je vous

disais par bouquets d'étincelles! que vous voyez enfin la voûte... aux cailloux, bout en bout... dix mille!... le dur se trouve poussé à chaque bombe... et d'en haut!... et repoussé d'en bas! renvoyé!... *vrring!*... le train « Luna Park »!... pas pour rire!... l'accordéon ferroviaire! ah, une mine! *brroum!* et une autre!... ils crèveront le roc! les rocs là-haut jusqu'à la voûte!... je crains... ratatineront dur par sursauts... contre coups... bélier, peut-être... ce convoi l'air assez incassable... bien semblait pourtant des plus sérieux... deux heures qu'ils faisaient leur possible... entendu les mères implorantes... suffocantes dégueulantes suie soufre sur leurs mômes?... dessus? contre? je voyais pas juste mais j'entendais... même à travers les ferrailles... et *boum!* et *vrrring!*... déjà plusieurs wagons de tête devaient être écrabouillés... tous les voyageurs en bas!... les ordres *verboten!* *verboten!* salut!... va te faire foutre!... que ça dégringolait de plus belle!... remontait vers nous, notre wagon... oui!... à quatre pattes dans les cailloux tout le long de la voûte!... à genoux, aux coups d'air ils font des culbutes et boulent alors sous les wagons... vous n'aviez pas ça dans le métro... j'ai vu entre « Rome » et « Saint-Lazare »... anodines alertes... même à Berlin *Tiergarten* où pourtant y avait des furieux et de la foule... rien à côté de ce tunnel tout bourré de marmailles et de baltaves et de suffocation... et en totale obscurité... vous vous rendez compte? de l'entrée là-haut, j'exagère pas, à l'autre bout, sortie, de ces énormes bouffées d'ouragan, que la voûte au-dessus nous palpitait... le typhon dans le tunnel... ça finirait par écrasement... je voyais... ça a dû arriver à d'autres... Herz?... Taunus?... on me l'a prétendu... mais je me contente pas des « on dit »... si je termine jamais ce livre je me promets d'aller voir un peu, me rendre compte par moi-même, s'ils ont nivelé ces sommets... basculé ces crêtes à touristes... obturé ces entrées, sorties...

Là je vous raconte les incidents drôles d'une façon, vous ne pouviez tenir de gens qui encombrent un tunnel qu'aplatis... l'ouragan nous venait d'un bout l'autre avec de ces volées de grenailles, volent éclats, cailloux, que si vous releviez la tête... ptof! salut votre cabèche!

Les wagons pourtant « tout métal » et hauts et larges on peut dire, tout à fait costauds, prenaient de ces jetons, contrecoups, accordéons, qu'ils gémissaient... pas que nous là, tout le convoi, bout l'autre, de la loco de tête au dernier fourgon... de ces brutalités qu'il allait rendre l'âme, s'ouvrir en deux, ce dur naufrage corps et biens... et bien, non! une tornade de l'autre extrême tout le train d'un coup br... r... rang! se redressait!... se remettait à gigoter... dans la suie et le soufre... convulsions!... à peine croyable... le train faisait piston pour mieux dire de bout en bout sous cette voûte... selon les bombes d'en haut d'en bas!... va-et-vient... et c'était, je mouftais pas, mais j'étais sûr, qu'un commencement!... ah, du nouveau!... là-bas je vois une coulée de flammes, je connais!... jaunes!... phosphore!... pas idiot!... leurs bombes à l'entrée je comprenais... au phosphore liquide!... le phosphore en cascade... je nous voyais pas beaucoup sortir... par où?... les mères, rampantes aux cailloux, se rendaient tout de même compte que leur plat ventre servait à rien, que c'était de se lever, et galoper... mais vers où?... à travers les coulées de flammes?... non!... passer sous le dur, passer de l'autre bord!... le phosphore coulait pas par là... l'autre paroi, mais ce qu'elles voulaient... remonter à Leipzig!... elles le hurlaient!... un vieux me traduit... à Leipzig elles auront de tout!... elles avaient vu! de tout!... tout eu à Leipzig! lait!... bouillon!... panade! *Rote Kreuz!*... Croix-Rouge! remonter là-bas!... tout pour pas rester sous ce tunnel... ni reprendre ce train... ce train d'abord sera détruit, la R.A.F. en laissera rien! personne échappera! à la sortie de la voûte : *broum!* y a qu'à entendre! les avions en feront qu'une torche! Sauve qui peut! il reste des corps sur les cailloux, allongés... des trop vieux ou des évanouis... je vais pas voir ce qu'ils sont! ah, un officier!... qui remonte aussi par les cailloux... entre la voûte et le train... le phosphore donne une lueur... on peut voir presque jusqu'à l'autre bout... il doit être, cet officier, de ceux sauvés en pyjama, chassés des wagons O.K.W... avec leur maréchal von Lubb... il a remis ses épaulettes, des torsades, épinglées sur son pyjama... il m'a repéré, il parle français... il sait qui nous sommes, pourtant bien dans le noir et la suie... et foutre bon sang, on ne peut plus discrets... même notre chat Bébert en musette... il sait d'où nous venons... Rostock-Berlin... du train de la marée... les renseignements... qui... que... quoi... quès... passent à travers les déluges, croyez-le, de façon si précise, et détails, que vous restez baba... tout ce que l'indiscrétion du monde peut vous attribuer, tors travers, vous enrôler à sa façon, vous avez plus aucun recours, ci dans ce tunnel, four à phosphore, plus les shrapnels, entrée sortie, charnier haut en

bas, flamboyant, tout prêt pour nous trois et Bébert
et cet indiscret officier et pour la fonte à la ferraille,
les voies et wagons, et leur von Lubb, maréchal!...
et les femmes baltes et nourrissons... le ragot est
chez lui! rien l'intimide! péremptoire! sur les plus
dénudés à-pics, Everest ou la Nevada... avant vous
y sera! susurrant, des plus à son aise... et au cœur du
Vésuve, donc! sous les myriatonnes de laves, et
roches, et coulées de fer! Assez de mes outrances!
aux faits... au tunnel!

Charnier j'ai dit, pour mères et loupiots et vieillards qui venaient de ces pays disparus, feu baltes,
subpoméranes, laponides et d'encore plus haut...
difficile à croire mais réel que tout ça bignolait et
dur, et surtout à propos de nous trois... qui nous
étions?... d'où nous venions?... *curiosités*... leurs
pays à eux n'existaient plus, le nôtre la France leur
disait rien... jamais entendu parler... ils se demandaient les uns aux autres... tout en rampant à travers les rails... preuve que vous intriguez le monde,
qu'on vous laissera jamais tranquille... même n'est-ce
pas sous les pires tunnels... je vous montre... le ragot
est partout chez lui, déjà là, faufilé... et que vous
allez apprendre plein de trucs, sur vous-même, et
sur Bébert, à vous demander si vraiment? et lui là
cet officier qui nous a repérés, nos noms tout, dans
cette bacchanale sous-terraine, d'où il sait?

— Docteur Destouches!... vous êtes, n'est-ce pas?...
et votre ami Le Vigan? et votre chat Bébert? mes
respectueux hommages madame!

Il parle français, sec, heurté, mais net...

— Je me présente madame! J'ai l'honneur!... Capitaine Hoffmann, du « septième Génie »... État-

major du maréchal... à propos messieurs vous n'avez pas vu le maréchal?... savez-vous, dans le second tender?... Maréchal von Lubb!...

— Non capitaine! non!

— Tout a été très bouleversé n'est-ce pas, tout!... il était tout en haut du coke... nous avons creusé, tous les officiers et les machinistes... il n'est plus là... ni sous le coke... et il faut que ce train parte!... les escadrilles vont revenir... nous savons... et cette fois avec leur plein de mines... vous connaissez... phosphore comme là-haut... liquide.

— Oh, certainement capitaine! vous avez raison!

— Ce tunnel sera inondé...

— Évidemment.

— Il faut que ce train parte!

Mais tout de même...

— Les mères ne veulent plus remonter dans le train, capitaine... elles ont peur!

— Tant mieux! tant mieux!

— N'importe quoi mais plus ce train!... elles veulent retourner à Leipzig... par la voie... par les côtés... par les cailloux!...

— Tant mieux!... tant mieux!

— Elles ont eu du lait à Leipzig! elles ne croient plus au train! elles ne croient pas Ulm!...

— Bien sûr! bien sûr!... à leur aise! nous, nous partons! nous n'avons plus que dix minutes... regardez votre montre?

Il m'éclaire... sa *torch*... je fais semblant... de voir...

— Oh oui, capitaine!...

Ma montre n'a plus de verre, plus d'aiguilles...

— Les cantonniers sont au remblai... dans vingt

minutes les escadrilles auront rechargé... elles seront au-dessus... peut-être plus tôt!...

Ce capitaine Hoffmann se leurre pas, il sait ce qu'il dit... foutre de ces mères, et les familles, qu'ils y remontent tous à leur Leipzig, bouillon, saucisses et la Croix-Rouge!... avant vingt minutes ça sera plus qu'un torrent de phosphore...

Je lui demande l'heure... ma montre est cassée!

— Six heures moins cinq!

— Soir ou matin!

— Soir!... vous verrez! ils illumineront!... d'abord... vous savez? chandelles!...

Si on connaît!... partout on a eu les chandelles!... Montmartre!... Renault!... Bezons!... Berlin!... des roses... des vertes... des bleues... chandelles! la fin du monde sera aux chandelles! je lui dis : « ça se fêtera! » il est d'accord...

— Et des lampions! et des bouquets!...

Pas morose ce capitaine Hoffmann... pas à bouder... non, du tout... je croyais... on se méprend! et le maréchal? son maréchal Lubb?... il n'en parle plus... au fait! il s'est sauvé de son tender? il est remonté à Leipzig?... lui aussi? avec les Baltes ou tout seul?... on saura plus tard... pour le moment c'est de profiter que ce train va partir, nous caser... peut-être dans le wagon même du maréchal? je lui demanderais bien... ce capitaine il doit pouvoir... je pense à ces femmes, leur rage de remonter à Leipzig... pourtant j'avais vu l'accueil... interdit de descendre, *verboten!*... comment elles s'étaient fait recevoir! vas-y! elles récidivaient! nous en tout on a une chance!... le train gigote plus, sort plus des rails, fait plus l'excentrique... en voiture!... si on se fait virer on ira aux autres... notre capitaine du génie a l'air de chercher le maréchal... il interroge les familles, celles qui n'ont pu passer sous le train... remonter par l'autre sentier de la voûte... les uns ni les autres n'ont rien vu, surtout vous pensez comme ils sont, allongés le nez dans les pierres!... ah, le panonceau de wagon... O.K.W. retrouvé!... blasonné de l'aigle... le capitaine les avait sur lui, sous son manteau?... non!... les gens qui les ont ramassés, entre les rails... le capitaine raccroche au wagon... il interroge... y a des réponses... mais rien à comprendre... du bredouillage... je crois en russe... ça doit... ils sont allongés, c'est tout... le capitaine Hoffmann n'a pas retrouvé von Lubb... a-t-il bien cherché?... je suis pas sûr... il regarde partout, il a l'air... mais il nous voit pas... une marche... deux marches, ça y est!... nous sommes dans le couloir... des éclats de verre tout ce compartiment... plus coupants dangereux que les cailloux... une performance pour fakirs!... tout de même tout doucement, crissant, je vois que c'est là!... le salon du maréchal... il est vide... personne!... non! sur le sofa du milieu, un môme emmailloté!... un môme d'à peu près un mois... il ne braille pas... une mère l'a mis là... je pénètre je regarde... ce môme... il est pas mal, il ne souffre pas... c'est un nourrisson solide... et alors? le capitaine Hoffmann?... je l'appelle... il vient... il était derrière nous...

— Vous avez vu?... nous n'avons ni lait... ni biberon...

Qu'il se rende compte... je le préviens... c'est lui qui commande, alors?... il semble... je vois personne autre responsable... pas le temps d'hésiter... si on prend ce môme il faut du lait...

— Peut-il aller jusqu'à Fürth?

— Combien de temps, Fürth?

— Soixante kilomètres... deux heures... une heure et demie... de tout à Fürth!... ça va?

— Je crois que oui... une heure et demie...

Là brusque il nous illumine!... un coup de sa *torch*... une *torch* très puissante... il nous regarde bien... je dirais, il nous dévisage... c'est la première fois qu'il nous regarde, vraiment... nous aussi la première fois que nous le dévisageons... y a rire comme nous sommes sales, gluants noirs!... tous les quatre!... mais pas le temps de rire... les avions doivent revenir, il nous a dit, avec leur plein, dans maintenant dix... douze minutes... je lui redemande...

— Certainement!...

Peut-être si y avait pas à faire patienter ce nouveau-né jusqu'à Fürth il nous ferait descendre? maintenant on est là, on reste... je vous ai dit ce capitaine parlait français... il nous renseigne, il sait où nous sommes, il a la carte... la voie devant le tunnel, à la sortie, n'a pas trop souffert... il paraît... ça fait que nous pourrions, tout le train, prendre de la vitesse, tout de suite, nous élancer, trente, trente, trente-cinq à l'heure, dès la sortie... ils rempierraient les deux remblais en ce moment même... parfait! parfait!... nous nous installons tous les trois, et le nouveau-né, sur le divan du maréchal... « diguedi! diguedidi! » notre rôle... le môme ne rit pas... mais il ne crie pas... nous n'avons rien pour le changer... il faudrait... ah, les autres officiers arrivent... un à un... ils piétinent les éclats de verre... ils retrouvent leurs compartiments... eux croient à Ulm, ils demandent pas mieux que le train parte... de nous voir chez le maréchal... ils ne sont pas tellement surpris, pas trop... ils nous demandent pour le nourrisson, s'il est à nous?... non!... ils lui font plein de gentillesses... « diguedi! oh! »... le parler bébé n'a pas de nation... tout va!... la plupart de ces officiers sont pères de famille... ils nous montrent les photographies... leurs femmes... leurs enfants... je vois, c'est un état-major sérieux je ne veux pas leur poser de questions... d'où ils arrivent?... ils me le diront bien, peu à peu... en tout cas, je vois, de toutes les armes, artillerie, aviation, intendance... certainement ils parlent français... mais là ils ne veulent pas... ou n'osent pas... notre capitaine du génie, lui, ose... il doit avoir la permission... maintenant je crois que personne ne manque, tous ont rejoint... tout l'état-major... le maréchal?... personne n'en parle... est-il tombé sous le tender?... il était assis sur le coke... en haut... pas d'allusion!... nous avons été à l'école!... se taire c'est tout!... absolument! et que ce dur démarre!... *tchutt!* *tchutt!* en fait, ça y est... non!... enfin, presque... ils essayent... en tête... et en queue... là voilà vraiment!... on bouge...

— Nous roulons n'est-ce pas?

— Nous sommes sortis du tunnel...

— Bravo, capitaine!

Je vais pas avoir l'air de douter.

— Bravo!... bravo!...

C'est qu'ils ont réparé le ballast et que les avions ne sont pas revenus...

— Dans cinq minutes ils seront là...

Il doit savoir.

— Nous serons loin!...

Je le dis bien haut... qu'on m'entende! puisque

99

c'est le wagon O.K.W.... que nous y sommes! nous devons avoir le moral!... le môme, entre nous, rit... enfin il essaye, il voudrait... un môme facile, sain, pas chialeur... sûr il rit de nos « diguedidi » mais surtout maintenant, que le train bouge... ni langes ni serviettes, nous n'allons pas le démailloter... si!... Lili cherche, trouve... trois chemises sous un coussin... à qui?... le principal, on va le changer... « diguedidi »!... ce capitaine Hoffmann connaît son affaire, si son train saute pas, on sera vers midi à Fürth... soixante kilomètres... oh, il ne nous garantit rien!... sûr les patrouilleurs R.A.F. nous ont vus sortir du tunnel nous et nos deux pouffantes locos en tête et en queue, volcan de suie... s'ils nous broyent pas, c'est qu'ils veulent pas! nous n'est-ce pas le plus grave n'est pas l'obscurité mais l'irritation des yeux, à ne plus percevoir, au-dehors, par les trous des fenêtres, si c'est de la montagne ou de la plaine... certes nous nous sommes du tunnel... la campagne dehors... ah, un pont!... il me semble... les autres sont aussi miraux que moi, je veux dire Lili et La Vigue... ils se frottent les yeux, ils se les irritent... le capitaine a mis des lunettes, des spéciales, il est équipé contre les gaz, il avait prévu... je lui demande...

— Ce tunnel était long?

— Six cent vingt-cinq mètres...

— Vous avez des médecins à Fürth?

— Tout ce qu'il faut à Fürth... mais n'est-ce pas nous devons arriver!...

— Bien sûr!... bien sûr!...

La voie là ne semble pas défoncée du tout... les avions *marauders* ou autres doivent avoir mieux... on les entend, là-haut, très haut... nous notre train dévale... toujours... assez vite il me semble... très vite pour lui... quand je pense ces femmes baltes et leurs mômes qui sont remontés à Leipzig...

— Elles y sont maintenant, vous croyez?

— Non!

Catégorique le capitaine!... nous roulons encore un moment... puis plus lentement... et un quai... et Fürth... tout suie! les freins!... une pancarte... nous y sommes... cette gare n'a pas été touchée, il me semble... Je vois! *Wartesaal*... salle d'attente... même bien clignotant, je suis sûr... je demande aux autres, ils voient aussi... ah, des infirmières!... toutes prêtes, là... le train à peine à quai... le capitaine Hoffmann veut du service!...

— *Schnell!... Schnell!...*

Au tétard, le nôtre... au sofa!... Lili le prend, me le passe... et moi à une diaconesse... diaconesse sûrement vous savez, leur ordre de bonnes sœurs protestantes... elles devaient être prévenues de Leipzig... voici!... c'est fait!... le môme empaqueté, emporté!... encore un signe!... plein de sandwichs! pour nous... bouteilles de bière!... du pèlerinage genre Chartres? Lourdes?... oui! oui! le même genre... pas tout à fait, mais un peu... le Salut!... tout ce que nous voulons! rien d'autre!... le salut pour les locos au coke et l'état-major O.K.W.!

— Docteur!

Le capitaine veut me parler... à moi-même!... à moi seul!... je le suis... nous piétinons dans les éclats... tout un couloir... un wagon... et un autre... là nous y sommes... le compartiment qu'il cherchait... vide...

— Docteur voici!... mes camarades officiers ne voulaient pas de vous ni de votre ami l'acteur...

— Je vous comprends, capitaine... je vous suis bien reconnaissant...

Il m'apprenait rien... être lépreux a des agréments, vous avez plus à être poli avec personne, on vous fout dehors de partout et vous demandez que ça!... j'avais vu avec ceux de Rostock, lépreux, ils étaient contents d'être chassés, extirpés de leurs neiges, expulsés allez hop! en bottes vers d'autres neiges!

— Capitaine Hoffmann, je vous suis bien reconnaissant...

— Ce n'est pas tout... je vous demande une chose... à mon tour!...

— Mais bien entendu!... trop heureux!

— Voici!... nous n'est-ce pas, tout l'état-major, nous descendons à Augsburg... deux armées d'Ukraine se reformeront là, à Augsburg... vous ne savez pas?

— Capitaine, non! absolument non!

— Vous trois et le chat vous irez prendre le train pour Ulm... tout de suite!... *sonderzug*... vous me comprenez? celui que devaient prendre les Baltes... vous aurez de la place!... quatre wagons!... vides! Augsburg n'est pas encore détruit... écoutez-moi bien!... environ une heure pour Ulm... là vous arriverez en plein enterrement...

— Alors capitaine?

— Il faut que vous sachiez!... un enterrement militaire... celui du général Rommel... aucun intérêt pour vous... Rommel?... jamais entendu parler!... mais là sera... attention! un nom que je vous demande de retenir... Maréchal Rundstedt!... ne pas écrire, simplement retenir... Maréchal Rundstedt!... et encore un autre nom : Lemmelrich... celui-là seulement capi-

taine... capitaine comme moi... lui, de l'état-major
Rundstedt... vous vous souviendrez n'est-ce pas :
Lemmelrich?... je vous fais confiance... je peux?

— Oh certainement, capitaine!

— Alors voici... vous vous approcherez de Lemmelrich... vous le reconnaîtrez... facile à l'église...
capitaine du genre comme moi... un homme grand,
sec, gris... une phrase seulement... « votre fille de
Berlin va mieux »... c'est tout... il ne vous répondra
rien... vous lui direz en français « votre fille de Berlin »... il comprendra...

J'allais pas avoir l'air surpris! mais tout de même
le temps de réfléchir... là assis... il devait m'observer... le train continuait... allait... allait... ainsi dire
normal... sauf que même sortis du tunnel la suie
tenait encore tout le wagon d'une fenêtre à l'autre,
si épaisse, que c'était mieux de pas regarder... lui
avait des lunettes spéciales, il craignait rien...

Oui! oui! c'est là... le train s'arrête... la gare...
Ulm!... les pancartes... nous pouvons descendre...
personne nous empêche... pas de gendarmes... nous
sortons de la suie, du nuage... la gare, cette gare n'a
pas écopé... il semble, nous verrons... reposons-nous!
repos? nous n'avons fait que ça, nous reposer, depuis
Rostock... c'est vrai, pas tranquilles... rejetés hue!
dia! et vas-y!... de dépôts de lépreux en voies coupées... et en tunnels pas respirables... alors n'est-ce
pas à quai!... nous traversons la salle d'attente...
voici le péristyle, un banc, sur ce banc, même tout
à fait exténués nous nous trouvons assez bien... La
Vigue, pourtant mal luné, je le voyais, qui n'avait
pas aimé du tout cette façon de nous isoler, le capitaine, moi, d'aller nous parler au bout du couloir...

il regardait le ciel, vexé!... il faisait vraiment beau, splendide matin de mai... c'était mieux que je le réchauffe, qu'il ne boude plus...

— Cette avenue est magnifique, tu te rends compte... elle est magnifique parce qu'il n'y a personne... fais venir du monde ça sera infect... tout de suite que les gens rallient... pas tant qu'ils fassent des saloperies mais d'eux-mêmes, plus rien regardables... la mort est qu'une nettoyeuse...

D'habitude il aimait assez ces genres de vannes, de scènes, de pseudo-profondeurs... texte pour personnage morose... Hamlet prix-unique...

Mais là, rien!

— T'es content de toi?

Tout l'effet...

J'oubliais de vous situer les lieux, j'ai dû perdre des pages, j'avais tout noté... nous n'étions plus dans la gare même... mais sur le péristyle, en haut des marches, de là nous voyons toute l'avenue, largeur des Champs-Élysées, bordée d'arbres somptueux... sûrement que l'air était pur à Ulm... pas d'usines... pas d'autos... et personne, ni dans la gare ni sur les trottoirs, là, rien!... des immeubles des deux côtés... mais vides, il me semblait... ah si!... quelqu'un! pas aux fenêtres juste à côté de nous! assis... sûrement cet individu avait bien pu nous entendre... un vieux à barbiche... qui il est? j'attaque...

— *Guten tag!*

Je peux pas dire que ce vieux me répond... il grogne... je recommence...

— *Es geht?* ça va?

— *Nein!* non!

Notre conversation s'engage mal... ma tenue moi

n'a pas d'importance, mais lui s'il est employé quelque part quelque chose... policier... militaire... il fait drôle!... pas un uniforme que je connais, pourtant j'en ai vu un petit peu et de tous les écussons depuis Baden-Baden... et Moorsburg... le mieux que je lui demande... il me répond...

— *Feuermann!*... pompier... *Hauptmann!*... capitaine!...

Encore un, je vous traduis... ce capitaine pompier ne parle que fritz... ah! pas un mot de français! sûr il sort du rang... ceux qui sont un petit peu frottés, qui ont eu un petit peu d'école, même de leur genre Saint-Maixent, ont qu'une envie : d'être chez nous chez eux, conversatifs, volubiles, jactants, avec tout plein de trottins autour, sous le charme, coin de cheminée et rombiers, rombières... et sociétaires... et de ces mondaines de la Mondaine... ah Sainte-Catherine! ah, les annales!... Stalingrad? pas mal! mais coqueluche à la N.R.F.? pâmoison! embrassez Gaston! enfant à la messe à Mauriac, noire... ah! ah! ah! ce barbichu-là trêve d'oiseux propos, il faut que je sache d'où il sort... je lui demande.

— Je suis trop vieux, je ne me souviens plus... mais vous, d'où venez-vous?

Ce vieux se donne des droits.

— Moi je suis médecin, mon ami là est acteur...

Ah, médecin, il s'intéresse... vrai médecin?... il doute... il veut des preuves... mais voyons!... dans un de mes seize portefeuilles... un petit peu! et des officielles!... preuves!... quatre... cinq épaisseurs de poches... des preuves!... et en allemand... de leur ministère... *Erlaubnis!*... j'ai eu assez de mal... voici!... il sort ses lunettes... il me regarde... il lit...

— C'est vous?...

— Un petit peu oui!... pas un autre!

Il m'agace ce sceptique pompier capitaine!

Alors!... alors que je l'examine! tout de suite, une autre exigence!... que je lui palpe le ventre!... certainement!... mais où?... pas là sur les marches!... il a un endroit, il sait!... là-haut dans la gare!... où va-t-il nous mener encore?... il me montre... une fenêtre... il se lève... enfin presque... il se met pas debout, demi seulement... et avec grimaces... on pourrait l'aider... il refuse, il veut monter seul... tout seul... je lui offre ma canne... même mes deux cannes!... *nein!* là nous voyons son uniforme... pompier? il se rassoit... il va monter marche par marche à quatre pattes, je comprends... c'est au moins au troisième étage cette fenêtre... la fenêtre... l'endroit marche par marche on y est pas encore!... il a le temps de nous renseigner... maintenant il veut bien... je dirais qu'il prend un peu confiance...

— Je m'appelle Siegfried... *Hauptmann* Siegfried... ce n'est pas mon nom, c'est celui qu'ils m'ont donné!... il a fallu, il paraît... les autres aussi ont changé de noms...

Et l'uniforme?... son uniforme?... ce n'est pas le sien non plus!... le sien a brûlé à Pforzheim... pourquoi?... parce qu'ils y ont été, toutes les pompes d'Ulm, au dernier bombardement... mines et phosphore... les doses habituelles... deux semaines avant... et à Francfort, juste à Noël, encore eux, toutes les pompes d'Ulm... plus à Stuttgart, il y a deux mois...

— Nous avions six pompes... et cent dix hommes, service actif!... maintenant cinq seulement!... cinq pompiers! *und noch! und noch!*... et encore! une pompe, une seule!... les cinq hommes chez eux, *feuermanner... verstehen sie?...* comprenez-vous?... pompiers?... couchés chez eux... brûlures!... moi la pompe, la seule, pour moi tout seul!

Arrêt! sisite... repos!... le troisième étage de la gare?... nous n'y sommes pas! je compte... cinquante marches au moins!... surtout l'escalier qu'il veut prendre il m'indique, « Privat »... l'intérieur... je le vois assis, qu'est-ce qu'il peut avoir?... rhumatismes?... tabès?... c'est chez le chef de gare qu'il nous mène... au « troisième »... de marche en marche il fait des progrès... on deviendra potes tout en haut...

— Je m'appelle Siegfried... *Hauptmann* Siegfried... ce n'est pas mon nom... c'est celui qu'ils m'ont donné... il a fallu changer nos noms... contre les espions, il paraît... les autres aussi ont changé de noms... et l'uniforme?... pas le sien non plus!... le sien a brûlé à Pforzheim... toutes les pompes d'Ulm à Pforzheim... oui!... oui! je savais!... et à Francfort, juste à Noël... je savais aussi... et à Stuttgart... il se met debout, son casque à la main...

— Pourquoi avez-vous changé de nom?

— Pas moi!... les autorités! je vous ai dit! et les espions!... il fallait!... et aussi tout de suite capitaine!... un jour : adjudant!... dix ans adjudant!... un jour après : capitaine! tout de suite! vite n'est-ce pas? vite!... plus de lieutenants!... plus de capitaines!... tous morts, tous brûlés!... Pforzheim!... Francfort!... capitaine Siegfried!... vous comprenez?

Ils avaient plus de cadres aux pompiers, ça les regardait!... ni de pompes ni de sapeurs... lui toujours faisait son possible... encore une marche!...

c'est un homme qu'est plus vieux qu'il dit... au fait il n'a pas dit son âge... il a bredouillé un chiffre... sûr il a plus de soixante-dix ans... le blême à bajoues... je verrai mieux là-haut, puisqu'il veut que je regarde son ventre... là nous y sommes! la porte... sur le palier... repos!... un moment... je pense à ce capitaine du Génie... à son message pour Lemmelrich... que j'irais lui dire dans l'oreille que sa fille patati! ta! ta! pas plus à ce Lemmelrich qu'au Pape! celui qui se tait pas, en tout et partout, est qu'un cabotin, vil quelque chose, député, bourrique, viande à fuir... bien!... maintenant cette porte!... je cogne, Siegfried bouge pas... c'est pas le chef, c'est une femme qui ouvre... une femme en casquette, elle doit remplacer le mari, casquette framboise, chéfesse de gare... bien aimable, dans la quarantaine... sûr c'est la casquette du mari, la visière lui cache le nez... une casquette coiffante les oreilles et nous dirons, jusqu'au menton... *guten tag! guten tag!* bavarde tout de suite, et si contente de nous voir!... confiante! elle, elle nous renseigne... son mari est sur le front russe... elle le remplace... ses enfants sont ici, sous le lit, trois... elle les appelle... ils lui répondent... mais pas fort... trois petites voix... des enfants déjà bien prudents, bien élevés... je demande : deux filles, un garçon... trois, cinq, six ans... il faut qu'ils restent où ils sont, là! que personne les voie, ni dans la gare ni dans l'avenue, ils seraient ramassés et peut-être rendus à leur mère qu'après la victoire... ce qu'était arrivé avec d'autres enfants, famille d'Ulm, quand le Führer y était venu, pour la grande Conférence Ouest-Est, liaison de tous les états-majors... une rafle! même des *Hitler Jugend!*... donc ceux-ci, sous le lit, pas d'âge à se montrer!... « *Kindern schweigen!* enfants taisez-vous »... l'autre loustic Siegfried capitaine perdait pas son temps, il avait du mal avec son bénouze... il lui collait... c'était un pantalon d'époque, à sous-pied... là, ça y est! Dieu qu'il est maigre!... il remet son casque... il va à la fenêtre, comme ça, à poil et casqué... une idée lui passe...

— Hilda, voyez-vous le clocher?

— *Ja Krist! sicher Krist!*... bien sûr, Krist!

— Dois-je me jeter?

— *Nein Krist!... nein!*

Elle lui répond très calmement, elle doit avoir l'habitude... peut-être ils vivent ensemble, là?... possible... y a pas de luxe... un peu le genre « Zenith »... même confort mais pas si troué, lézardé... le papier peint volette aux murs, pareil... y a eu des secousses... Siegfried s'arrête net à remettre son pantalon... se retourne, volte-face, et interpelle Hilda...

— Hilda!... Hilda!... ce clampin m'a demandé mon âge!...

C'est moi le clampin...

Elle me fait signe de rien lui répondre... que sa tête!... sa tête!... elle glisse son doigt sous sa casquette, son énorme cloche, framboise... que c'est là, c'est de là qu'il souffre!... bien sûr!... bien sûr!

— Venez voir!... venez voir, sale gamin!

Moi le sale gamin... son Hilda me fait signe : allez-y!... pas le moment de lui désobéir...

— Loin!... loin!... là-bas!... vous voyez le clocher?...

— Oui!... oui!... vous avez raison!...

En effet, tout au bout de l'avenue...

109

— Il a cent soixante et un mètres!... vous comprenez?... la fête des pompiers! *Sedantag!* moi là-haut!...
tout là-haut!... premier!... onze fois premier! là-haut!
Je comprends pas très bien... Hilda m'explique...
le « Jour de Sedan », leur « fête des pompiers »...
l'épreuve de la corde à nœuds... le premier là-haut!...
à la grimpette!... lui Siegfried onze fois vainqueur!...
mais elle ne savait en quelle année, lui non plus...
maintenant il n'était plus question... elle pouvait
me faire signe qu'il ne fallait pas le contredire... bien
sûr que non! et s'il se jetait par la fenêtre?... pourquoi pas?... le mieux puisqu'il était là moitié nu,
qu'il se déshabille complètement et que je l'examine... il m'avait demandé... soudain il veut bien,
raisonnable... il est pas gêné par Hilda, même elle
l'aide... sa redingote noire et son casque sur une
chaise... tout de suite il s'allonge sur le grand lit...
un grand lit sans matelas, ni draps... juste le som-
mier et en tas dessus, plein de chiffons... des chiffons
bien sales, gras, qu'ont dû servir aux machines et
aux lampes... avant la guerre... alors lui, que je
l'examine!... il m'arrête...
— Vous croyez que si je saute par la fenêtre je me
casserai quelque chose?... en deux?... en trois?...
Elle me fait signe de ne pas lui répondre... j'avais
pas envie... je le vois là, tout nu, vraiment que la
peau sur les os... foutu comme une ambassadrice...
ambassadrice nue, au petit lever... on ne peut plus
amyotrophique... lui l'âge bien sûr, et l'entraînement
des faibles rations... son ventre?... je le palpe... et
repalpe... rien! très maigre mais normal... le cœur?...
un petit souffle... aortique?... poumon?... emphy-
sème?... peut-être?... la bouche?... plus que trois

chicots... il s'en plaint pas... l'ouïe?... la vue?...
je n'ai rien pour l'examiner... la tension? pas de
Pachon!... je lui prends le pouls... très tendu... temporales de même... il me fait penser à l'Hôtel-Dieu,
Rennes... au père Follet, « au lit du malade »... le
rite... la clinique... le père Leduc de Nantes... il vous
monte des bouffées de souvenirs drôles et moins
drôles, vous avez le choix, un petit instant, complai-
sant, un certain âge, vieillesse acquise... la mère
aussi là réfléchit, la chéfesse de gare... ou elle dort
debout?... non!... ce sont ses mômes qui ronflent...
elle me fait signe : faites pas de bruit!... bigre, que
je m'en garde! je voudrais redescendre... sûrement
la police va venir... je ne sais laquelle?... mais une!...
fritz, russe, english?... peut-être deux!... je voudrais
parler à Lili... pas à La Vigue!... rien à La Vigue!...
je demande à Siegfried, très doucement...

— *Dann?... dann?* alors? nous descendons?...
hinabsteigen?

Qu'il se rhabille... que l'autre l'aide, M\ᵐᵉ la
chéfesse... j'attends... elle me demande ce qu'il a?...

— Il n'a rien!... il est vieux, c'est tout... normal!...

J'en ai assez d'être questionné... oh, elle aussi le
trouve normal... et que nous faisions bien de descendre... certainement... elle lui passe sa chemise,
son caleçon... maintenant son bénouze... et sa redingote... son casque... ce qu'est bien dans la crasse, la
poussière, c'est que vous remarquez plus... vos yeux
sont faits... gens impeccables et à la mode... snobs,
quel trou allez-vous? eh là! j'oubliais!... ses réflexes?...
je n'ai pas de marteau mais avec mes doigts, ça
ira... je le fais rasseoir... je ne serai pas long... les
coudes?... presque normaux... un peu mous... les

111

genoux? le gauche, ça va! mais le droit?... le droit, presque nul... il me regarde faire, je l'amuse... il a à dire... il grince, je veux dire il rit... plutôt, il se moque.

— Ils me l'ont fait à Mannheim!...

Et maintenant, il veut descendre... Polichinelle est impatient... il me prend le bras... une marche... deux... trois... quatre... repos!... il s'assoit... comme à la montée... pas plus vite... qu'est-ce qu'il va me dire?... il réfléchit...

— Cette femme m'adore toujours, je crois?...

— Quelle femme?

— Hilda, là-haut!...

— Certainement!

— Elle vous adorera aussi...

— Pas encore!... pas encore!...

Bon!... encore quatre marches... sisite!

— Maintenant docteur, attention!

Je sens que j'ai toutes mes idées... après je n'en ai plus... elles s'en vont... oh je me connais!...

Voici qui le fait rire... rire à sa manière... ce va-et-vient d'idées... dans sa tête!... hi! hi!... dans sa tête!

— Je n'irai pas à l'enterrement!... non!... non!...

— Quel enterrement?

— A la cathédrale là-bas... au bout... à la flèche, je vous ai montré!... cent soixante et un mètres... hi! hi!... non, docteur! non!

— L'enterrement de qui?

— Rommel!... général Rommel!

J'avais entendu parler... je crois par Harras... Rommel...

— Alors?

112

— Un traître!... je ne veux pas y aller! vous vous irez!... Rommel, *Afrika Korps!*... et tenez là, tous habitants de l'avenue, toutes les fenêtres, regardez!... regardez!... tous les locataires... n'y seront pas non plus!

— Pourquoi capitaine Siegfried?

— Tous les locataires sont dans la forêt! toute l'avenue!... les S.A. les ont emmenés, tous!... ils ne reviendront jamais!... jamais!... *nimmer! nimmer!*

Il biffe l'air avec son doigt... *nimmer! nimmer!*

Huit marches, cette fois-ci... et encore huit!... et un souci!... il se prend le front, il pense...

— Docteur, j'avoue!... vingt ans que cette femme m'adore... mais ses enfants ne sont pas de moi! que non!... ah non!... de son mari, à l'est!... *Gott sei danke!* Dieu merci!... ses enfants!

Le voici rassuré... encore sisite... La Vigue et Lili se demandaient ce que nous devenions... ils sont là, ils n'ont pas bougé... personne n'est venu... ni dans la gare ni dans l'allée... pour du vide, c'est le vide... je questionne mon louf...

— Vous y croyez vous à Rundstedt?

— *Ach ja!*... il est en route, il sera à Ulm avant la nuit... il vient par cette avenue-ci, devant nous!... hi! hi!... je ne veux pas le voir!

Quelle raison? une bonne raison, il faudrait que lui, le suprême pompier et capitaine, promu exprès, fasse toute l'avenue avec l'appareil extincteur!... ordre!... pas lui spécialement, sa brigade!... mais sa brigade?... depuis le bombardement de Francfort où elle avait perdu trois pompes et cent vingt-cinq hommes, disparus, blessés, brûlés, le reste éclopés, couchés chez eux, à bout, y avait plus que lui

113

Siegfried pour balader l'extincteur, faire cette avenue, de la gare à la cathédrale... je vais pas lui donner de conseils!... ce qu'il me raconte n'est pas absurde... assez logique même, mais je me méfie... je commence à le connaître...

— N'est-ce pas je ne veux plus éteindre! rien!... rien!

Décidé qu'il est!

— *Verstehen sie?*... comprenez-vous? *rechts!*

— Capitaine Siegfried vous avez raison! mille fois!

Quelqu'un derrière nous... je croyais bien... Hilda!... elle est descendue... avec l'extincteur... sa casquette, sa calotte framboise si enfoncée que la visière lui arrive au bout du nez... elle attaque...

— Wilhelm tu dois!... tu dois!...

Que je donne aussi mon avis... qu'il doit!

— *Er must! Er must!*

Lui trouve pas du tout qu'il doit!

— *Mein arschloch!* Mon trou du cul!

Et il en crache!... et recrache!... loin!... loin devant lui... assis comme il est... buté... alors Hilda entre dans une colère... elle nous prend témoins... Lili, La Vigue, moi... que nous avons qu'à voir!... que ce Siegfried est le plus satané pourri fou qui existe!... non?... non?... qu'il est le plus fainéant des pompiers et le plus ivrogne, et le plus menteur!... qu'il est fou furieux de plus trouver à boire!... qu'il n'y a plus rien! qu'ils ont tout bu à sa brigade!... lui le pire de tous!... lui le plus soûlaud!... qu'ils ont rien trouvé à Pforzheim!... rien! pas une goutte! Schnaps! Francfort non plus! tout Francfort! une mer de flammes! deux cent mille femmes, enfants, en caves!... tous brûlés... lui Siegfried le schnaps qu'il voulait!...

tout ce qu'il a cherché à Francfort!... le monstre!...
tassé là assis, il nous tourne le dos, Siegfried monstre...
il voudrait cracher il ne peut plus... à essayer il
se fait mal... sec... qu'Hilda le traite de tout lui
est bien égal... d'abord y a personne sauf nous...
nous nous ne comptons pas... dans cette avenue
jusqu'au beffroi, rien... pas un chat... ah, si!... Bébert!...
Lili l'a sorti de son sac... il a déjà fait sa toilette... ses
oreilles, ses pattes une à une, soigneusement... Bébert
est pas le greffe souillon, puisqu'il a un moment
dehors, à l'air, au jour, il profite... c'est pas l'Hilda,
casquette framboise, sa gueule, ses cris, qui va le
déranger!... Bébert sa toilette finie, replie ses pattes,
se remet sa queue bien, en place, en boucle, et
regarde loin, au loin... il ne nous regarde pas...
digne, je dirais... la chef de gare, elle, est pas digne...
elle s'en fout... elle en veut trop à son Siegfried!...
je dis « son »... j'en sais rien... toujours, ils se
tutoient... ratatiné sur ce banc, ce qu'il veut lui :
pas remuer!

— L'extincteur? et l'extincteur?

Nous qu'elle apostrophe!...

— N'est-ce pas vous!... vous ne savez rien!... les
gendarmes vont venir!

Ils sont déjà venus les gendarmes! elle nous
raconte... et qu'ils vont remonter là-haut, chez elle!...
qu'ils lui prendront ses trois enfants!

— Mes enfants!... charognes!

Charognes, ce sont les gendarmes!...

— Je leur dirai tout!

Je vois que ça se complique... ils sont en bisbille...

— Vous ne savez pas!... je vais vous le dire,
vous!... moi c'est vrai!... tout vrai!... ce cochon

115

ivrogne ils l'ont fait passer *Hauptmann* parce qu'ils n'ont plus personne aux pompes!... personne!... pour le maréchal Rundstedt, revue des pompiers!... personne! tous les autres couchés! lui le cochon ivrogne oui! lui Schmidt!... *ja! ja!* vas-y!... à quatre pattes! Siegfried!... voilà! capitaine Siegfried! vous comprenez?

Le cochon ivrogne grogne... ah!... il va se rebiffer... non!

— Hauptman Schmidt!

Je lui touche le bras...

— *Ja!... ja!...*

— Vos ordres?

Il réfléchit... ça va mieux.

— *Sie! sie!...* vous prenez l'appareil! *apparat!*

Il décide... nous!... nous l'appareil!

— Vous l'appareil et le brassard!...

Hilda nous explique... il s'agit de remonter l'avenue... très lentement... pas à pas... en faisant bien attention... jusqu'à la cathédrale là-bas... la flèche... avec l'extincteur... un trottoir!... l'autre... et les ruisseaux... repérer les « plaquettes »... plaquettes?... elle m'explique... plaquettes incendiaires... d'où? de là-haut, en l'air, des avions... et alors?... noyer les plaquettes, vite!... une giclée!... Hilda connaissait la manœuvre... mais elle n'y allait pas, elle!... moi incapable avec mes cannes... je vois cet appareil extincteur... réservoir dans un sac à dos... et seringue au bout... cet *apparat* assez lourd, je crois. La Vigue?... il veut bien... c'est de la promenade!... on ira aussi nous, moi, Lili, on l'aidera...

— *Sicher! sicher!* certainement!

Siegfried demande pas mieux pourvu que lui

reste là, assis... oh, mais le brassard!... voici!...
Hilda a une poignée de brassards... mais seulement
un! un pour celui qui sera « l'extincteur »!... La
Vigue?... moi?... oh, La Vigue!... le brassard de leur
« défense passive », enfin celui d'Ulm représente
un hibou... une tête d'hibou... La Vigue se le passe
et se le serre au bras... prend l'*apparat*... il voudrait
bien se voir comme ça, tel quel... équipé... qu'on se
marre!... mais y a pas de glace!...

— T'es au poil, fils!

— Vous me lâchez pas?

— Tu causes qu'on va te laisser t'enfuir!

Je commence à être très habitué aux petits tours
fritz... là, y a quelque chose!... Hilda, subit, est plus
la même... je vois, je suis sûr... pas qu'une impression... d'un doigt elle relève sa visière... on lui voit
un œil... ah!... il est au beurre noir son œil... elle
s'est battue?... avec ce zig-là, pompe à feu?... avec
les gendarmes?... ou quelqu'un?... je vais pas lui
demander!... en tout cas, d'un coup, elle s'est
radoucie, elle aide La Vigue à ajuster son extincteur,
son ceinturon, les bretelles... c'est pas une jeunesse,
mais pas vioque... un peu moustachue, une virile...
sa fonction, toute la gare, je vois, il faut pas une
femme fragile elle tiendrait pas...

Siegfried parle, c'est nouveau aussi... et des
instructions!... il parle pour l'avenue...

— Si vous voyez des plaquettes... *plaketten!*... vous
les éteindrez!... comme ça!... un jet!... l'extincteur!
czzz!... une mousse!...

Nous sommes tout prêts à éteindre tout!... lui le
fainéant il va rester là et les *plaketten?*... où? Hilda
doit savoir... Je lui demande...

117

— *Wo die plaketten?*
— Partout dans l'avenue!... plaquettes incendiaires!...
— Vous avez vu?
— Non!... pas ici!... lui non plus! mais à Francfort... à Pforzheim... pluie de plaquettes! alors ici forcément!... les funérailles... le maréchal!
— Quel maréchal?
— Rundstedt là, je vous ai dit... par cette avenue... avant la nuit...
Je veux bien... mais le brassard?... on n'a pas de brassards... ah, si le mien! au bras! je l'oubliais... celui de Bezons, « Défense passive » je l'ai pas quitté, mais il est tout noir, suie et cambouis... je vais le passer à l'eau! non!... Hilda a juste une idée...
— Faites l'aveugle, avec vos cannes!
Elle me montre... que je donne le bras à La Vigue, Lili, l'autre côté... Bébert nous suivra, il a l'habitude, c'est mieux que de rester dans son sac... y a personne dans cette avenue, si il voit venir, il me sautera dessus, un bond... il a voyagé!...
La preuve, il est venu jusqu'ici, Meudon, il est enterré dans le jardin, là...
On va la remonter cette avenue... bras dessus, bras dessous, moi en aveugle... cette Hilda a des idées... l'autre, le Siegfried, demande qu'une chose, qu'on lui foute la paix... qu'on y aille aux plaquettes! qu'on y aille! pas lui!... Bébert nous suivra, je suis tranquille... sa musette sera vide... mais la briffe?... pas qu'on ait faim, mais il faut! deux boules de pain et margarine... les tickets?... Hilda?... *ja! ja!* elle est d'accord... gi!... elle monte nous chercher ce qu'il nous faut... et tout en musette... Bébert nous suivra... nous voilà parés!

118

— Au revoir madame! au revoir capitaine!

Et nous démarrons... un pas... deux pas... tout doucement... je crois je fais bien l'aveugle... je devrais avoir des lunettes... peut-être à Ulm?... pas sûr du tout...

— Y a personne aux fenêtres?

Je demande... non, ils ne voient personne... nous avons peut-être fait cent mètres... je trouve que ça va...

— T'as vu des plaquettes?

Je regarde pas moi... dans les ruisseaux... lui il doit...

— Si je m'en fous dis de leurs saloperies!... plaquettes, qu'ils les bouffent!

Il cache pas ce qu'il pense... et tout haut...

— Gaffe, La Vigue!

— Est-ce qu'ils se gênent, eux?

Il me fait réfléchir... je m'assois! zut!... un banc...

— Lili, mon petit, j'aurais pas cru, mais ça va pas...

La Vigue lui peut aller seul... on le rejoindra... tu veux?

— Oui!... oui!... c'est ça!

La Vigue demande pas mieux... il a la bougeotte...

— Écoute, va!... on te retrouvera... tu sais au clocher, à la flèche... si tu nous vois pas tu reviens... on sera ici... mais regarde partout! oublie pas!... t'as l'appareil! *czzz!!*

On se marre tous les trois, Bébert nous regarde, lui est sérieux... il bouge pas, il reste avec nous, il a choisi... il a aussi à se reposer... il est pas si jeune... moi aussi j'ai à penser, à tout ce qu'ils m'ont dit, que je dois faire... culot!... ce capitaine du Génie surtout... son nom?... je l'ai oublié... tant mieux!... zut!... d'abord et d'un, ils pourraient voir un peu eux-mêmes s'ils trouvent ce bizut qu'il a dit... capitaine aussi!... dans les funérailles ou au Diable!... que je vais m'occuper de leurs messages, que « la sœur de Berlin se porte pas mal »!... il m'a pas regardé!... à propos, ce maréchal von Lubb?... étouffé sous le coke? est-ce qu'il a seulement existé? le Rundstedt annoncé est peut-être disparu aussi en fait d'être en route?... toujours depuis qu'on est là, qu'on traîne, personne n'est venu, personne n'est passé... rien...

— Dis, Lili... tu parles que je vais pas chercher des relations autour de ce Rundstedt... s'il existe! si il va à cet enterrement... je vais pas pousser des « *Heil* »*!* comme le Prétorius de Berlin... t'as vu!... sur la pointe des pieds qu'il était... double! double ce dingue! agent double!... tous « doubles » d'abord! Harras... les von Leiden... Kracht... ah, s'il fallait faire la liste... les amis de Montmartre et de partout! quel musée! tiens ce serait peut-être bien pour dormir... s'endormir... compter recompter... toutes les bourriques... les perdre... les retrouver... ça serait peut-être bien pour dormir... si vous avez un peu passé, pas par racontar, par vous-même, à travers les armées en flammes, villes et empires en marmelade, populations éperdues haletantes offrantes, bon Dieu, bébés, épouses et le reste!... n'importe qui! n'importe quoi pour que vous preniez tout sur la pipe! vous! la foudre! pas eux!... pas eux!... alors vous n'avez plus de surprises... eh, mais La Vigue?

— Dis Lili tu vois quelque chose?

— Non!... rien!...

Je voulais dire l'avenue... longtemps qu'il avait pas fait le « Christ »... longtemps aussi l'homme de nulle part!... où il pouvait être?...

— Tu le connais!... comme ça tout seul!...

Nous étions fatigués, je veux... mais... y avait pas de doute... en partant il était drôle... donc nous nous levons... ce banc était bien, mais la musette?... pas touché à la nourriture... pas confiance... nous y toucherons peut-être plus tard... plus tard... on décidera avec La Vigue... emmenons toujours! cette avenue est belle... très belle très large... je vous l'ai déjà dit... vingt fois!... mais longue... le bout où?... à la flèche!... aux funérailles... à la cathédrale... s'il n'a pas fait l'œuf, foutu le camp, il doit y être... je pense à La Vigue... encore un banc... le moment de souffler... je fais plus l'aveugle... marre!... je regarde autour et les maisons... je crois ce qu'Hilda disait est vrai... plus personne!... les S.A. ont tout embarqué... vides, haut en bas... ils peuvent être où?... dans une forêt, sous les sapins... manières nietzschéennes ou autres j'avais trop vu pour croire à ceci, ni cela... un moment donné vous êtes plus à vous encombrer... regardez l'univers, les étoiles qui brillent, milliards plein le firmament, bluffeuses... qu'elles sont mortes des milliards d'années!... évaporées!... allez pas rire des astronomes dardés vers le ciel, à supputer, mathématiser des vides... ils sont comme vous, ils gagnent leur vie...

Nous, nous sommes à nous reposer... et alors? on n'a pas vu passer le Rundstedt... ni personne autre...

— En avant donc!...

A présent nous ne sommes plus bien loin... la flèche là... cette flèche de cent soixante et un mètres, celle qu'escaladerait notre Siegfried, on ne peut pas se tromper... à propos le Siegfried il a profité d'être gaga pour plus rien foutre et nous envoyer aux « plaquettes »! on n'a rien trouvé ni dans les ruisseaux ni au bas des murs... La Vigue peut-être?... mais lui, il est où?... à nous Lili moi tous les risques! promenade et labeurs... ce capitaine Siegfried nous ferait passer *Hitler Jugend* la prochaine guerre... maquereau!... sa cathédrale était plus loin... mais je voyais pas La Vigue... ni de côté-ci... ni l'autre côté trottoir en face... s'il s'était fait embarquer avec son réservoir à mousse?... sa fonction de chasseur de « plaquettes » avait peut-être fait mauvais effet? ça devait être une réunion d'huiles devant cette cathédrale?... les généraux et l'haut clergé, sûr! je ne tenais pas du tout à être vu... demi-tour!... d'ailleurs pas plus de « plaquettes » dans les ruisseaux que de beurre!... je leur dirai ce que je pense aux deux polissons, le Vioque et la framboise, qu'ils auraient pu y aller eux-mêmes, à la pêche aux pastilles à feu! ah l'Hilda la concubine je lui ferai sortir ses mômes de dessous le lit, qu'elle les précipite aux pastilles, pas nous, ses morpions aux feux d'artifice! j'étais bien décidé, demi-tour! Bébert dans son sac... non! il ne veut pas... quand il ne veut pas, je connais mon greffe, c'est qu'il regarde... bien!... je regarde aussi... loin c'est... la pente... l'herbe en bordure... quelqu'un!... il a raison... assis dans l'herbe... non!... couché!... nous allons voir... je me doutais... tout de son long... La Vigue sur le dos, yeux fixes... alors? il ne nous reconnaît pas...

— C'est toi?

— C'est vous? tiens Bébert!...

Je coupe court!

— Ton réservoir?... où?

Il me montre... l'extincteur... dans l'herbe...

— Alors?

D'abord il bredouille... et puis il dit... je vois, si c'est vrai je comprends qu'il soit hébété... je résume : il a été jusqu'à l'église... pas une église, la cathédrale... nous savons! nous savons!... eh bien?... regardé partout!... pas une plaquette! « t'es sûr?... oui » mais sur le parvis un de ces rassemblements de *Landsturm* et de calotins genre archevêques!... ils y avaient hurlé qu'il s'approche! tout de suite! avec son brassard et son extincteur... il s'était sauvé! en se sauvant il était passé devant la gendarmerie... *Feldgendarmerie*... ceux-là ne lui avaient rien dit, rien du tout... mais à côté, dans une usine, plein de gens enfermés et à clé!... oui bouclés! voyez ça!... dans une brasserie, une vraie, pas une boutique, ni un bistrot... non!... une usine à bière... grande usine... pleine de gens... tout de suite il leur avait parlé... aux lucarnes... pas des Allemands, des étrangers, femmes et hommes... ils devaient prendre le train pour Berlin... pourquoi Berlin?... même lui on l'avait étonné, Berlin... pourquoi pas Rostock?...

— Ils t'ont demandé ce que tu faisais avec ton appareil à mousse?

— Non! dis j'allais pas les affranchir!

Pour une fois il s'était tu...

— Alors?

C'était une robinetterie, tout le personnel, ils venaient d'une usine en Saxe... ils n'avaient plus de cuivre en Saxe... on les faisait monter à Berlin, une cimenterie...

— Ah, je vois La Vigue, ils t'ont reconnu!

— Oui!... tu le sais? sans char! tu sais j'ai nié! si!...
mais si!... ils savaient!

Au moins une chose qui lui arrive, agréable : ils
l'ont reconnu! et tout de suite!... le Vigan, le grand
Le Vigan! les autres ploucs, bornés à l'émeri, savaient
même pas qui c'était, Zornhof, Rostock!... même ils
l'ont fêté là ceux de la brasserie : tout ce qu'il faut
dans leurs hangars trois géants hangars! ils avaient
droit! qu'ils entament, qu'ils enquillent de tout mais
qu'ils sortent pas, tout permis!

Alors ces montagnes de canettes!... des vallons de
mousseux et de « foie gras »... réserves de l'armée,
il paraît...

— Ils s'attendent d'être bombardés!

— Alors ce que t'as fait?

— J'ai bu j'ai mangé je suis parti!

Moi je te crois, n'est-ce pas tu as dit : Pétain!
Pétain!... Sigmaringen, la gare!... remonter à la gare!

— C'est mieux d'attendre!

— Attendre quoi?

— Que le maréchal soit passé!... Rundstedt!

— Qu'est-ce qu'il peut nous faire?

— Mais s'il a des schupos autour... sûr il en a!...
papiers!... patati! questions!...

Il est de mon avis... qu'on remue pas!... on est
pas mal là dans l'herbe... il fait très beau... que le
maréchal passe!...

On se lèvera après... mais... mais... le traître!...
j'en étais sûr...

— Tiens c'est pour toi!

Une demoiselle brune... elle hésite... l'herbe en

124

face... l'autre trottoir... elle vient... un pas à droite...
à gauche... elle traverse...

— Tu la connais?

Oui! oui!... il avoue... elle s'est échappée de la
brasserie!... pardi!... rumbol... il l'attendait!

— T'attires les filles?... grue!... t'es pas guéri?

— Que ça fout?

— C'est rien les ragots?

— Elle te connaît pas!

— Elle va!... donneur!... tiens, une pâquerette!...
amuse-la! effeuille! effeuille! vous parlerez pas!...
plein de pâquerettes autour! un peu! beaucoup!...
fais un bouquet!... passionnément!

— Claire, elle s'appelle!...

Je vois qu'ils sont déjà connaissances ça va vite
à la brasserie... voici cette Claire...

— Bonjour, mademoiselle!...

Visage fatigué, mais pas trop... gentil sourire... avenante, j'admets... pas beaucoup de quoi minauder, elle
a la brasserie, nous nulle part, sur le bord de la route...
enfin, je suis par nature, aimable... Lili aussi... Bébert
lui regarde que la route, il se met pas en frais...

— Monsieur Le Vigan...

— Mon enfant...

Les yeux!... lui, c'est pas la route!... Claire qui
l'intéresse... elle demande pas mieux... que ça va
vite à la brasserie!... je demande...

— Vous êtes beaucoup de Français là-bas?...

— Françaises surtout!... aussi de la robinetterie...

— Et pour Berlin?

Oui!... elles verront... je vais pas lui raconter le
tunnel... Le Vigan doit avoir envie... je coupe... je
fais l'assoiffé...

— Mademoiselle, vous n'avez pas d'eau à la brasserie? ... d'eau minérale, je veux dire!...
— Oh si bien sûr!... tout un hangar! attendez!... attendez-moi!...
— Non!... non, je vous en prie mademoiselle!... tout à l'heure! restez avec nous!
Y a de l'eau, au fait!... la borne en face!... le trottoir l'autre côté!... je peux y aller moi-même!... je les dérange plus... il a été à cette brasserie une heure... deux heures... et je vois ils sont très amis... on le connaissait pas à Rostock maintenant ça va il est connu!... mieux... Mlle Claire a fait de la figuration... mais oui!... j'apprends!... pas toujours été en usine... je cherche pas à entendre je suis forcé, ils sont tout près et ils parlent haut... elle veut pas que nous deux Lili nous la prenions pour une effrontée quelconque... Lili dort, Bébert dort pas... je les vois là, les quatre... je me dis : c'est le moment de traverser, d'aller à la borne! je me lève donc de l'herbe... très doucement... et ça va, je traverse l'avenue... je remarque, il fait de plus en plus beau... je veux, nous sommes en plein mois de juin... pas un avion en haut, en l'air... pas une trajectoire... pas un coup de canon... bien... ça va!... l'autre trottoir, une herbe plus haute... et la borne... je bois comme ça, les mains à même en soucoupe, au robinet... elle est bien froide fraîche, cette eau, parfaite! je déguste, je remets mes deux mains, j'en reprends... *rrrrrt!* une moto! deux!... quatre!... d'où nous venons?... de la gare... et d'encore plus loin... je me dis : ça y est, ça va passer!... ce qu'on attendait... mais pas de voitures!... qu'une autre moto... plusieurs!... *rrrrrt!* ah si! une auto!... ça doit être ça... lui!... le Rundstedt... je reste bien fixe

debout contre la borne... un banc de motos!...
rrrrrt!... une formation!... là pas d'erreur!... je tourne
un peu la tête... ce sont des gendarmes!... je vois, ils
ont encore de l'essence... je vois aussi l'autre côté
de la route... La Vigue et son admiratrice, tout de
leur long dans l'herbe... ils me cherchent, ils me
voient pas, debout contre ma borne... moi je les
vois! et d'un coup là je vois quelque chose! La Vigue
se lève... se secoue... sort de l'herbe, descend du trottoir... juste un gros peloton de motos... *rrrrrt!*...
il passe, il profite... il saute au milieu de l'avenue!...
je vous raconte exact... là il se campe!... comme ça!...
le bras droit en l'air!... je me dis, ça y est!... il défie!...
j'aurais dû rester, pas remarqué, plaqué contre la
borne... va foutre!... je bondis!... la grosse Mercedes
freine!... freine!... elle s'arrête pile!... un mètre de
lui!... je dois dire les motards avaient rien vu...
emportés par leurs bruits d'engins, cette trombe...
aussi, je pense à présent, le sprint d'arrivée, le clocher, la flèche... ils voyaient... la pétoche aussi que
d'entre deux nuages un chapelet de mines ne les pique
au but! *braoum!* y avait de ça dans l'emportement...
cette folle charge... qu'ils avaient vu nib... de moi à
la borne ni de La Vigue en face... maintenant demi-
tour vous pensez!... ils étaient vingt... ils étaient
trente, devant l'auto!... alors?... j'hésite si je m'en
mêle?... j'aurais pas dû... lui La Vigue est en accès,
il hésite pas...

— Rundstedt arrière! arrière Rundstedt! non, vous
n'irez plus en France!...

Campé! menaçant! le bras droit levé!

Et il remet ça!

— Plus jamais en France Rundstedt! plus jamais!

Ça trotte sur la route... d'autres schupos rap-
pliquent... et encore d'autres... et des *Landsturm...*
et des civils... Lili avait tout vu d'en face, de l'herbe
l'autre côté... je lui fais signe : bouge pas! si! elle
veut!... Bébert dans son sac, vite!... hop!... il a
l'habitude... mais là pardon!... pas le temps de faire
ouf... nous rendre compte... nous sommes encer-
clés, embarqués hop! en voiture! ça a été éclair!...
une autre bouzine, conduite intérieure... moi La
Vigue Lili... pas d'admiratrice!... je remarque... elle
elle a fui... quatre flics à brassards avec nous... un à
brassard tricolore... un flic français? le premier que
je vois... où ils nous mènent?... ça y est!... ça va
vite... une grande porte à deux battants... *Polizei...*
on nous fait entrer... je vous raconte vite, comme
ça eut lieu... il faudra tenir compte si ça se tourne...
vite!... depuis le moment de Rundstedt, la route...
là une table, des chaises... un schupo vient... puis
un civil... le civil nous attaque d'emblée, le brassard tricolore.

— Vous êtes français?

— Et vous?

D'autor aussi moi!... le brassard me bluffe pas...
police de qui?... de quoi? il vient nous emmener?...
je suis plus vieux que lui!... les boches nous livrent?...

— Je viens vous aider... je suis de Sigmaringen....
Ah, on se retrouve!

— Quand je suis parti vous y étiez pas...

— Non!... j'ai passé depuis!

Une explication... je connaissais les flics du château, et ceux de la Milice... il en était pas... qu'il
en soit venu d'autres?... possible!... on va voir!...

— Comment va Restif?

128

— Il va très bien... il va partir, il vous attend...

— Bien répondu!... tout de même je me méfie... l'autre le schupo à côté de nous c'est La Vigue qui l'intéresse il le regarde... et encore! encore l'autre côté! ah, y a pas de quoi!... j'admets tout à l'heure il était en crise, devant la Mercedes, drôle, mais à présent il est normal, c'était qu'un accès... son bond sur la route... il se rappelle même plus... un autre schupo vient...

— *Papier?... Waffen?*

Des papiers? oh là là! que oui, mais pas d'armes!... *Waffen!...*

— Lui non plus?

Le schupo me demande... si La Vigue?

— Oh non!... lui non plus!...

Il devrait peut-être nous fouiller mais je vois il est pas en train, il me demande seulement...

— *Sicher nicht?...* sûrement pas?... *da nicht?* là pas?

— C'est Bébert, son sac...

— *Ach, nein!*

Les papiers je peux les amuser!... plein mes poches, et les doublures... La Vigue idem!... des liasses!... on se fouille, farfouille... je leur en mets plein sur la table... *ptof*... mais ils se lèvent tous! dressent! fixe!... sec!... talon!... garde à vous! quelqu'un est entré!... je l'avais mal vu dans l'auto, là, Mercedes, maintenant c'est lui, là, le maréchal... Rundstedt... il est seul... je le vois de tout près... poudré, ridé, mais pas de rouge aux lèvres... tous les vieillards au commandement ont du rouge aux lèvres, pas celui-ci... je l'avais mal vu, là-haut sur la route... La Vigue, son esclandre!... ce maréchal vient

129

pourquoi? il doit avoir un peu affaire!... savoir qui nous sommes? je dis le maréchal, pas difficile! il a son bâton sous le bras... le schupo et notre flic restent fixes, figés!... le maréchal qui demande...

— *Nun?*

— *Drei Franzosen!...* trois Français!

Les deux flics répondent, ensemble, chacun dans sa langue...

— *Papier sind da! kein Waffen!* les papiers sont là... pas d'armes...!

Le maréchal on voit s'en fout, il nous regarde vaguement...

— *Woher sind die?* d'où sont-ils?

— *Aus Paris...*

— *Nur gut...* bien!

— *Und das?...* et ça?

Ça c'est le sac, le sac a remué... il s'est aperçu... Lili tout de suite!

— Notre chat Bébert!

— Vous voulez bien me montrer, madame!... voulez-vous.

Il veut le faire pendre, lui aussi?... on entrouvre le sac... Bébert passe sa tête, ses moustaches... elles dardaient encore ses moustaches, pas tombantes, comme plus tard, ici...

— Il vient de Paris?

— Avec nous monsieur le maréchal!

Le Vigan s'en mêle...

— De Montmartre!... il était à moi monsieur le maréchal!

— Il est à nous!

Lili a parlé... je la regarde... il faut que ce soit pour Bébert... elle parle jamais...

— Madame vous avez bien raison, Bébert est à vous!

Le maréchal s'intéresse au chat.

— Il ne me griffera pas si je le touche?

— Oh non monsieur le maréchal!...

Sa main sur sa tête... Bébert dit rien... et puis ronronne...

Un flic, là, fixe, dit quelque chose... chuchote... le maréchal comprend pas bien...

— *Was? was?* quoi?

Il s'agit de nous.

— Vous allez à Sigmaringen?

— Nous allons, monsieur le maréchal!

— *Ja! sicher!*... oui! certainement.

Il doit nous trouver rigolos... heureusement... quel âge il a?... le mien à peu près... le mien, à présent... il parle français presque sans accent, seulement les « vous », un peu secs...

Là, maintenant, il se lève...

— Mes hommages, madame!

Il s'incline.

— Bonne chance, mes amis!... pour La Vigue et moi.

Une petite caresse à Bébert... il s'en va... son bâton sous le bras... comme il est venu... la même porte... y aurait de quoi un peu se demander?... non! y a pas! nos deux bourres eux se demandent rien! ils connaissent la suite! la même voiture aux vitres brouillées... on nous embarque!... ils nous aident, ça va!... et la même route... je crois nous remontons à la gare, il me semble... y a pas de secrets!...

— Le dur doit être formé!

Notre flic nous le dit, le tricolore, il doit savoir... je lui demande :

131

— Vous allez venir avec nous!

— Et alors! plus on est, plus on s'amuse!

Nous roulons... roulons... voici la gare!... le parvis... personne nous reçoit... le capitaine Siegfried? disparu! la chéfesse de gare, la framboise?... ses trois enfants? le train est peut-être disparu aussi? non!... il est là, formé, à quai... nos bourres mentaient pas!... l'écriteau, tout! *Sigmaringen*... pour nous « spécial »... personne autre!... nous sommes vite dedans, installés, nous et nos flics... pas d'autres voyageurs... une toute petite loco au coke, j'ai vu, j'ai eu le temps... même genre, bois, ferraille, que là-haut, notre train des poissons... enfin Ulm, Sigmaringen!... seulement cent bornes, à moins d'une surprise on y sera vers six heures... sept heures.

— Nous y serons pour le dîner!

Comme il parle, dîner!... En tout cas pas d'avions là-haut... quelques petits « boum » mais loin... très loin... nous sommes secoués, très secoués même, mais pas tant que dans dur de marée... pas à se plaindre... je demande à La Vigue s'il a revu sa Claire?... et ce qu'ils ont dit à la brasserie?... je vous raconte tout à la va vite!... à repenser plus tard!... de la gare là-haut... au retour, aux flics... au Rundstedt... à la brasserie... je ne sais pas trop!... vous allez rire... Mlle de Lespinasse n'étudiait plus, ne jugeait plus, des impressions! elle n'avait plus que des impressions!... la mienne est que nous fûmes enlevés, La Vigue, Lili, moi, Bébert!... enlevés!... plus tard on saura... peut-être...

Honoré lecteur, pardonnez-moi, les affaires du Congo s'arrangent, un peu, empochées les hausses, toutes pleurées les baisses, les enfilées malades au lit, mais... aux feuilles quelle disette de copies!... les journalistes sont à l'affût, raniment, tisonnent les plus évaporés ragots... sautent cravacher leurs vieilles vedettes qu'elles viennent glapir n'importe quoi, secouer la saison, cette torpeur des bars, les casinos à la faillite sous cette pluie qui n'en finit pas... moi-même ici si effacé, ne pensez pas qu'on me laisse tranquille, achever tel, miteux pacifique, mes très difficiles derniers jours... foutre que non! en voici une!... en voici un! en voici dix!... et quelles questions!...

— O grâce!... O Maître!... O voulez-vous?...

— Quoi?

— Ce que vous pensez du tænia?...

— Tout le bien possible!

— Il s'agit de son mariage!... qui le voyez-vous épouser?... selon vous sa femme idéale?

— Mistinguett!

— Vos raisons, Maître!

— Ils seront au mieux dans son bocal, unis au formol très à l'aise... elle macchabée presque déjà squelette... lui n'est qu'un anneau, n'oubliez pas... détaché du ruban tænia... ne peut que repter, onduler... tout au plus! et à fond de culotte, tinette, ou descente de lit... comme il peut!... si tragique destin cet anneau! preuve : sous l'objectif les convulsions de ce lambeau, à prendre la forme d'une figure avec deux sortes d'yeux, tout globuleux, divergents hors...

— Vous croyez Maître?

— Parasitologiste je suis! grogneugneu! diplômé! n'oubliez pas!

— Vous êtes cruel!

— Non!... la vie du tænia est horrible... j'admets... je lui pardonne tout!... s'il migre de notre ampoule rectale, il ne peut, par Sorbonne ou autre, trahison, terrasses, plagiats, mutations, finir qu'en tinette... rares fois très privilégié, en solution 5 p 100 formol, étagère, guéridon... garçon!...

— S'il épouse Mistinguett squelette, Maître?

— Mesdames messieurs je ne réponds plus! chers échotiers foutez-moi le camp!

— Une question!... une seule!... encore! vous avez eu des amis! beaucoup!

— Merde! fous de frousse, tous! donneurs!... qui mieux mieux!

— Pas un?

— Pas un!... moins qu'un j'ose dire... tout pour que la foudre tombe pas sur eux!... leur très cher eux... mais que sur moi! la foudre!...

— Vous êtes aigri, Maître, chagrin...

Zut! ils ne partiront jamais...

— Non! biologiste j'ai dit, c'est tout!... seule la

134

biologie existe, le reste est blabla!... tout le reste!...
je maintiens, au « Bal des Gametes » la grande ronde
du monde, les noirs, les jaunes gagnent toujours!...
les blancs sont toujours perdants, « fonds de teint »,
recouverts, effacés!... politiques, discours, fariboles!...
qu'une vérité! biologique!... dans un demi-siècle,
peut-être avant, la France sera jaune, noire sur les
bords...

— Les blancs?

— Les blancs au folklore, strip-tease et pousse-
pousse...

— On vous a dit que vous étiez dingue, Maître?

— Dix fois par jour depuis trente ans!

— Et pendu?

— Il est trop tard, je tiendrais pas, je tomberais
par morceaux!...

— Par anneaux, Maître!... par anneaux!

Hi! hi!... que c'est drôle! les petits fols! ils m'ont
fait perdre un quart d'heure!... ils se sauvent! enfin
tant pis!... ils me feront une page... à peu près...

Vous avez vu, entendu ces gens? quels mal élevés! quels toupets! ils m'auraient fait perdre des heures... peut-être plus!... leurs questions grotesques?... leurs histoires de races, blanches, jaunes, noires!... Encyclopédie! qu'en ai-je à foutre?... les conférenciers sont là pour... et faire plaisir aux archevêques, repus vénérables, et Banques de France et « petits porteurs »... moi j'ai à ne pas vous quitter!... vous retrouver à Ulm!... nous y étions, vous souviendrez, avec nos deux flics, le tricolore et le fritz, sur le pont... encore un coup, à nous faire passer aux aveux... criminels de ceci... cela... Lili, moi, Bébert, La Vigue...

— Sigmaringen!...

— Vous y étiez! vous êtes parti!

Évidemment!... nous eûmes tort d'aller nous montrer à Berlin... et encore plus haut!... parfait!... j'admets, ridicules... mais n'est-ce pas dans les circonstances vous seriez peut-être vous-même conduit encore plus fâcheusement!... maintenant à raconter ça va!... « nous sommes tous joliment sages après l'événement » pardi!... commentaires, philosophie!...

136

hardi!... si l'on se gausse!... si l'on s'en donne! moi-même là vingt ans après je sais où je vais, pas difficile de vous faire rire!... cartes abattues, roulettes au point mort... plus rien n'arrive?... en avant « toute »!... donc plein tubes à vos déconophones!... non! non! que non!

Nous sommes dans ce train, entièrement pour nous réservé, pas d'autres voyageurs donc pas à parler, qu'à regarder les champs, les remblais, rocailles, et fourrés, et deux... trois fermes... loin... mais qu'est-ce qui nous attend? où ils nous mènent ceux-ci? ces flics sont-ils vrais?... nous serons fixés à l'arrivée... peut-être... ce dur au coke n'avance pas mal... certes, la fumée!... nous serons tout noirs au terminus... oh, ce n'est rien!... je suis plus gêné par les cahots... mais pas à se plaindre, pas si brutal que le *Warnemünde* y a pas à ronfler, mais à réfléchir... qu'est-ce qu'on va trouver?... j'espère, Restif?... nos deux flics, le fritz et l'autre doivent savoir... peut-être nous retrouverons plus personne... ni au *Loïven* ni au *Bären*... mutés?... échappés?... je ne sais quoi... lui Restif doit être resté... lui et son commando « Vaillance »... ils seraient partis ça se saurait... ils devaient reprendre toute la France, lui et ses hommes en moins d'un mois, les citadelles, les ports, tout... je comprends, l'« opération » assez grave et délicate à mettre au point, qu'ils devaient sûr être encore aux préparations... Marion m'avait dit : il leur faudra au moins un an!... y avait déjà eu vingt heures H... et vingt contre-ordres... stop! *suspense* on dirait aujourd'hui... basic-franco-charabia... en fait nous ne sommes pas très bavards nous et nos deux flics... je veux, y a la certaine attente d'un engin

quelconque sur les rails... ou d'en l'air, subit... tout
de même ça faisait des mois que nous nous prome-
nions, si j'ose dire... Est... Nord... et zigzag d'un
aiguillage l'autre et voies coupées et tortillards et
trains spéciaux... nous pourrions être un peu faits...
pour le moins!... cependant j'avais à apprendre que
nous n'en étions qu'au début... que nous aurions bien
des surprises, encore... des comiques et des très
sérieuses... même des musicales, je vous raconterai...
là je m'apprêtais à poser une question aux flics...

— Raumnitz?

— Il est là, vous le verrez!

Restif et Raumnitz... au moins ceux-là nous
connaissaient... notre train roule... il chahute un
peu... mais pas grave... un peu de montagnes russes...
des dépressions... ah nous voici... nous allons y être...
tout doucement... un grand panneau... *Sigmaringen*...
les flics nous ont pas menti... je reconnais le quai...
je l'ai assez arpenté, zut! et la salle d'attente... oh,
mais Restif!... lui-même, tout de suite... là, à notre
portière...

— Ne bougez pas! bonjour! bonjour! restez assis!
Raumnitz veut vous voir! il vient!...

Nos deux flics sont au courant, le tricolore et le
boche... ils se lèvent, ils nous laissent...

— Au revoir!... bon voyage!...

Pour eux ce n'est pas une surprise... Raumnitz,
le voici, avec ses deux chiens...

— vous pouvez venir!... sortez de votre wagon,
j'ai à vous parler...

Pas de bonjour pas de poignée de main... l'accueil
froid... pas de questions... je remarque il a comme
vieilli... jauni... ridé... je le connais, n'est pas l'homme

qui boit ni qui se drogue... il a dû arriver quelque chose... un homme affecté, je dirais, dix ans de plus il a, il semble... et nous sommes partis y a six mois... pour cette escapade, Brandebourg et zigzag... certes il arrive des choses en six mois, et pas qu'à nous! bougres foutus égoïstes on a tendance d'être, que le temps n'arrive qu'à soi, les pépins aux autres! aux autres il n'arrive rien, rien, qu'ils ont qu'à nous plaindre, nous consoler, pleurer sur notre triste sort, nous recouvrir de cadeaux... donc nous enjambons... nous traversons la plate-forme avec Raumnitz et ses chiens... et la salle d'attente... voici... vide... six chaises, c'est tout... plus de sofa, plus de piano... Restif vient, entre... le commandant ferme la porte... alors?... il s'assoit... nous sommes tous à l'écouter.

— Voici docteur!... pendant votre absence des décisions ont été prises... pour vous et pour d'autres...

Il cherche... ah, oui!

— Sigmaringen est évacué... doit l'être!... très vite... trois jours... un train spécial va vous prendre... vous et Restif et ses hommes.

— Commandant nous venons de voyager... beaucoup...

— Je sais... je sais... mais il faut!...

— Pour où commandant?

— Je ne peux vous dire, mais assez loin... tout est préparé... comprenez-moi... vous êtes attendus...

La Vigue se lève... les bras en croix... la tête tombante... ça y est!... le Christ!...

— Commandant, je ne peux plus bouger!... je ne peux plus aller!... tuez-moi! tuez-moi!...

Plein de sanglots...

— Non, certainement!... pas vous monsieur Le

139

Vigan! au moins pas tout de suite!... vous vous voulez partir au Sud, je crois... vous toujours au Sud!

Comment le savait-il?

— Oh, oui commandant!... Rome!... Rome!...

Ils étaient d'accord...

— Demain monsieur Le Vigan!... par le Brenner... Rome! voulez-vous?

Oh et comment!... la joie dans les larmes!... tout de suite!...

— Ah Ferdinand! et toi Lili! pardonnez-moi! je n'en pouvais plus!... j'avais demandé déjà... là-haut!

Il nous avait doublé! la vache!... d'où il avait demandé?... à qui?

— A Harras!

— Eh bien saloperie t'aurais pu un peu...

— Seul Ferdinand!... je voulais être seul! tu me comprends?... vous me pardonnerez!

— Seul à Rome?

— Oui Ferdine! oui! seul il faut!

Il reprend sa pose Christ... devant nous, là... les larmes, tout... cette contrition, douleur à l'âme lui venait de loin... je l'avais vu en transe à Grünwald avec ses mignonnes, les deux garces... polonaises vous vous souvenez? qu'ils priaient ensemble, et tout...

— Tu garderas mon Bébert, Lili?... tu sais comme je l'aime...

Il étend le bras droit, vers nous, au-dessus de nous... très doucement...

— La Vigue, je vois tu nous bénis...

Pas le temps de lui dire ce que je pensais... tout... Raumnitz me coupe...

— Docteur vous aurez un autre train, le vôtre est reparti!... *ooh! ooh!*... Ulm-express!

140

Il rit... lui rire, c'est rare...

— Maintenant vous aurez autre chose... vous ne connaissez pas!

Je l'écoute mal, pense à La Vigue... y avait à penser... son truc de Rome... il voulait plus être avec nous... simple!... bon!... il voulait voir du soleil... certes on avait été privés mais c'était pas une raison pour nous laisser là *vlaac!*... en plouc!... je croyais pas à la coupure...

— Docteur, je vous prie...

— Je vous écoute, commandant!...

— Dans le train Restif vous expliquera...

Pour le moment je voyais pas Restif expliquer... c'était jamais beaucoup son genre... au fait vous vous souvenez peut-être!... Restif avait son école à Sigmaringen... mais personne n'assistait aux cours... que les hommes de son commando, ceux qui devaient reprendre la France... nous étions au moment des listes et des tribunaux occultes... de Strasbourg occupée par les noirs... Restif devait faire cesser tout ça, d'abord libérer Strasbourg et puis toute la France, en sorte de Jean d'Arc, foutre tous les Anglais à la mer...

Rions un peu! au moment là, décembre 60, d'autres listes circulent en plus des anciennes et des noms s'ajoutent aux noms, que les premiers dresseurs de listes sont depuis belle défunts!... de prostate, fibromes ou d'ictus, que les suivants, rédacteurs aussi, se demandent s'ils doivent changer les noms, si ces gens-là sont morts peut-être ou pas, si c'est pas leurs fils, leurs cousins, leurs nièces qu'étaient eux de l'autre côté? très difficile d'être justicier avec des listes qu'ont vingt... trente ans... les Chinois

141

auront rien à faire, rien à épurer, même qu'ils auraient très envie, en fait de Français, il restera rien, ils se seront tous assassinés... lui Restif avait commencé bien avant la guerre... vous vous souvenez peut-être... les sœurs Roselli dans le métro... et Barrachin au Bois de Boulogne... affaires politiques... il ne parlait jamais de sa technique, vous en parliez, il s'en allait... ce qu'il aimait c'était l'Histoire... l'histoire grecque surtout, mais sans les meurtres ni les sacrifices... Marion leur faisait un cours d'Histoire, Restif et ses hommes... jamais un mot des massacres, tout de même cette fameuse technique? pas très malin!... Marion se l'était fait expliquer... technique en deux temps... premier temps, harponner votre homme, la tête en arrière, lui renverser!... deuxième temps, lui trancher les carotides... les deux!... en somme la guillotine arrière! mais plus vite! tout était là! harponner le sujet et *vzzz!*... que les deux temps ne fassent qu'un geste!... la tête en arrière, deux jets de sang!... c'est tout!... ah l'arme!... une faucille extrêmement fine! rasoir... *vzzz!*... pas un cri, même pas d'hoquets...

Donc une armée noire à Strasbourg?... elle s'était laissé prendre au piège, tant mieux!... elle serait liquidée!... Restif ne s'en vantait pas mais l'opinion de Sigmaringen... Restif ne se vantait jamais...

— Docteur je vous prie... votre train sera là...

Raumnitz me parle...

— Quel train?

Il m'explique... un train « stratégique spécial »... alors?... pour où?... pas de nom de ville!... ça commence bien!... loco au charbon... pas de suie! pas de panache!... La Vigue devait savoir tout ça, tous ces

avantages, ce tourisme « stratégique spécial »...
cependant il nous avait bien scié!... sûrement y
avait un turbin... qui mijotait depuis Moorsburg
nous deux Lili, et Bébert, on nous réexpédiait
quelque part... lui La Vigue, le Christ, le soleil,
Rome!... soi-disant... Restif devait en savoir plus,
mais je vous ai dit, l'absolu discret... j'aurais bien
voulu avoir des nouvelles de Marion, Bout de l'An,
Brinon... et de tel et tel... mais c'eût été je crois, mal
pris... le souvenir est un privilège... Foudre et mille
morts à qui murmure que peut-être?... il ne s'agit
pas de vos peut-être!... peut-être?... une seule
vérité! d'un côté!... une seule basilique!... douteux?
inquiets?... nous? cyanure!

— Docteur je crois que vous pouvez!...

Il devait vouloir dire ce train... qu'il était là...
j'avais entendu une locomotive... Restif me fait
signe qu'en effet... Lili est prête... La Vigue ne
regarde, ne bouge pas, la tête dans les mains... lui
ne part pas, demain son tour... nous allons donc à
la plate-forme, moi Lili, Bébert... en effet tout à
fait autre chose... trois grands fourgons, gris, « huit
chevaux, quarante hommes »... les mêmes toutes
armées du monde... notre fourgon nous là, entre-
bâillé... oui! exact!... Raumnitz nous précède... c'est
ici!... ce train à trois fourgons vient de Constance...
nous montons... je vois, tout à fait le fourgon clas-
sique... litière épaisse, paille et foin... transports
d'hommes, je ne vois pas de bat-flanc... les hommes
les voilà... avec Restif, tout son « commando », ils
sont bien trente, équipés « milice », pèlerine, grenades à manche, Mauser... ils se chuchotent, passent
devant nous, s'installent dans les coins, se tassent...

se chuchotent encore... à nous aussi de nous installer... Restif doit savoir de quoi il s'agit... je vais essayer qu'il me renseigne... pas de sifflet!... nous roulons... personne nous a dit « au revoir »... ni le commandant ni La Vigue... tout de même pas besoin de relancer Restif, il n'attendait que le moment, que le train soit parti pour nous affranchir... et y en avait!...

— Docteur vous n'êtes pas surpris, vous en avez vu, mais là maintenant, ils fignolent... devant eux n'est-ce pas rien à dire... vous les connaissez!... maintenant nous sommes partis, ça va! plus rien à perdre, allez!... eux non plus, bon Dieu!... dans les coins moi je les connais!... j'ai travaillé pour eux, n'est-ce pas, vous savez... à plein!... mes hommes aussi! les boches sont pas près de me surprendre! ah, non!... je connais leurs trucs avant eux!... là maintenant où nous allons? ils vous le diront pas... c'est un bled qui n'a plus de nom, ils l'ont enlevé, gratté de partout de toutes les pancartes!... barbouillé!... vous le trouverez nulle part... même sur la gare... la gare où c'est où nous allons, Oddort, ça s'appelait... ça s'appelle plus, rien... moi je sais pourquoi...

— C'est loin?

— Humm! trois... quatre plombes... vous ne savez jamais avec eux... ce dur est express... vrai express... pas la marmite à panache... à charbon!... il peut se taper le cent... vous verrez même pas les tunnels... vous verrez rien!... vzzz! d'abord vous pourrez pas regarder... pas de fenêtres!... les battants pas à pousser! bouclés du dehors... vous pouvez y aller!... les trois fourgons!...

— Le Raumnitz!... avec Le Vigan!... vous vous êtes pas aperçu? à la cheville scellé!

144

J'aurais dû regarder... mais la voie où nous étions?...
je comprenais vraiment plus...

Voilà!... Restif m'explique... la technique! ils ont
fait une voie en huit jours... tous les forçats, tous les
bibel et trois divisions du Génie... tout!... ballast,
rails, traverses!... seulement les tunnels qu'existaient... du réseau abandonné!... 1896... ils avaient
tout remis en état, désenroché, ravalé... en pas un
mois!...

Ils me bluffent pas, je les connais trop! fumiers
comme!

Moi non plus ils me bluffaient pas, mais tout de
même ils faisaient ce qu'ils voulaient... sauf bien
sûr ce qu'était écrit, qu'ils seraient ratatinés zéro...
comme nous là je pense à présent que c'était plus
que capilotade, et bla-blas autour, théâtre...

En attendant ça allait vite et ces fourgons tenaient
les rails, bringuebalaient pas, y aurait eu des fenêtres
et des gogs, personne se serait plaint on ne pouvait
pas voir les têtes des hommes du « Commando Restif », il faisait trop sombre, presque noir, mais sûr
ils ronflaient... la loco était au charbon, pas de suie
du tout... nous ne serions pas longs à y être, à cet
endroit... Oddort ou autre...

— Restif, c'est près de quoi?

— Hanovre!... cinq bornes!

— Ça a brûlé?

— Un peu! ça brûle toujours...

— D'où vous savez?

— Je sais, voilà...

Et il me demande si je connais un Svaboda?... si
Raumnitz m'en avait parlé?... non! ah si!... au
cinéma! à Paris... dans un film!... c'était pas le

même!... pas celui du film... un autre Svaboda! un Svaboda général... général Comitadji... les Allemands l'avaient adopté... l'avaient promu au commandement de toute la Résistance « Centre-Europe » ce général Svaboda, Restif le connaissait bien...

— Je l'ai raté à Schwenningen!...

— Ah!

— Au casino « Orpheum » à la symphonie!... je l'avais...

Je lui en demande pas plus, je comprenais... ils étaient en compte... j'avais pas à savoir pourquoi, ni comment... je savais vivre... mais maintenant qu'est-ce qu'il représentait?... général, mais de quoi?

— il vous le dira... il est « cœur de la Résistance »...

— Où?... à Oddort?...

— Oui!... contre les Anglais, contre les Russes, contre n'importe qui... par air, terre, mer... jusqu'au réduit... vous savez pas? Raumnitz vous a pas renseigné?

Non!... pas un mot... lui Restif était renseigné... je pensais, une chance qu'on n'ait plus La Vigue, il serait plus tenable... il nous avait doublé, le fias, filé comme un pet, bigre tant mieux!... soi-disant à Rome!... enfin peut-être... toujours nous là c'était magique... on allait, allait... une voie pour ainsi dire intacte... quand on avait connu les autres!... durs à lépreux... durs aux poissons... je vous ai raconté, fendus, plus de rails, ni roues... ce train-ci aussi aurait son compte, tranquille, leur réseau retrouvé, marrant, mais c'est tout! le Siegfried aussi était marrant, celui d'Ulm, sa flèche, sa jeunesse, sa reguimpe, ses ascensions... tous les trucs sensation-

146

nels sont que préludes... et *broum!* et rien! : comme
la descente du Niagara dans un tonneau, pieds et
poings liés... « Vous allez voir messieurs, mesdames!
tonnerre d'eau, trombes, gouttes... vous avez vu
mesdames, messieurs! et par ici! croisières aux
entrailles du Vésuve! soufre et porphyres! toutes
les couleurs!... la pièce qui se joue! tout le bloc d'un
coup!... vingt-cinq mille tonnes! à l'arrachée! projeté
aux nuages vous voyez pas?... pitié! »

Ruminant, je récapitulais... à la prochaine, nous
descendrons!... mettons dans une heure... Restif parlait à ses hommes... il leur donnait ses instructions
sûr... j'espère qu'il ne s'agissait pas de nous... forcément, fatalement un peu... qui nous recevrait à
Oddort?... qui nous ferait sauter nos scellés?... de
quoi tout de même être attentif?... oh mais voici
du ralenti... et même des coups de freins... la loco
pouffe... un peu... oui!...

On travaillait nos battants!... les goupilles... subit!
le plein jour!... et un quai, une plate-forme nous
avions plus qu'à sortir... bon! je laisse passer Restif... il me fait remarquer : pas d'inscriptions, ni de
pancartes... il fallait savoir que c'était Oddort.

— Maintenant on va voir Svaboda...

Je regarde notre train, trois fourgons... je vois
que d'autres trains arrivent... le long d'autres plates-
formes... et encore d'autres... des trains de trois
fourgons comme le nôtre... trois... quatre... cinq... des
Volksturm les ouvrent... plein de gens comme nous,
aussi abrutis, grimpent sur les rebords... d'où viennent
ces gens?... de partout... Restif sait... des ouvriers et
des bureaucrates... le grand rendez-vous donc Oddort?
...nous y sommes!... cette gare sans pancartes...

147

— Je ne sais pas si vous savez?
Encore autre chose!
— Après le général Svaboda, c'est moi! moi le
second!...
— Certainement Restif!
— Après lui, moi!
— Alors?
— Vous allez voir le travail!
— Je veux bien voir n'importe quoi... je suis
prêt à tout, Restif!
— Mais vous m'aiderez?
— Rien à vous refuser cher ami!
— Maintenant vous allez voir le juif... moi, il
sait... depuis longtemps il sait... vous regardez-le!...
Là, il me montre... un homme à barbiche poivre
et sel... teint foncé, très, olivâtre... le nez à effet,
busqué comme... le regard noir, à effet aussi... ça
devait être comme ça aux Balkans... généraux fardés,
nez d'autorité je dirais arrangé chirurgicalement,
heureux qu'on n'ait plus La Vigue, il se voyait doublé, il faisait un coup de sang...
Que je vous raconte cette salle d'attente, ils avaient
fait de l'ordre... quatre fauteuils et quatre tabourets...
c'est tout...
Le général va s'asseoir, il me tend la main, cor-
dial, je dirais presque sympathique... il a de l'accent... je dirais plutôt l'accent russe que balkanique...
naturel roulant, chantant, pas guttural... pas du tout
turc...
— Je vous prie madame, tout mon respect!...
et vous docteur, mon amitié!... nous allons parler
à côté!... ici n'est-ce pas tous ces trains!... ces gens!...
ce bruit!... vous venez avec nous Restif?...

148

Nous le suivons... je le vois de dos... grand maigre et presque bossu... à côté c'est un bureau, des classeurs, un fichier... quatre fichiers... le téléphone sonne... il répond... juste! *ja!*... que des *ja!*... et puis *nein!*... il raccroche... il lit un papier... il parcourt... marmonne... il ôte son monocle... à nous!...

— Docteur n'est-ce pas, Restif vous a dit... Restif sait tout... je veux qu'il sache... il doit savoir... si je m'absente je veux quelqu'un pour répondre... vous me comprenez?... ici, je commande, cette gare et les trains... mais là-haut, d'en haut, d'au bout du fil on me commande, moi! je reçois des ordres!... toujours quelqu'un ici n'est-ce pas?... responsable!

— Oh, je vous comprends, général!

— il faut quelqu'un ici!... toujours! je ne suis pas longtemps absent... cinq... dix minutes... je dois!... il faut!... les avant-postes!

Je devais avoir l'air abruti... ce qui me faisait dodeliner c'est pas ce qu'il disait, c'était son képi... j'ai vu des revues un peu partout depuis les Bouffes... mille opérettes à grands spectacles... jamais vu des képis comme lui, si hauts, si brodés que le sien, or argent verdures... on peut dire le képi-tiare... le général me voyait distrait, il tenait à ce que je sache qu'il s'absentait très souvent, surtout la nuit!... il voyait tout!... lui-même!... les avant-postes... tous *Volksturm* aux avant-postes! vieux indolents imbéciles!

— Vous avez raison, général!

Restif me clignait pas de l'œil mais il tapotait le plancher, un peu... ça voulait dire...

— faites attention!...

— bien!... y avait des dessous... je les saurais les dessous, un moment... le général se lève, lui et

149

son képi... Siegfried à Ulm c'était son casque à chenille rouge et blanche et sa redingote d'époque... là, Svaboda, son képi-tiare, sa dégaine méphisto de choc, était pas oubliable non plus... donc Svaboda a prévenu... « au revoir »!... il s'en va... on entend sa voix dehors... il parle... Restif écoute... plus rien...

— Docteur, maintenant à mon tour!

Il se lève, il va à la porte, il l'ouvre, plus personne?... non!... il revient...

— Docteur, vite!... vous devez vous douter... toute cette gare ici n'est qu'un piège... tous ces gens des trains sont à liquider... ils sont de trop... vous aussi vous êtes de trop... moi aussi...

— Comment savez-vous?

— Docteur, je vous expliquerai plus tard... maintenant il faut vous attendre... vite!... ça sera fait cette nuit...

— Pourquoi?

— Parce qu'ils n'ont plus de places dans les camps... et plus de nourriture... et que dehors ça se sait...

— Dehors où?

— En Amérique!

— Qu'ils n'ont plus de places dans les camps? Il me fait rêver... à Zornhof alors? à Rostock?...

— Oui, mais les Russes!

— C'est vrai y a les Russes... on en parle toujours, on les voit jamais...

Restif est très renseigné.

— On doit les arrêter ici!... ici même à Hanovre... le général Svaboda a servi longtemps chez les Russes, il les connaît...

— Alors?

150

— Ça va se faire vite... c'est pour cette nuit...

— Vraiment.

— Pas les Russes! nous!... je connais l'oiseau!

Je comprends pas encore... il m'indique... j'aurais qu'à regarder... me taire Lili aussi... et puis nous sauver!... avec lui! le suivre! lui et ses hommes, son « commando » de choc... eux savaient... je saisis toujours pas... enfin un peu... je sais que Restif parle pas pour rien...

— Très vite docteur! très vite!... heureusement il se drogue!...

Ah, encore la drogue!... fastidieux!... mais dans le cas : ça va!

— Il dort jamais plus d'une heure...

— Restif je connais un peu le sommeil, il tiendrait pas avec une heure...

— Il redort dans la journée!...

Journée?... journée?... on sera loin!... taisons-nous!... une arrivée!... encore trois fourgons... et du populo... les trois fourgons sont archicombles... la gare aussi... bourrée!... qu'est-ce qu'ils vont briffer, tous? d'où ils viennent?... comme les autres, d'usines et de bureaux... plus de matières premières, plus d'emplois... mais notre général où est-il?... Svaboda? aux avant-postes?... leur dire quoi?

— Leur dire : ça y est!

— Alors?

J'étais assez fatigué... Lili aussi... Restif s'aperçoit...

— Docteur je vous prie! vous serez témoin... vous redirez tout!... un qui les a sauvés : Restif!... vous aurez vu!...

— Certainement Restif... mais de quoi?...

— Il va revenir... il va me dire : Restif restez là...
au téléphone!... si on m'appelle réveillez-moi!... alors
là docteur attention!... vous allez voir!... je vais pas
attendre, moi!... ça sera une seconde!

Je l'écoute... je trouve tout ça bien entortillé
zut et leur brouillamini!... des mois-ci... là... qu'on
nous amuse... ah un pas!... j'entends un pas! des
pas... et des voix... ça doit être lui... oui!... la porte...
le képi-tiare or et argent...

— Tous mes respects madame!... Docteur vous
pouvez dormir vous devez avoir sommeil!... vous
Restif vous m'attendez! là vous savez au téléphone...
je vais m'allonger! une minute... si on appelle secouez-
moi! je dois retourner aux avant-postes dans une
heure... je me réveillerai... chacun son tour n'est-ce
pas...? vous vous irez dans deux heures... vous
prendrez ma montre...

On y voit un peu dans ce bureau mais pas très...
deux grosses lampes à même le plancher... le général
s'allonge sur la paille... il se déshabille pas... il
garde son képi même il se l'enfonce par-dessus les
oreilles, en bonnet de nuit... bien!... nous allongeons
aussi... Bébert est pas sorti de son sac, maintenant
on lui ouvre un peu, qu'il passe la tête... le général
a annoncé qu'il allait dormir... dans la salle d'attente
ça jacasse... ils sont beaucoup... combien?... eux ont
pas de paille, ils pourraient venir nous demander...
à peine j'y pensais, un est là! un passe... passe par
la fenêtre!... et puis deux... trois... des hommes à
Restif... je les avais pas vus enjamber... ils sont là...
dix... douze... je comprends pas mais j'entends...

— *Ooouah!*

C'est tout!... je comprends... j'ai pas vu mais j'ai

entendu... que je voie! ils ont pas fini de l'étouffer...
Restif me montre... deux giclées!... des deux carotides... son scalpel fin, courbe, en faucille... je peux
voir... oui... mais le sang? il a pas fait de bruit mais
du sang jusqu'à la porte... et qui passe dessous...
les autres vont voir... Restif perd pas de temps, il
saisit le képi, la tiare à broderies, la décolle des
cheveux, il se la met... et il nous stimule...

— Allez!... allez! roupillez pas!

J'avais pas entendu sonner... le téléphone! Restif saute...

— *Ja!... ja!...*

Il raccroche... je crois que c'est le moment de lui
obéir...

— Vous autres par ici!

Il me montre par là... par la fenêtre... enjamber!...
et traverser la plate-forme... et puis les rails, la voie...
il ne doit plus y avoir de route...

— *Sie sind Franzosen?*... vous êtes français?

Y a des gens à travers ces rails... Restif a le moral...
un qui se lève... une forme... qui veut nous empêcher
de passer... *paff!*... en pleine tête... tous les autres
hurlent!... et ceux de la gare... après nous...

— *Mörder!... mörder!...* assassins!...

— Ils ont pas fini saloperies!

— Docteur attention!...

— Qui est-ce qui vous a dit Restif?

— Mon petit doigt docteur!... je vous expliquerai!... plus tard!... maintenant c'est faire vite!... que
je parle aux *Volksturm!*... je serai pas long! je reviens,
je vous reprends... ah, les ordures!... ils seront servis!...

Il veut dire les gens de la gare...

153

— Assassins? mignons, attendez? Docteur retenez! retenez tout!... plus un qui restera!... pas un!
trois trains blindés!... pour eux! les fritz ont plus
qu'un Messerschmidt!... pour eux! pour eux!

Je comprenais pas...

— tous au phosphore!

« assassin » qu'avait pas passé!... lui je l'avais
vu, qui travaillait assez froidement, ils l'avaient
mis en colère!... avec : assassin...

— je vais, je reviens, Docteur!... vous attendez!...
je vous appellerai!... je vais aux *Volksturm*...

Il part... je crois par un sentier à droite... dans
le noir... le noir, il risque... mais il a l'air de connaître...

Je veux bien, mais il fait pas chaud... l'heure?...
à peu près trois heures je crois... on l'attendra!...
je cherche à voir la gare... je vois des formes... je
dirais des formes plus noires que l'ombre... pas le
moment de nous montrer!... plat ventre au contraire!...
nous?... Lili, moi... ces formes bougent... viennent de
notre côté... non!... ce sont des gens... assez loin à
droite... et à gauche... ils vont vers le haut, vers
où?... retrouver Restif?... Restif et ses hommes?...
possible!... tout est possible... je vais vous paraître
déconner mais c'est un fait, tout s'est passé si brutal et si vite si entremêlé, aussi qu'il y avait plus
rien à comprendre peut-être plus tard les chroniqueurs s'y retrouveront, mais là dans la nuit, et il
faut le dire l'hébétude, je trouve, je prétends encore
aujourd'hui que ce fut une veine et un exploit de ne
pas confondre la droite, la gauche, et de nous lever
et de suivre ces gens allemands?... moldaves?... chinois?... je chuchote à Lili :

— Suivons-les!... relevons-nous... allons-y!

154

Moi qui ne suis pas l'hystérique j'ai eu le sentiment là net que Restif avait pas menti qu'on allait
tirer sur la gare... je ne savais pas d'où ni qui, mais
que nous étions bons nous deux, tels, sur le ventre,
dans la rocaille... et le Bébert... que nous étions encore
bien trop près... que toutes ces formes, ces gens qui
nous avaient doublés, étaient avertis... Lili veut
bien bras dessus, bras dessous Bébert en musette...
on se lève... on fait trois pas... six pas... dans les
herbes... une voix!... *schnell Kerl... schnell!*... vite!...
des Allemands là en position!... et d'autres *schnell*
qu'on se magne!... ils veulent bien qu'on passe...
mais vite! vite!... au moins quatre... cinq... six
mitrailleuses... en position... tirer sur la gare!... vers
la gare... d'où nous venons... Restif avait pas menti!...
et...

— *Brannng!*

Toute la terre sursaute! pire! comme fendue!...
et l'air! là ça y est! Restif avait pas menti... *broum!*
un autre!... pas loin!... on peut voir! les feux des
canons!... rouges!... verts! non! plus courts! des
obusiers!... tout sur la gare!... on les voit maintenant :
Oddort!... elle est embrasée comme on dit... des
flammes hautes et de partout, des fenêtres, des
portes, des wagons... et *broum!* encore!... encore!...
ils s'échapperont plus ceux de la gare, pas un!...
Restif avait pas menti... mais où il peut être? les
gens là que nous avons suivis sont partis où?... je
vais pas vous refaire le pilonnage... ces coups au
but, c'est tout sur la gare, vous savez... un de ces
braseros!... maintenant on voit bien... tout bien...
les obusiers et les artilleurs... pas ordinaires, des
canons courts... ils ont pas de mal à pointer, c'est

155

à trois cents mètres, pas plus... ces obusiers sont sur une voie, sur autant de petites plates-formes, tout un train... ces obusiers arrivent d'où?... ah un autre bruit!... énorme vacarme... chignole d'en l'air... l'avion, le moulin à café... Restif nous avait bien prévenus... le Messerschmidt... nous connaissons le bruit... *trrzzt! trrrzzt!*... par à-coups... vous diriez l'effort à la main... je fais à Lili... je fais pas, elle sait... encore plat ventre! et *bring!... crrrac!*... une mine! et l'éparpillement des éclats... le coup de grâce!... pique sur la gare... nous pouvons un peu regarder... plus clair que le plein jour!... le train des obusiers démarre... leur loco au coke... les mitrailleurs aussi s'en vont... replient bagage... plus personne ne vient de la gare... qu'une très forte odeur d'incendie... vous savez partout la même comme à Berlin, le rousti mouillé âcre... plus âcre peut-être?... puisqu'on s'en tire où on va aller?... on reste plus que nous deux et Bébert... et des douilles de tout... de fusils, d'obusiers et des bandes de mitrailleuses lourdes et des éclats... cette voie doit aller à Hanovre?... alors suivre cette voie!... tiens, quelqu'un!... pas un fantôme, ni une ombre... un artilleur... un vrai... je comprends, il vient fouiner, regarder s'il ne reste rien... il trifouille la gadoue autour avec ses doigts!... il a pas besoin!... je l'appelle!... hep! hep!... je lui montre! là tout près de nous, les douilles!... s'y en a! il a trouvé, il ramasse... et dans sa musette!... et une clé anglaise!... il nous voit!

— *Guten Tag!*

Je lui dis... et j'ajoute...

— Ça a bien brûlé!

— *Ach ja!... sicher... es must!*

Il trouve que c'est bien... que ça devait!...

— *Wo gehen sie?* où allez-vous?

Il me demande.

— *Hanover!...* Hanovre!...

Il doit savoir où est Hanovre... il me montre!... par là! en suivant la voie... il ne doit plus y avoir de route... ou elle est très loin... va pour le rail!...

— *Sie sind Franzosen?*

Et comment que nous sommes *Franzosen!* nous sommes travailleurs je lui explique, en plus, et en usine, et notre usine est *kaput!* bombardée, brûlée... alors nous en cherchons une autre!... pas bombardée!... ça il comprend!

— *Sicher Hanover!* sûrement Hanovre!

Je lui demande encore, si il a vu des Français?... pas sûr!... il a vu des étrangers, là-haut, il me montre vers l'est... et qui se battaient!... qui se battaient entre eux... c'était pendant le bombardement... avant que la gare prenne tout à fait... y avait des morts dans la plaine plein!... des blessés aussi! je pensais, peut-être Restif et d'autres? à propos je l'ai jamais revu Restif... ni en Allemagne, ni au Danemark... ni plus tard, ici... je l'ai demandé partout... Marion le connaissait bien mieux que moi... mais Marion est mort, vous le savez... pas eu le temps de lui demander rien... ce cher Marion!... si délicat, si affectueux... comme il nous a aidés à tenir à Sigmaringen... qu'il nous a prévenus des traquenards!... trois... quatre... par semaine... comme il s'amusait de Bébert qu'il lui fasse le père Descaves... dardantes moustaches, mon tour de cou, et goutte au nez... comme on a ri!... plus personne pour rire!... Restif n'avait pas d'esprit, il était prestidigitateur, un as j'admets, mais c'est tout... nous là maintenant c'était Hanovre!... chroniqueurs, que je ne perds pas le fil!... notre artiflot parlait plus, tout à sa tâche à ramasser les douilles, partout y en avait, et même des balles... en somme, de l'ordre... tout de même, il veut que je comprenne!

— *Du verstehst? Kupfer!... Krieg!*

Kupfer! cuivre! la guerre!... cuivre!

Certainement! il avait raison!

— *Sicher!... sicher!*

La guerre cuivre!... pain aussi la guerre! et sardines et saucisson!... il s'arrête de fouiller les flaques... il me demande si nous avons à manger... nous avons une demi-boule... pour nous et Bébert... je la lui montre...

— *Ich habe Chokolade!*

Il veut nous bluffer... non exact!... une vraie plaque... et aux noisettes...

— *Englisch flieger!... Kaput!*

Tout s'explique... il ramasse pas que les balles et douilles à la traîne... il la casse cette plaque, en trois morceaux... un pour Lili, un pour moi, un pour lui... et pour Bébert?... dans une autre musette!... il cherche... non!... il a rien!... que des morceaux de mie... ça doit être aussi de l'aviateur anglais... Lili en offre dans le creux de sa main... Bébert accepte... maintenant je crois on est paré on peut prendre le rail... je lui demande...

— *Kein Zug?* pas de train?

— *Ach nein! nicht mehr!*

Alors en avant... en avant, pas vite!... je n'ai plus qu'une canne... ça bombarde pas dur mais tout de

même... nord-ouest... donc vers Hanovre... il a beau
dire... et pas loin... on voit des flammes... je donne
tout mon allemand...

— *Guten Tag! schöne! schöne danken!* mille mercis!
On se serre les mains...

— *Gute Reise!... beide!...* bon voyage vous deux!
höre mich! écoutez-moi!

Et il chante... pour nous...

Nach Winter kommst doch ein Mai! après l'hiver,
le mois de mai!

Ah, que je lui demande...

— Y a pas eu les fusées! vous savez les bleues!
les vertes!

— Non!... ils devaient pas se sauver!...

Bien! ça explique... nous en avant! pas de temps
à perdre... travée... par travée... voyageurs de plus
en plus simples, touristes de plus en plus modestes...
on finirait à quatre pattes... Bébert lui voulait être
porté... il voulait aussi autre chose que de la vieille
mie de pain, même anglaise d'avions...

— Bébert tu verras à Hanovre!

Lili me fait remarquer :

— C'est au nord Hanovre... tu veux encore aller
par là?

— Je veux pas mon petit... je cherche pas... ils
nous demandent pas notre avis...

En fait, vraiment j'y étais pour rien...

— Il a dit qu'il ne passait plus de trains...

— Il doit savoir!

Le ramasseur de douilles... nous n'allions pas vite,
mais quand même, de travées en travées... peut-être
déjà deux kilomètres... il ne faisait pas jour, pas
encore, mais une certaine lueur... rose... aux nuages...

presque une clarté... on pouvait voir cette campagne... les fermes... mais pas un être!... homme, animal... notre chocolat était fini...

De traverses en traverses à peut-être encore cinq cents mètres quelqu'un d'assis sur le rail... et encore un autre... un peu plus loin... nous nous approchons... je fais... *hi! hi!*... je touche l'épaule là, j'appuie... oh, pas fort! toc!... ce quelqu'un bascule!... à la renverse!... jambes en l'air... *vloc!*... aux cailloux!... je vais à l'autre... je le touche à peine... bascule aussi!... je vais voir leurs têtes... un homme... une femme... dans les quarante, quarante-cinq ans... ils sont morts depuis au moins six heures... j'ai l'habitude des constats, je vous ai dit... il faudrait que je regarde les corps... ils ont dû être transpercés... là tels quels assis?... d'en l'air, d'un avion?... ou d'une patrouille? de qui?... de quel côté?... oh, que ça ne nous regarde pas!... allons!... allons!... voici des murs éboulés... décombres d'usines il semble... oh mais quelqu'un a parlé... là!... plusieurs même... je ne vois rien... ils sont cachés derrière un mur... une discussion... en quelle langue?... allemands?... oui! et français... c'est mieux d'écouter avant de nous faire voir... ils parlent d'Hanovre... traverser Hanovre... d'une gare tout près à l'autre gare, loin... nous ne devons pas connaître ces gens, ce sont des travailleurs d'ailleurs... pas de Dresde, ni d'Ulm... de Pologne, je crois... ils n'étaient pas à Oddort... sûr!... alors, ça va!... ils s'aperçoivent pas que nous sommes là, en somme avec eux... ils veulent aller à Hambourg... tant mieux! nous aussi!... d'après ce qu'ils bafouillent y a encore des trains, un trafic, d'Hanovre l'autre gare à Hambourg... ça va! mais pas de trains réguliers...

ah, je crois aussi... l'ardu c'est de traverser Hanovre...
ils savent tout! les faubourgs, la ville... tout a brûlé,
ils disent... ça sera plus simple! en avant donc! je
crois à peu près une cinquantaine, qui se mettent
en route, mères, enfants, vieillards... nous sommes
avec eux... le rassemblement... pas des gens tristes,
je dirais même rieurs... bien! nous allons... nous ne
nous sommes pas fait remarquer, moi, Lili, le greffe...
nous faisons partie... ça va! ils ne déconnaient pas,
en avançant, je vois, il ne reste pas beaucoup de
maisons debout... plus? moins qu'à Berlin? pareil je
dirais, mais plus chaud, plus en flammes, et des
flammes en tourbillons, comme plus haut... plus
hautes... plus dansantes... vertes... roses... entre les
murs... j'avais jamais encore vu des telles flammes...
ils devaient se servir maintenant d'autres saloperies
incendiaires... le drôle c'était que sur chaque maison croulée, chaque butte de décombres les flammes
vertes roses dansaient en rond... et encore en rond!...
vers le Ciel!... il faut dire que ces rues en décombres
verts... roses... rouges autrement plus gaies, flam-
boyantes faisaient en vrai fête, qu'en leur état ordi-
naire, briques revêches mornes... ce qu'elles arrivent
jamais à être, gaies, si ce n'est par le chaos, sou-
lèvement, tremblement de la terre, une conflagra-
tion que l'Apocalypse en sort!... là ça devait être!
les « forteresses » étaient passées paraît-il... et pas
qu'une fois... deux... trois!... jusqu'à la destruction
totale... elles avaient mis plus d'un mois, par centaines, à passer au-dessus, nuit et jour à larguer des
tonnes et des tonnes... y avait vraiment plus rien
debout... plus que des pans de murs et des bûchers...
j'ai dit... chaque ex-immeuble avec encore la suie,

161

les flammes... et aussi des petites explosions... je vous
ai assez parlé d'odeurs... toujours à peu près mêmes
odeurs, Berlin, Oddort ou ici... poutres rousties...
viandes grillées... là toute notre clique nous allions
bras dessus, bras dessous au milieu de la rue enfin
semblant de rue, donc vers cette gare... ils avaient
l'air de savoir où... le jour se levait... c'était une
veine qu'il y ait plus rien en fait d'immeuble... je
veux dire à détruire... les tourbillons de flammes faisaient comme des fantômes roses violets... au-dessus
de chaque maison... des milliers de maisons!... le
jour venait... je vous ai dit : plus une maison habi-
table!... que si!... mais si!... là! là!... non!... des gens
debout fixes contre les murs! là!... on voit bien maintenant... un homme!... on s'arrête, on s'approche, on
touche... c'est un soldat!... et un autre... et une
ribambelle!... adossés, tels quels... fixes!... morts là,
raides... soufflés!... on a déjà vu à Berlin... en somme,
en momies sur le coup!... ils ont leurs grenades après
eux, aux ceinturons... par là qu'ils sont encore dangereux! si elles sont amorcées... *braang!*... leurs grenades!... qu'ils s'affaissent dessus! *Vorsicht!* attention!... on retire nos mains... l'autre côté de la rue,
d'autres pans de murs, y en a encore... d'autres soldats figés... sûr ils ont pas eu le temps de faire :
ouf!... surpris là!... le coup de souffle d'une mine!...
je vous ai oublié un détail, maintenant que je vois
bien, tous camouflés « caméléon »!... raides!... nous
c'est de passer, pas approcher... mais cette gare?...
je voudrais qu'on y soit... hé nous y sommes! la
gare elle, est pas restée là! raide!... elle est partie! un chapelet de mines!... envolée! toute la gare!
pas de décombres... plus que des plates-formes...

trois... quatre... ça devait être une gare importante...
Hanovre-Sud... nos zèbres ont l'air de savoir... maintenant c'est pas tout, il s'agit de traverser la ville
retrouver Hanovre-Nord, l'autre côté... oh, je vous
oublie le principal!... l'affluence! pas que sur les
plates-formes, à travers les voies, assis et couchés...
ils se parlent... j'entends de l'anglais... des Anglais?...
je les vois... des femmes et un homme, des civils
anglais... qu'est-ce qu'ils font là?... parachutistes?...
je vais les voir... non!... ce sont des propriétaires
terriens... trois femmes et un homme, l'homme est
infirme... quand y a la guerre on tombe tout le
temps sur des bancalots, fatal! ils vont au-devant
de l'armée anglaise, ils pensent qu'ils la rencontre-
ront entre Hanovre et Brême... ils avaient leur radio
là-bas, chez eux, en Brunswick je comprends, leur
propriété, vaste... vaste... un élevage de chevaux,
selle et labour... et bien sûr, culture fourragère, plus
luzerne, colza... les nazis trouvaient que ça allait?...
je demande... parfaitement! ils leur avaient seulement demandé d'ouvrir un cours de langue anglaise
et surtout de conversation... oh, ils avaient eu de
bons élèves, très appliqués... lui là l'infirme encore,
je voyais, plus mal foutu que le fils von Leiden...
vous vous souvenez peut-être?... Zornhof?... mais lui
là ni délirant, ni méchant, non!... l'impotent courtois, raisonnable... comment elles l'avaient amené?...
Brunswick à Hanovre?... par des « navettes » en
deux semaines... comme nous de Rostock... ça a duré
presque deux ans ce trafic par « navettes »... à peu
près dix raids sur Hambourg à la reddition... maintenant c'était le moment de décamper... ces Anglais
surtout à cause de leur infirme se voyaient pas tra-

163

verser Hanovre par les rues jaunes... rouges... en
sortes de brasiers tout au long... je vous ai dit y
avait pas qu'eux, y avait plein de gens sur ces plates-
formes et sur les voies qui voulaient aussi traverser
Hanovre, remonter au nord... des gens vraiment de
toutes les provenances... on m'entend parler à Lili...
un vieil Italien... je dis vieux, à peu près de mon
âge, à présent... il nous explique, il a qu'une idée,
retrouver *soun pâtroun!* il revient d'Italie, voir sa
famille, ses quatre enfants... et il est en retard!...
huit jours en retard!... des chichis à la frontière...
où est *soun pâtroun?*... une briqueterie à Brandebourg... il y est pas!... d'abord qu'il remonte à Hambourg... et puis redescendre! qu'il trouve une navette!
je voulais pas le décourager... il avait travaillé en
France, à Toulouse et à Narbonne... aussi en brique-
teries! maintenant là les circonstances, c'était à Brandebourg... le tourment c'est qu'il était en retard...
pas par sa faute!... à la frontière italienne, il me
montrait ses papiers, il les avait tous! et les tampons, visas, photos... alors? il avait trop de papiers,
voilà! et d'une poche dans l'autre!... encore dans sa
musette!... rien que pour les mettre en liasse, en
ordre, il fallait une heure... la guerre c'est ça, tout
le temps qui se passe à rassembler les tampons!
    Il me faisait le geste! tamponnés! là, *pfam!*... là,
ptom!... à plus finir! au fait nous?... qu'est-ce qu'on
était?... nous? d'où nous venions?...
    — D'en bas!... loin en bas, au sud!
    Et où nous allions?
    — Au nord, là-haut!... plus haut qu'Hambourg!
    — *Pâtroun?*
    Oui! oui!... bien sûr!... nous avions aussi *oun*

pâtroun là-haut!... et nous aussi étions en retard...
comme lui!... ça, ça allait... il comprenait... la guerre
on s'en occupait pas... pour lui la guerre se passait
ailleurs... le *pâtroun*... voilà!... et le retard!... huit
jours!... la raison bien d'être furieux! il ronchonne,
s'écoute, qu'ils lui ont fait perdre huit jours à la
frontière italienne!... ah! mais Lili? il la regarde... il
trouve qu'elle a mauvaise mine... je fais la remarque :
un peu de fatigue... oh, elle est pâle! je suis d'accord...
elle a froid... certes!... tous ces gens sur les plates-
formes, là autour discutent beaucoup, mais pas un
qui se fait un feu... pourtant c'est pas le feu qui
manque, cent mètres plus loin, toutes les rues, à
gauche à droite, je crois tout Hanovre... des feux de
fins de maisons... il faut avoir vu... chaque maison
juste en son milieu... entre ce qu'étaient ses quatre
murs, une flamme qui pivote, jaune... violette... tour-
billonne... s'échappe!... aux nuages!... danse... disparaît... reprend... l'âme de chaque maison... une
farandole de couleurs, des premiers décombres à tout
là-bas... au loin très loin... toute la ville... en rouge...
bleu... violet... et fumées... le briquetier lui ce qui
l'intéressait c'était de faire un feu pour nous là...
un petit feu...
— Je m'appelle Felipe...
Felipe parle plus... il cherche un bout de bois...
tout de suite, il trouve... sur la plate-forme même,
derrière nous... il sort son couteau, je vois, c'est pas
le travailleur tire-au-flanc, cinq sec c'est fait, un
petit tas de lamelles... vous diriez de longues allumettes... vraiment Felipe est habile... alors? Lili a
l'idée, du thé!... elle a du thé par petits sachets,
dans sa musette... mais l'eau?... Felipe sait où... au

bout de notre plate-forme... des seaux en toile on en a... et trois « quarts » en zinc... on a tout! nous sommes fins prêts pour tous les « camping »... en fait on a pas arrêté depuis Baden-Baden, valdingués, chocs, contre chocs, repos!... et c'est pas fini!... y a des perspectives!... là on va avoir du thé... l'eau va bouillir... nous ne pouvons inviter personne, on a à peine pour nous trois!... mais ce bigle! ils nous trouvent vachement égoïstes... pourtant je suis sûr qu'ils n'aiment pas le thé... Felipe non plus aime pas le thé il en prend pour être avec nous... et puis c'est chaud!... il nous dit ce qu'il aime... un peu de *souleil*... un peu de *froumage*... et un gros pain... du blanc ou du noir... les deux! il a des goûts simples... comme nous... mais lui, du café... pas du thé... je comprends, je voudrais lui faire plaisir... à Rostock notre dernier jus! depuis!... plus un! ah, nos Anglais reviennent... les femmes et l'infirme, ils ont fait toutes les plates-formes chercher s'ils trouvaient d'autres Anglais... non!... ce sont eux les seuls... alors?... qu'est-ce que je pense?... leur souci des femmes c'est de traverser tout Hanovre avec leur paralysé!... elles peuvent pas le porter, il faudrait le rouler sur quelque chose, et encore!... c'est un cas comme nous avons eu là-haut à Zornhof avec le fils von Leiden, le cul-de-jatte... eux l'avaient filé au purin... celui-ci y avait les flammes, toute cette rue, des deux côtés... jusqu'à la gare Hanovre-Nord... on l'apercevait cette gare... elles auraient des occasions ces trois femmes dévouées, qui qu'iraient se plaindre? j'ai vu ici même à Paris se passer des choses bien plus corsées, moi en mon propre domicile, vais-je aller me plaindre?... y a heure pour tout!... si lorsque

166

sonne l'heure « fais ce que veult »! vous êtes prié
de bien la boucler... vous êtes assassiné? amen! on
vous a un peu oublié?... quelle veine! à genoux, pervers!... crevez gentiment abject! et rendez grâce!...
Mettons que leur paralysé, elles le foutent au feu...
il serait pas le seul *liquidarès!* de chaque maison il
devait en être tombé pas mal, grand-mères en trop,
bambins bruyants... les « roustis de famille » ainsi
dire...
— Vous avez vu un employé?
Je demande... oui!... ils sont sur la troisième plate-
forme... je pense à nous, à notre barda, très joli ce
que nous trimbalons, nous ne manquons de rien, un
vrai matériel, assiettes, quarts, couteaux, riz, farine...
mais toute cette rue jusqu'à l'autre gare?... je pense
qu'un chariot à bagages?... j'en vois qui ne font
rien... plein de gens tassés dessus, ronflants, les
employés peut-être?... troisième plate-forme?... je
m'adresse à la plus forte casquette, la plus haute,
framboise... je connais leur hiérarchie... j'ai mon
idée, toujours la même : cent marks!... avant de
parler... ce n'est pas une femme, une chéfesse,
comme à Ulm, là c'est un barbu poivre et sel, je
l'attaque, la forte poignée de main, les cent marks,
et l'explication... je lui dis ce que je veux, pas de
temps à perdre, qu'il nous laisse prendre un chariot,
qu'il nous le prête, pour nos bagages, jusqu'à l'autre
gare, Hanovre-Nord... qu'on n'en peut plus... que
nous sommes infirmes, ma femme, moi, et notre
ami italien... et que nous devons prendre le train
pour Hambourg!... oui!... mais l'objection : qui lui
ramènera?... j'avais prévu... j'avais déjà cent autres
marks, repliés pareil!... tout prêts!... il acquiesce... il

167

me chuchote « j'irai le chercher »! je n'en crois rien...
je crois qu'il s'en fout du chariot et le reste... sa gare
a bien été soufflée!... total!... plus que les quatre
quais là... je regarde... et les viandes endormies,
ronflantes, plein de familles jusqu'entre les rails... ah,
mais je me gourre pas, ça bouge!... ça remue... je
crois, de nous voir parler, nous deux, le chef de
gare... et qu'ils étaient si avachis, à bout... plus
même faim... maintenant ils se soulèvent! ils veulent
savoir ce qui se décide! des curiosités, ma parole!...
et l'autre Anglais et ses trois femmes avaient aussi
des idées, ça leur prenait!... ils me faisaient des
signes : nous! nous!... nous!... le chef de gare était
donc d'accord, nous pouvions prendre un chariot, il
nous le prêtait... ah pas besoin d'aller le chercher, ils
avaient dû nous entendre, ils étaient là, un rassemblement, au moins cinquante, après une carriole, leurs
sacs déjà embarqués, musettes, bouteilles, lampes à
alcool, et tout en haut, trônant ainsi dire, arrimé, ficelé,
l'Anglais invalide... il faisait mi-carême!... tudieu...
qu'ils avaient agi vite! nous n'avions plus nous aussi
qu'à caser nos trois fourniments n'importe où sous
l'amalgame et que ça roule!... mais qu'on nous perde
pas!... ils étaient pressés à présent!... La Vigue aurait
pu nous aider... non!... nous autres; Lili moi étions
plus endurants que lui, plus rustres... oui bien éreintés
mais cependant, Bébert en musette, ils ne nous avaient
pas semé du tout, ils avaient l'idée... sûr l'idée, même
là tous si vautrés plein les plates-formes... ils ne pensaient!... encore aujourd'hui aussi fantasque que ça
paraisse, de Moscou à Buenos Ayres, de la rue Brot-
tin à Broadway il leur passe des sueurs de nous
savoir encore en vie...

Là je voyais bien cet Anglais, ils l'avaient hissé tout en haut, il commandait, pour ainsi dire... je l'avais jamais bien regardé... vous me croirez j'invente rien... une figure tout en profil, un polichinelle... chez eux un *Punch*... pas la tête aimable, même méchante, mais rigolote... et notre Felipe?... il était là, il disait rien... il avait eu son bout de fromage... je le préviens...

— Felipe!... Hambourg!... Brandebourg!

— *Certo!*

Lui une seule idée, je savais, il était en retard, son retour!... voici!... donc ça y était... je laisse les autres ficeler, consolider l'édifice... ils étaient je vous ai dit bien trente... cinquante... qu'allaient pousser... et je crois au moins cinq kilomètres à travers Hanovre... les autres qui restaient... plein les plates-formes semblaient pas contents... du tout!... que même ils nous insultaient... ils s'étaient relevés, couraient... ils cherchaient d'autres chariots comme nous, faire comme nous, traverser Hanovre... sûr, si on se magnait pas, qu'on se laisse rattraper... qu'ils nous agrafent ils nous finissent!... féroce en colère je les vois... que nous sommes partis avant eux... pas attendus!... l'Anglais ne dit rien, le polichinelle... il n'en mène pas large là-haut sur son trône de sacs à dos et demi-matelas et vaisselles il tangue, il se rattrape, mais juste... cette rue n'est plus carrossable... trop de vide de cratères... et plus loin, des pans de murs entiers... cette ville s'effrite pire que Berlin... notre chariot avance quand même... certes tous poussent mais par à-coups... selon les creux... je stimule!... ils voient pas les autres?... les autres qui se grouillent et comment!... ils en ont trouvé des

169

chariots!... quatre... cinq... six!... j'ai le sens du
danger, moi!... je leur hurle en allemand... je leur
montre ce qui vient ce qui nous arrive...

— *Schnell!... schnell!... mörderer!*

Et puis en français

— Assassins! assassins! vite!

L'alerte en somme... qu'ils nous coursent pas pour
des caresses!... cinq... six chariots... pas du rêve!...
ils ont qu'à regarder!...

— Poussez!... poussez! hop! nom de foutre!

Je sais pas s'ils me comprennent?... s'ils sont français?... lettons?... moldaves?... je cherche plus!...
toujours en effet, de cratères en bosses et pans de
murs, on est à prendre presque de l'avance sur nos
poursuivants...

A partir de cet instant, je vous préviens, ma chronique est un peu hachée, moi-même là qui ai vécu
ce que je vous raconte je m'y retrouve avec peine...
je vous parlais de « comics » vous ne pourriez pas
même en « comics » vous faire une idée de cette rupture, de fil, d'aiguille, et de personnages... du si
brutal net événement... tel quel, hélas!... un de ces
empapaoutages que subit plus rien n'exista... et que
moi-même là vous racontant, vingt-cinq ans plus
tard, j'ergote, je m'y retrouve mal... bric et broc!
vous me pardonnerez...

— Mais précisez!... bafouillez pas!

Certes! figurez-vous qu'à ce moment nous nous
rejoignîmes!... les poursuivants en pleine colère et
leurs quatre... cinq chariots bourrés!... et nous les
fuyards... à cause d'un balcon, tombé au beau milieu
de la rue, obstruant tout... d'une maison encore
debout, pas entièrement que la façade!... mais quel

170

balcon! fer forgé!... je l'avais pas vue de loin cette
maison... beaucoup dire : maison! la façade et les
murs d'une cour... au moment juste je disais; ça y
est nous sommes faits!... ils nous dépècent! *vlac!*
une bombe!... pas une petite une énorme à éclabous-
sures et *raoumb!*... une autre plus près... panique
sans doute... chez nous, les nôtres et chez les autres,
les poursuivants... je dis : je crois... je ne sais pas, je
suis forcé d'imaginer... je ne sais plus défaillir? pas
beaucoup mon genre, mais là endormi je dirais, un
peu mal et du sang... au cou... je dégouline oui, le
sang du cerveau... non! du cervelet,... je crois...
enfin de la région, je précise... je peux dire j'ai
fait tout ce que j'ai pu pour rester lucide... j'ai
encore pensé à Lili... et à Bébert... mais comme s'ils
étaient partis ailleurs... déjà loin... moi aussi, encore
plus loin... un autre côté! tout ce que je peux honnêtement me souvenir... de cette bombe aussi, tombée
où? cette rue obstruée... et ces fondrières et de toute
cette ferraille... y a bientôt vingt-sept ans...

Je me dis : Lili, je te retrouve, t'es là!... Bébert
aussi!... oh, mais les sirènes... que de sirènes!... autant
qu'à Berlin... ici ils devraient avoir fini, assez ratatiné tout!... enfin, à peu près... ou alors!... *mmuch!*...
alerte encore... d'un bout du clair de lune à l'autre...
j'oubliais de vous dire, il faisait un de ces clairs de
lune!... *mmuch!*... *brang!*... *braoum!*... des bombes...
des bombes, oui!... elles pouvaient écraser quoi?
tiens, et Felipe?... où il était? je demande à Lili...
c'est lui qui me répond, Felipe, je l'avais pas vu...
pas loin pourtant, là, à deux pas...

— Vous avez attrapé une brique!

Il m'apprend... je ne sais pas, mais j'ai bien mal...
au même endroit, entre tête et cou... Felipe se
trompe, c'est la brique qui m'a attrapé entre tête et
cou... je pourrai me relever je crois, c'est le principal... nous devons sûrement aller plus loin, plus
haut... *much!* ah c'est pas fini!... d'est et sud surtout... et des flammes, flammèches plutôt, de plus
loin que l'horizon... feux girouettants, je vous ai
fait voir... feux de chaque décombre... jaillissant
plus haut... plus retombant!... comme l'œuf sur le

172

jet, vous savez... mais là en vert... en rouge... ils doivent consumer, je ne sais quoi... des restes de bûchers?... qu'elles soient revenues, je veux dire les « forteresses » pour tisonner des brasiers morts... et larguer je ne sais combien de mines... milliers!... je comprends plus... il faut que ces gens-là soient riches... riches à plus savoir... *uuuuh!*... que ça les amuse... et quel éclairage!... la vraie pleine lune d'opéra... en plus des pinceaux de la « passive »... pleins phares sur les nuages... vraiment la féerie!... le spectacle pas à regretter... j'ai vu le bombardement de Renault, Issy, 43... je connais les tornades tropicales, Cameroun, 18, combien de cases j'ai vu s'envoler et pas des petites, des énormes comme ma maison, dans les éclairs, je ne sais plus... et pleines de camelote!... mais à côté de ce retour en force des « forteresses » et de ces dégelées de mines c'était faible... dans un autre genre, bien mémorable, j'ai vu ce qu'on ne reverra jamais : les grandes manœuvres de cavalerie, 1913, du camp de Cercottes, déploiements, mouvements tournants en fourrageurs, sept divisions!... à la trompette!... l'héros de l'avenir sera envoyé immobile, ficelé au poteau, bâillonné, lancé dans la stratosphère, aura juste le temps de faire pipi, tour de la terre! et hop!... chez lui!... plus fera de tours, plus sera héros!

Maintenant là revenons aux faits... sur le remblai où nous sommes on peut y voir comme en plein jour... clair de lune ardente, si j'ose dire... soleil bien calme de fin d'automne... *uuuuh!* oh mais une petite variété!... ci!...là!... shrapnels!... aux nuages! et entre... bouquets d'obus... vraiment le grandiose panorama... selon moi!... et tout ceci dans la musique...

je cherchais un air... un accompagnement... je demande à Lili... « t'entends rien? »... si!... elle entend les sirènes... c'est tout!... moi seul alors cette musique?... Felipe?... il écoute... il entend pas de musique non plus, que des dégelées de mines et plein de sirènes... *uuuuh!* comment se fait-il?... moi pourtant pas musicien... du tout... il me passe des airs... je dirais même des airs somptueux...

Mais musicien c'est autre chose... je saurais, si j'étais... en tant d'années forcément vous avez entendu beaucoup... grands et petits concerts... je serais homme du monde je ferais autorité, je donnerais des avis du tonnerre... je serais invité chez l'agent de change... mais là n'est-ce pas je sais ce qu'il en est... qu'un écho m'arrive... d'une moindre corde?... de-ci!... de-là!... il me sort de ces réminiscences! plein! comme le vieux crapaud se couvre de pustules si vous l'effleurez le moindrement... là choqué suis, ébranlé je peux dire!... je ne dis rien mais j'ai du sang plein la bouche et sûr plein ma chemise et mon pantalon... Felipe m'a dit : une brique... que c'était une brique... va pour la brique!... au moment du méli-mélo où les poursuivants nous rejoignaient, les six chariots bien décidés à nous faire payer notre avance, l'explosion avait tout rompu, enseveli tous ces enragés sous cinq étages et demi de briques... pourquoi pas moi, une?... ce que notre Felipe avait vu... et nous étions placés de même!... merveille que moi seul aie pris!... je dois dire je ressentais certains troubles, pas que de la brique, de ce gnon entre le crâne et le cou... d'aussi de plus haut vers l'oreille gauche... pas troubles illusoires, constatés très médicalement, avec deux... trois contre-expertises... dès

1916 et beaucoup plus tard au Ryshospital Copenhague... le crâne et le rocher en vilain état... Dieu
sait si j'ai l'habitude!... sifflets... tambours... jets de
vapeurs... bien!... mais un air!... un air maintenant!...
et je le dis : somptueux! somptueux comme le panorama... un air je dirais symphonique pour cet océan
de ruines... ruines folichonnes... « houles de flammèches »... roses... vertes... et petits bouquets cré-
pitants... les âmes des maisons... loin... très loin...
dansantes... je préviens Lili :

— Bouge pas, je l'ai!

— Je bouge pas, voyons! mais toi, tu as mal?

Ah je ne veux pas parler de ma tête!... un adap-
tateur qu'il me fallait!... et tout de suite!... je n'avais
que des réminiscences! et par bribes!... grotesques!...
pas d'airs grandioses sans contrepoint!

De ces douleurs d'une tempe à l'autre!... tout ce
qui me passait! vous m'excuserez!... je ne vais pas
me plaindre... ma chemise me collait au dos... oui!...
je n'allais pas en parler... ce cabotinage! cette chronique : moi!... moi!... l'écroulement de l'Europe? ma
chemise! ma raie du dos! moi!... *tuuuon! tu! tu!*
encore des alertes de quelque part... je m'imite la
musique... comme je regrette de ne pas être doué!...
tuuuch! écoutons!... il me faudrait une autre oreille,
celle qui me reste ne m'aide pas du tout... peut-être
au piano, à tâtons?... d'une touche à l'autre?... plus
tard à Copenhague là-haut deux ans au trou j'ai
eu le temps... Je me composais de très grands airs,
toujours en souvenir d'Hanovre, je peux dire de
symphonies, et me les ronchonnais... à moi-même...
comme ça, en bouche... *broum!... brang!.... uuuh!*
j'étais seul je ne gênais personne... les gardiens

175

avaient l'habitude... mon temps au trou, deux années, pavillon K, *Vesterfangsel*... puisque j'étais au Danemark il fallait bien qu'ils me mettent quelque part...

Maintenant là au-dessus d'où j'écris j'entends à travers les étages, des disques, mouvements de symphonies, je crois, je demande pas... j'écoute, je me tais... je veux pas grognonner comme là-haut, en réclusion *Vesterfangsel*... ce sont des danseuses il me semble, pas des flammèches comme à Hanovre... on m'a dit, je ne les connais pas... je connais leur studio : j'y suis monté deux fois... trois fois... la nuit... je suis pas homme du monde, ce que je sais pas je sais pas... miteux toujours a plein de scrupules... il se tait... je me tais... la personne bien née hésite pas elle y va toute!... fonce!... clame son avis, juge!... et tonnerre ce que vous devez penser! la personne du monde sait rien faire... mais née qu'elle est, juge, jugesse, foudre et toute-puissance!... suffit!... murmurez que personne vous entende!... un souffle, vous existez plus!

Moi là toujours d'où je vous parlais c'était les trois notes... mettons quatre... de cette espèce de plateforme tessons et gravats... restes de la vraie, à l'emplacement, Hanovre-Nord... là je dois dire nous n'avions plus rien... nos dernières nippes et sacs à dos disparus dans l'algarade! l'écroulement, cette commotion, ensevelis, des sept chariots sous les torrents de briques, deux, trois façades et les balcons, fer forgé!... ah, clair de lune! vous ne verrez pas de telles ambiances et tragédies sur pellicules!... ni vous pensez sur une scène!... on vous dit : Hollywood est mort!... pardi!... ils ne pouvaient pas étaler après ce qui s'est fait!... au réel!... de ça que moi-même en personne il m'est foutrement impossible de regarder même une photo!... traduire, trahir! oui! reproduire, photographier, pourrir! illico!... pas regardable ce qui a existé!... transposez alors!... poétisez si vous pouvez! mais qui s'y frotte?... nul!... voyez Goncourt!... là la fin de tout!... de toutes et tous!... « ils ne transposaient plus »... à quoi servaient les croisades?... ils se transposaient!... depuis ils se font éjecter, de Passy, leur seizième étage, par super-jet conditionné, direct Golgotha... sept minutes... photographiés aux « oliviers »... Monsieur en Joseph... Madame en Marie... les enfants, anges évidemment... retour avant l'apéritif!... depuis que chaque homme moteur au cul, va où il veut, comme il veut, sans jambes, sans tête, il n'est plus qu'une baudruche, un vent... il ne disparaîtra même pas, c'est fait...

Oh, que vous vous dites : que ce vieux con est assommant!... oh certes, je veux, j'admets, je débloque... que je revienne à mes trois notes... daredare! sans prétention... pour mon panorama d'Hanovre... vous comprenez il le faut!... avant que cette brique m'atteigne, m'ébranle, je n'avais pas de soucis, je me laissais bourdonner, tranquille, fuser sans ordre ni façon, trombonner n'importe comment, je me cherchais pas de musique... mais là, bon gré, mal gré, il me la faut!... je dirais même, une mélodie... voyez-moi ça! pas instruit ni doué forcé de me grognasser des brides... autre chose! mes cannes!... perdu les deux dans cette idiote explosion... que tout s'est abattu sur nous, enfin la façade... je crois, je suis pas sûr...

— Felipe cher ami!... Felipe!

Je lui raconte ce qui m'arrive... sûr il va retrouver mes cannes!... parce que nous devons monter plus haut... par l'autre voie... la dernière de cet Hanovre-Nord... j'ai entendu dire qu'un certain train allait passer... on verra bien!... pas les voyageurs qui manquent!... des gens comme nous et des militaires... fritz et des Hongrois, je crois... ils parlent pas haut ils se chuchotent... ils regardent comme nous... loin... près... les petits incendies... ce qui reste des maisons... les couleurs... on fait tous pierrots, tout farine, sous le fort clair de lune... Felipe me ramène mes deux cannes, elles étaient tout près... oui!... oui!... oui!... mais mon grand air?... je veux, devant ces ruines... je dirais cet océan d'incendies, ces houles de flammes bout en bout d'Hanovre... j'entends moi, bien dans ma tête, l'air... je crois l'air qui irait... mais les notes?... les notes exactes, justes? oh, ce ne sont que réminiscences... j'admets... mais encore?... notes apaisantes après la tornade...

Vous me croirez si vous voulez mais après cette nuit d'Hanovre je me suis demandé si c'était bien celles que je cherchais... de-ci... de-là...

— Certainement il est gâteux, nous l'avons vu dans *Paris-Match!* coulant, croulant! il faisait sous lui!

Je vous laisse m'interrompre... n'empêche la vérité d'être... à travers bien des aventures, des moments drôles, d'autres beaucoup moins, je me suis toujours demandé si j'avais mon décor sonore?... oh, non que je prétende à beaucoup!... trois, quatre notes... notes de gentillesse, si j'ose dire... suffit!...

Et voilà, je me suis décidé... je suis monté chez les demoiselles, les danseuses là-haut... moi-même, à

onze heures du soir... j'étais sûr, je l'avais entendu!...
c'était assez, trois... quatre notes... personne là-
haut, onze heures du soir... je savais ce que je voulais... symphonies!... j'effeuille les disques... y en
a!... vous me croirez si vous voulez je trouve presque
tout de suite... celles qu'il me faut... oui!... non!...
oui!... un clavier maintenant! l'autre bout du studio... peut-être d'y avoir pensé si longtemps je
tapote... ça y est!... presque juste, oui!... oui!... le
la d'un clavier comme il est... j'y suis!... air un prodige! vous vous maltraitez la tête pendant vingt
ans, du diable si vous trouvez pas!... si borné, si
peu mélodieux que vous soyez!... je redescends, j'ai
les quatre notes... *sol dièze! sol! la dièze!... si!...*
retenez!... j'aurais dû les avoir là-bas.

Sur ce remblai... j'ai dû me trouver mal... défaillir comme une demoiselle... la preuve Felipe m'a
réveillé, il faisait petit jour...

— Le train est passé?

Je demande.

— Non... non... pas encore!

Il me rassure... ça va... je me dis : Lili je te retrouve,
t'es là!... Bébert aussi!... oh mais les sirènes *uuuh!...*
autant qu'à Berlin... ici ce devrait être fini, assez
ratatiné tout!... enfin à peu près... *uuiiii!...* d'un bout
du clair de lune à l'autre... et *branng!* et *broom!...*
des écrasements de bombes... mais elles pouvaient
écraser quoi?... tiens, et Felipe?...

Enfin, ce train!... vous allez dire, il ne fait que ça, prendre des trains!... toujours, le voici!... il paraît que ce sera le dernier, Hanovre-Hambourg... un train si on veut, une loco au coke, attelée à une dizaine, je dirais même quinze wagons claire-voie... wagons?... non!... fourgons démantibulés, sans paroies, ni portes... sortes de plates-formes hétéroclites... le pire c'est que ces véhicules sont tout chargés de matériel et surtout il me semble d'énormes projecteurs, sous bâches... les voyageurs, si ils veulent, peuvent monter se caser au mieux, ce sera le dernier dur de cette ligne... après on arrachera les rails, pour des raisons stratégiques... tous là le disent, autour... ils doivent savoir... dans les ragots tout n'est pas faux, leur côté redoutable, y a de l'exact... nous là, même si c'est pas sur cette suppression de l'Hanovre-Hambourg, si c'est que probable, nous ne devons pas risquer... oh hisse!... avec du mal, ça y est!... nous sommes entre une énorme bobine de câbles et une autre masse, je crois une dynamo... assez serrés, mais pas si mal, Lili, Bébert dans sa musette, Felipe et moi-même... on n'a plus que nous pour nous tenir chaud, plus rien à nous mettre, tout est resté dans l'abordage, et sous l'éboulement... enfin à peu près... les sacs à dos et les « canadiennes »... enfin sous les briques... je crois, je suis pas sûr... je vous affirme pas que nous sommes nus, non!... mais ça fait comme à cause de la pluie et du vent... et de la saison qui avance et ce que nous n'avons rien mangé depuis ce carambolage... que tout est resté sous les briques, je crois, je suis pas sûr... je vous dis pas que nous sommes tout nus, non!... mais à briffer, plus rien vraiment, ni jus, ni boules... les autres, des autres wagons non plus ont plus rien, je vois comme ils se tiennent, ils ont grimpé sur les prolonges, ils se sont hissés comme nous, entre les bosses de matériaux, ils mouftent pas, ils essayent juste de se tenir chaud, comme nous, mais par paquets de dix, quinze, hommes, femmes, entre bobines de barbelés, poutrelles d'acier, et encore des projecteurs... y en a partout... tout ça pour Hambourg?... même il paraît en plus en queue des morceaux de wagons... des quarts... des demis... écrabouillés que nous emmenons aussi et un régiment de projecteurs... je veux bien... aux réparations!... soit!... je promets à Lili : « on va rire »!... tu crois?... elle n'est pas si sûre... elle me demande... « toi tu te sens drôle? »... en fait c'est vrai je me sens de très plaisante humeur... pourtant assez mal à la tête... et je saigne du nez et de la bouche... pas beaucoup, mais goutte à goutte... sûrement du sang, une rigole dans le dos, et entre les jambes... je ne veux rien dire mais là dans cette rue, à l'abordage, j'en ai pris un coup entre cervelet et je dirais, mastoïde... je sens une coagulation, comme une boule humide chaude, cheveux boue et je ne sais quoi... mais puisque je tiens debout, plus ou moins... et que nous sommes casés... une fois de plus... enfin resserrés encore un coup entre les bâches et dynamos... c'est de ne pas tomber de cette étagère!... en pire astuce, plate-forme bric-à-brac... pour avoir froid certainement!... nous nous retrouvons en septembre... si nous tombons de cette étagère personne viendra nous ramasser... je veux dire de la voie... si les rails existent encore!... une telle hâte il paraît, que cette ligne n'existe plus!... hi!... hi!... je fais remarquer à Lili comme c'est drôle... elle trouve pas... elle qui ne boude jamais je vois maintenant elle boude... depuis cette catastrophe des briques, je crois... moi tout le contraire!... depuis le moment des briques, sauf que j'ai bien mal à la tête, je serais porté à rire!... et de tout... ainsi de cette plate-forme où nous sommes... et de la fraîcheur du matin... fraîcheur?... je suis modéré... il fait froid... mais je peux pas me plaindre!... « Lili j'ai la fièvre!... et toi?... et vous Felipe? » y a de la tremblote, je ne sais pas de qui, mais d'un de nous... pour mon cas y a du paludisme en plus de la circonstance... plus tard... un peu plus tard j'approfondirai... l'aspect clinique... mais... mais... cette plate-forme bouge!... oui!... je me disais... nous étions partis... sans du tout nous être aperçus... démarrés bel et bien!... nous roulions!... ah le paysage charmant!... enfin, un peu flou... je dirais : poétique... les autres trimbalés derrière nous, les autres plates-formes doivent trembler aussi... je les aperçois comme-ci... comme-ça... entre les bâches et les projecteurs, ils semblent comme nous recroquevillés et pas fiers... ils sont un peu plus vêtus que nous... enfin je crois... mais sûr il en reste sous les bâches, c'est pas tout du matériel... y a des planqués de la ferraille!... des resquilleurs de je ne sais où... des gens qui ne veulent pas être vus... nous sommes là à bringuebaler sur ces plates-formes avec plein de personnes invisibles... coexistence se dit maintenant en avant donc, coexistants!... que nous roulions, l'essentiel!... même avec ces dissimulés nous arriverons à Hambourg, à moins que ce train saute!... ce qu'on ne voit pas qui compte dans la vie, ce qui se voit s'entend n'est que mascarade, coups de gueule, théâtre!... ce qui se passe au fond de votre prostate qu'est intéressant, ce millionième de gamète qui décide qu'il en a assez, qu'il obéit plus aux ordres, qu'il va travailler pour son compte, foutre des marquises et du petit ami! qu'il va proliférer et hop! vite, pour lui, lui-même! vous à la fosse! hop! vous le verrez jamais ce millionième d'anarchiste gamète crasseux cancéreux!... vous sauriez même pas qu'il a existé!... hé là! si je prolifère je vous perds de vue... oh là! acré!... battre la campagne?... je vous ai prévenu, certes!... ma tête!... ma tête fait aussi des siennes... oh, que je refuse!... et vous ramène à notre plate-forme... roulante... à tout cet énorme bastringue et tous ces gens repliés entre les dynamos... voilà! pas à se plaindre, on avance... sous ces bâches sûr il y a du monde... j'insiste! qui vivra verra!... Henri IV alors? Romanoff?... Louis XV?... ils vivaient pas et très bien, leurs assassins sous toutes les portes?... à tous les coins de rues?... ces choses-là, comme vous savez, regardent les Parques, pas du tout nous!... résumons : ce coup de brique m'a pas arrangé... soit! mais nullement déprimé... du tout!... je dirais même,

au contraire!... porté à une certaine gaieté!... un peu
spéciale... ainsi les chaumières me semblent devenues
assez artistes... des deux côtés du paysage... je dirais
elles font tableaux, elles penchent et gondolent... surtout les cheminées... c'est une vision, c'est un style...
oh, ma tête y est pour quelque chose certainement!...
la brique... je demande à Lili... non!... elle voit rien
gondoler... je n'en parlerai plus!... question fumée
nous sommes servis, suie, le nuage habituel, nous ne
sommes pas loin de la machine... mais rien compa-
rable à nos traversées des tunnels! les dessous du
Harz! ici c'est de la plaine... et puis d'autres prairies... et je vous dis : pas d'alertes!... on entend bien
quelques escadrilles passer très haut,... mais rien
vers nous, vers notre ribambelle de plates-formes...
je crois qu'encore un coup nous ne valons pas la
peine d'une bombe... ça nous est arrivé souvent finalement de pas valoir la bombe... tout de même j'avais
écopé, mais que par ricochet... une brique!... selon
Felipe... une chose pas douteuse j'avais la bouche
pleine de sang et du sang frais, pas du caillot, qui
me venait d'où?... tout doucement... de l'oreille
interne?... je pensais, je pense encore... et ce mouvement de gaieté en même temps?... subit... y avait
pas beaucoup de quoi être gai... sinon que nous roulions vers Hambourg... et vers plus haut... plus
haut... qu'il y aurait peut-être un moyen beaucoup
plus haut?... vous êtes sujet à une idée, bien fixe,
vous êtes plus à plaindre, les autres pensent pour
vous, à tout, s'épuisent à quantité de choses, et que
c'est affreux ce qu'ils sont esclaves, automobilistes,
casuistiques, alcooliques, plurisexuels, boulimiques,
baffreurs d'excréments, désordonnés à rendements

forcés!... moi-même là si astucieux n'empêche que
j'ai sorti un de ces numéros-tombola que je suis
empoissé au trognon et qu'après plus de vingt années
je me demande encore comment j'ai pu?...

Bien!... vous avez assez de m'entendre! vous vou-
driez que j'aboutisse... certes, je vous comprends!...
mes histoires de briques et d'oreilles vous excèdent...
j'abrège!... ce train des plates-formes avançait... sans
incident... le ballast devait être réparé... d'un petit
cahin-caha,... à peine... peut-être... mais il faisait
trop frais pour dormir... seul inconvénient de ces
plates-formes!... y avait à regarder le paysage...
comme ça... une heure... deux heures... toujours le
même... des fermes, sous chaumes, dans les prés...
et beaucoup de brumes...

Je dois dire, personnel, cette chemise qui me colle
au dos... je suis sûr... je saignerais encore?... et aussi
dans mon pantalon... veuille ou non, froid ou pas,
j'ai dû m'endormir... preuve, je croyais pas voir ce
que je voyais quand j'ai rouvert les yeux, là, grands...
notre train était arrêté et y avait devant nous une
sorte de montagne de ferrailles à peut-être cent
mètres en pleins champs... et tout en haut, une locomotive à l'envers... perchée... et pas une petite je
vous dis, une à douze roues!... en l'air à l'envers les
douze roues!.... je les compte, je les recompte... ça
devait être une explosion, je dirais volcanique, qui
l'avait envoyée à dache, perchée, telle quelle, sur le
dos! soufflée! au sommet!...

Pas sûr de ma tête, de mes impressions, puisque
je voyais tout drôle, je demande à Lili... à Felipe...
oui!... c'est exact!... ils voient aussi... cette locomotive ventre en l'air!... oui!... ça aurait pu nous arri-

ver, évidemment... pas une fois, cent fois!... nous et notre façon de zigzaguer à travers l'Allemagne... tout de même cette loco là-haut, si haut?... et à l'envers? comme saint Thomas je crois que ce que je vois!... « *voyez Thomas! touchez!*... » puisque ce train, toutes ces plates-formes et Saint-Frusquin était à l'arrêt, ça risquait rien d'aller se rendre compte... je veux dire de ce phénomène, ce mont de ferraille et la loco, tout à la crête... je propose à Lili et Felipe... ce n'était pas très audacieux, y en avait d'autres dans cette plaine, descendus comme nous des plates-formes pour aller se rendre compte *de visu*... des familles de toutes les langues... en loques aussi mais tout de même plus recouverts que nous... en haillons, mais des épaisseurs... nous c'est le contrecoup de l'explosion qui nous avait très éprouvés,... on peut dire presque arraché tout... y avait tout de même du mystère avec cette loco perchée en haut de la fer-raille... comment ça avait pu se produire?... une érup-tion dans cette prairie? une bombe aurait pas suffi à projeter et à l'envers un monstre pareil!... au haut d'une falaise ainsi dire... ils discutaient de ça tous... je dois dire pas fort, plutôt chuchotant... par bribes de mots... c'était du simili allemand... ils devaient venir de drôles de pays... enfin ils n'étaient pas d'accord... une explication valait : que c'était un dépôt de munitions... une autre aussi, bien plausible, que c'était un retour d'arme secrète... en boome-rang... lancée de Peenemünde... l'explication était valable, tout était valable... en principe c'était pour Londres... moi je dois dire je voyais pas de raison qu'ils ne recommencent pas... qu'ils nous envoient pas nous aussi là-haut sur une crête... en attendant on nous regardait... nous là si dépenaillés, pire que les autres... ils devaient nous trouver inconvenants... et même ça ne pouvait pas durer!... tout de suite ils avisent, y a de la bâche sur les plateaux!... et hop!... ils grimpent, ils y retournent! ils taillent, coupent dedans!... pour nous!... hardi!... des grands lambeaux de toile verte... brune... qu'on ait de quoi se mettre... se faire des péplums... et des cordelières en plus... y avait de tout sur ces plates-formes!... il paraît qu'entre les projecteurs et les rouleaux de câbles c'était plein de gens qui dormaient... et des mômes... nous nous faisons donc des péplums avec ces bouts de bâches... nous revoici décents!... mais ces toiles sont bien mouillées... le temps qu'il fait, l'automne... c'est pas demain qu'on sera sec!... je vous ai dit ces gens tout autour se chuchotent... en mélange de bas allemand et d'autres patois... plus tard... plus tard je leur demanderai... maintenant là mon idée fixe c'est cette loco, en l'air, là-haut... elle me fait rire... ça je leur demande... à un... à une... ils se demandent aussi... ils sont descendus de leurs plates-formes juste pour savoir aussi comment?... je commence à m'impatienter... en plus vous savez j'ai toujours mal à l'oreille... et j'éprouve moi qui ne bois rien le sentiment d'être un peu ivre... même avec mes cannes... mes bâtons plutôt... oh, je ne suis pas le seul! symptôme des plus ordinaires... à présent, vingt ans plus tard j'ai toujours cette sensation d'ébriété... mais maintenant j'ai l'âge, le vent dans les voiles... l'homme doit tituber au trépas, saoul de la vie, s'est amusé trop, c'est tout!... je vous amuse... mais là subit j'en eus assez de pas comprendre ces gens...

— Pas de Français?... *Keine Franzosen?*

Je parle fort, zut!... assez de chuchotement.

— *Ja!... ja!... eine Dame!*

Tout de même un qui ose, qui répond! où peut être cette dame?

Ils vont la chercher... elle est aussi sur une plate-forme?... sous un repli de bâche?... ils mettent du temps à la trouver... ah, la voici!... mais elle n'est pas du tout en loques... presque coquette, je dirais... comment se fait-il?... nous autres sommes foutus comme quatre sous... en puzzle de morceaux de bâches... épouvantails!... mais cette demoiselle sort d'où?... le mieux que je lui demande...

— J'ai bien l'honneur, mademoiselle!

Elle me fait l'effet demoiselle...

— Je vous présente ma femme et notre ami... Felipe!... moi-même et tous mes respects... Louis Destouches... docteur en médecine...

— Comme vous me faites plaisir docteur!... Madame je veux vous embrasser!... si vous voulez bien!...

— Certainement!... certainement!...

Le nom de cette demoiselle... Odile Pomaré... elle se présente bien mieux que nous, je veux dire les atours, robe, corsage, petit bonnet de fourrure, tour de cou, mais comme mine elle est sûrement pire... consomptive je dirais... cette petite rougeur aux pommettes,... maigre et fiévreuse... décharnée... je fais pas de réflexion mais elle a l'air gravement malade... j'ai pas à demander tout de suite elle tous-sote, pour moi sans doute, elle veut me montrer, dans son mouchoir...

— Oui... oui... souvent?

— Depuis un mois, souvent... mais déjà en France...

D'où vient-elle, là tout de suite? de Breslau!...
tiens!... notre Faustus avocat existait bien à Breslau!
elle l'avait connu un peu... mais peut-être c'était pas
le nôtre? le cardinal de Retz prétendait que nous
commettions autant de sottises par méfiance que
par confiance... eh, qu'il l'avait belle cardinal! puis-
sant et tout!... mais quand vous êtes que petit
paumé qu'allez-vous foutre de la confiance! au
Diable!... archi-méfiance! oui! enfin, j'écoute... que
faisait-elle à Breslau cette demoiselle crachoteuse?
lectrice à l'Université!... oh! oh!... quels titres?... agrégée d'allemand!... et de la Sorbonne!... fariboles tout ça
je pense! mais cette locomotive là-haut la voit-elle?...
qu'elle me réponde! sacrebleu!... tout de suite!
    Ah, je ne plaisante pas!
    Oui, elle la voit!... elle ne trouve pas étrange?...
non!... moi je la trouve dingue cette petite!... lectrice
à Breslau? balivernes!... balivernes!... le fou rire me
prend!... j'ai le droit!... ils me regardent tous... et
alors?...
    — C'est la brique!... la brique!
    Qu'ils sachent!... si! si!...
    Felipe confirme... il faudrait un peu qu'ils se
rendent compte que je suis en gaieté... la brique!...
ils y étaient eux, les nigauds! où ils étaient?...
d'abord d'où ils viennent?... Breslau ou ailleurs!...
eux au moins étaient en loques!... mais cette Odile
crachoteuse?... là comme ça à peine froissée, je
veux dire sa robe et son écharpe mauve?... sa famille
est à Orange... elle a fait ses études à Aix... possible!...
sa thèse à Paris... pas bien sûr mais une chose certaine cette Odile est bien malade... j'ai beau avoir les
idées floues, voir cette loco là-haut, en l'air, à l'en-

189

vers, cette Odile Pomaré, agrégée ou non, évolue...

— Mademoiselle vous me permettez, je vais prendre votre température!...

— Où docteur?

— Sous le bras, mademoiselle!

— Lili, le thermomètre!...

Lili a beau avoir été très malmenée par cette bourrasque des poursuivants et cette cataracte de briques, j'ai vu, j'ai eu assez peur, toute déshabillée ainsi dire, elle avait sauvé sa ceinture... pas rien!... ma suprême réserve... ampoules, sachets, seringue... huile camphrée morphine... plus un petit flacon de cyanure... et le thermomètre!...

— Alors voyons!

38°5!... enfin là, un chiffre!... que vais-je lui dire?... je verrai plus tard...

— Oddort!... nous devions aller à Oddort... notre train... vous connaissez?

Odile s'occupe pas de ce que je pense... que je lui parle d'Oddort elle veut!... tout de suite!

— Oui nous connaissons!... vous êtes mieux ici, mademoiselle mais vous n'êtes pas chiffonnée?... vous étiez dans un wagon?

Moi aussi alors je suis curieux! j'ai le droit.

— Les autres voyageurs sont en loques!... de quels pays sont ces voyageurs?... et la locomotive là-haut?

— Là-haut, où?

Abasourdie! ah l'effrontée!... moi je la vois huit roues! à l'envers! là-haut! même qu'elle s'en va!... et que je l'entends!... *chutt! chutt!* je suis sûr que ce ne sont pas mes bruits!... mes propres bruits! je les connais, j'ai l'habitude! non?...

Et là sec! j'entends plus rien...

Ils se sont débrouillés, je ne sais comment... toujours est-il ils m'ont regrimpé à ma place là-haut entre cette dynamo et le projecteur jaune... je ne pouvais pas bien me rendre compte mais ce dut être un rude effort... ils s'y mirent à vingt... à trente... y avait sûr, Lili et Felipe... et sans doute tous ces gens autour?... j'étais inconscient... je vous raconterai plus en détails, plus tard...

Drrrng! force est bien de m'interrompre vous avez compris... la N.R.F.!... que je réponde! *suspense!*... Nimier veut me voir!... mais oui!... mais bigre oui... qu'il arrive!... deux ans qu'il doit venir!... exactement! il a acheté une auto pour venir me voir, exprès! elle doit être rodée... pour ça cet appel...

Voici Nimier, il n'a pas vieilli, je dirai même : il est plus gamin que jamais... certainement plus sémillant que lors de notre dernière rencontre... je le félicite... il ne vient pas pour être admiré!... il ne s'agit ni de politesse ni de philosophie affectueuse... de ma déconfiture qu'il s'agit! de mon fiasco littéraire chronique... il vient m'en parler et qu'Achille vraiment en a marre... je connais le couplet :

les jeunes m'ignorent, les barbus m'ahaïssent, les libraires me boykittent, les universités plus bébés que jamais, bébégayent, les Ligues et leurs mani-fesses, me pendent tant que ça peut!

— Alors?

— Notre « brain-trust » — il veut dire de la *Revue Compacte*, — a décidé que vous deviez aller à gauche... la gauche seule peut vous renflouer!... vous êtes là vieux et isolé... en somme gâteux et anarchiste... les autres auteurs sont tous soutenus... ils sont en « cartes »... tout de même il se pourrait qu'on vous repêche... si vous voulez écouter!... Achille le dit... Cachin en est bien sorti!...

Cachin? tiens!... ce nom me dit quelque chose!... ah oui!... les affiches!... allant à Bezons je les voyais tous les jours... vertes!... juste devant les usines Berliet... je ne raconte pas à Nimier... je ne raconte rien à personne...

— Vous ne pouvez rien faire valoir? quelques lignes?... une gentillesse?... n'importe quoi vers la gauche?... nous pourrions rappeler!... allons! ... allons... cherchez Ferdinand!

En toute bonne foi je cherche je m'y mets... je me scrute... ah oui!... mais oui!... mais que c'est loin!... des années!... et années... je me tarabuste... dans cette Sargasse des souvenirs je trouve de tout... beaucoup de corps entre deux eaux qui s'effilochent... des corps de personnages célèbres... et des corps de truands... minables... au mouvement des algues... tous... en remous... tourbillons... et même des glorieux!...

— Nimier!... Nimier attendez!

Encore un effort... ah, il me semble... oui! oui!... je crois!...

— Dites le *Voyage?*... 1933!...

— Alors?

— En russe!

— Il a été traduit en russe?... en russe... et par qui?...

— Par Mme Elsa Triolet!

— Elle parlait français?

— Quelques mots... très peu... mais le très grand povoïte l'Harengon en mit un fort coup!

— Bravo! bravo!... mais vous êtes sûr?...

— Et comment!... je les ai vus moi-même, de mes yeux, en plein boulot! traduisant mon ours... ils occupaient un atelier... vitré!... suis-je assez précis?

— L'avez-vous cette traduction?

— Je l'ai eue je ne l'ai plus... elle est partie avec le reste!... vous savez rue Girardon... quand les épureurs ont épuré mon domicile avec trois voitures de déménagement...

— Les Russes l'ont eux?

— Et comment! j'ai été m'assurer sur place!...

— Où?

— A Pétrograd!

— Vous?

— Oui!... et à mes frais, j'ajoute!... qu'on le sache!... même qu'ils me doivent encore du pognon... malpolis et malhonnêtes! j'insiste!... moi qui ne dois rien à personne, ni à Achille, ni à Hitler, ni à Nobel, ni à Staline, ni au Pape! j'ai la preuve, je suis en train de crever absolument à mes frais...

— Alors?

— Je vais demander aux Russes ce qu'est devenu le *Voyage?*... il doit encore en exister un... deux exem-

plaires là-bas!... la Russie certes est immense mais
tout de même s'ils font un petit effort...

— Mon cher Céline je vous laisse! la hâte on m'attend! ma quinze millième invitation!

Je comprends mal!

— Tout Paris, Céline!

Je le laisse partir et dare-dare je saute sur une
feuille... une lettre à Mme Triolet!... bien courtoise-
ment j'ose... je lui demande si des fois depuis 34 elle
n'a pas entendu parler de sa traduction? et j'attends...
quinze jours... deux mois... un an... rien!... Mme Elsa
boude... pas découragé du tout, tant que j'y suis,
je m'adresse, encore parfaitement poli à l'Ambassade d'U.R.S.S. « Monsieur l'Attaché Culturel »...
Rue de Grenelle... un an passe! rien!... qu'à cela ne
tienne! à M. Gromyko donc!... je lui fais l'honneur,
je lui écris... monsieur le Ministre... lui est sur
place!... il a une armée de secrétaires... un mot,
un ordre, ils trouveront!... zebi!... pas plus qu'Elsa
ou l'Ambassade... je crois surtout qu'ils sont gênés
ils savent pas comment se tenir... pas « élevés »
du tout! cette si grosse Russie, quelle souillon!...
elle perd, bien simple, tout ce qu'on lui donne...

Deux ans que j'ai pas vu Nimier...

— Allô! allô!...

Il me laisse même pas commencer... lui qui a des
choses! au diable le *Voyage*, Gromyko, Triolet et le
reste!... de sa voiture qu'il veut me parler, entièrement nouvelle, si belle! en *plastic*!... achetée exprès
pour venir me voir! c'est une façon de sortir du
Temps, des gens, et de l'espace... s'acheter des nouvelles voitures!... je veux bien, il s'amuse... mais
moi, qui vous retrouve!... vous vous souvenez?...

je vous ai pas quitté longtemps... là ma tête, la
brique je suis certain!... Mlle Odile Pomaré?... au fait
est-elle mademoiselle ou madame?... oh, attention!...
je lui demanderai plus tard...

Vous pensez bien, je n'ai pas le désir du tout de vous apitoyer... déjà quatre livres consacrés à mes malheurs!... je pourrais un peu penser à vous... vous n'avez pas souffert, des fois?... bien autrement!... mille fois pire!... plus délicatement, voilà! vous n'en laissez rien apparaître, pas un soupir!... mes grossiers avatars, assez!

Là où j'étais sur cette plate-forme, où ils m'avaient en somme, hissé... sur une estrade, ainsi dire, en plein air, j'aurais pu gueuler tant et plus, personne n'aurait entendu... à cause du bruit des essieux et du tintamarre des camelotes, là entassées, dynamos, projecteurs, madriers, truelles,... je regrette d'avoir à me répéter... ça va bien faire la dixième fois que nous partons pour je ne sais où à travers l'Allemagne... à travers plaines, c'est-à-dire genre de steppes, ou sous des tunnels, fours à suie... et l'aller et retour à la mer? j'oubliais! vous allez me trouver fastidieux... ennuyeux, ce déluge!... je pourrais inventer, transposer ce qu'ils ont fait, tous... cela passait en vieux français... Joinville, Villehardouin l'avaient belle, ils se sont pas faits faute, mais notre français

là, rabougri, si strict mièvre, académisé presque à
mort, je me ferais traiter d'encore plus abject,
étron des Pléiades et on ne me vendrait plus du tout...
je veux, je peux m'en foutre, c'est la fin... ils m'ont
tous assez pourchassé, volé, enfermé, plagié, je suis
assez vieux, je pose les clous, vogue la galère!...
salut!... galère! galère! vite dit! si je rame pas, et
dur, je prends la chicotte, comme!... lacéré, au rouge,
au violet, au blanc... cette saloperie galère fait eau,
tant et plus mais coule pas...

Ma verve m'entraîne... hé!... oh! que je retrouve
cette demoiselle!... je pourrais l'écouter d'une oreille
oh, que d'une!... de l'autre, rien... Mlle Odile Pomaré...
je ne pouvais pas bouger non plus... rare que je reste
comme ça sur le dos... sans force..., pas mon genre...
mais là vraiment j'avais mon compte... je peux pas
dire évanoui, mais bien sonné, raide... le train, le
nôtre, celui de cette plate-forme... je me demandais!...
peut-être si j'ouvrais les yeux je verrais où nous
sommes?... mais j'avais beau faire l'effort mes yeux
me faisaient mal et c'est tout, restaient fermés,
collés, paupières de plomb... je les palpe... énormes!...
je suis tout œdème, pas que des yeux, la bouche, les
oreilles, cocards et gnons... aucune surprise! enfin
j'écoute cette demoiselle... je saisis... je suis dans
la bâche, dans un gros repli, entre elle et Felipe
l'Italien, et Lili, Bébert dans son sac... contre un
projecteur, un immense...

Mlle Odile?... je suis pas sûr, c'est peut-être
madame? tant pis!... elle est agrégée d'allemand?...
pas sûr non plus!... lectrice de français à Breslau?
hin!... hin!... enfin elle raconte des choses... et quels
avatars!... ils lui auraient dit de s'en aller, que les

197

Russes étaient aux portes et que ça serait terrible!...
bon! vraisemblable!... mais c'était pas tout! « prenez
ces quarante-deux enfants... partez pas sans eux!... »
de ces quarante-deux combien en restaient? douze?...
treize?... elle croyait... elle ne savait plus... cette
demoiselle Odile tousse beaucoup... et crache... je
la regarde pas, je ne peux pas, j'ai déjà assez de l'écouter... vrai dire elle m'embête avec ses histoires de
Breslau, ses mômes crétins, etc... je souffre pas assez
de la tête? zut! et ma locomotive alors?... là-haut?
je m'intéresse plus?... certes elle traverse toujours
les nuages... je dirais d'un nuage l'autre... toujours
sens dessus dessous le ventre à l'envers, et *tchutt!*
tchutt! elle pouffe... pensez cette demoiselle Odile
d'Aix-en-Provence et Breslau en route avec ses
mômes crétins... combien j'ai dit?... quatorze ou
seize!... en wagon réservé spécial... qu'est-ce qu'elle
avait fait des autres mômes? ils étaient morts de
rougeole?... elle croyait, on lui avait dit à Chem-
nitz, en passant le médecin de la « Croix-Rouge »...
rougeole ou autre chose!... de Breslau à Oddort, un
ruban... de quoi s'amuser! réfléchissons... c'eût été
fini s'ils étaient arrivés à l'heure, friturés tous!
l'Odile avec! elle se rendait pas compte, ce feu de
joie!... et sa tuberculose avec! y a pas que la Chancellerie de Berlin qu'a fini au four, mille endroits
de même, ouest! est! nord... écoutez pas les Propa-
gandes ouest est nord elles sont démoniaquement
partiales idiotes mensongères alcooliques, tempo-
raires, qu'elles vous jurent, que tout va merveille
quand c'est la fin des purulences, le bout des spasmes...
comme nous ici mettons demain, la fusée venue, d'est,
d'ouest, ou nord, vous me donnerez des nouvelles...

qui qui sera communisse ou pas?... anti?... vous serez de la bouillie et c'est tout! et putain Dieu plein gré ou force! à ça que l'homme est parvenu, son immense progrès, œcuménique, pluratomique, tout le monde dans l'arène, plus un seul voyeur aux gradins!... César qu'était pépère dans sa belle loge partira neutron comme les autres!... et pas même premier ou à part, non! pas de processions, pas de retours, ni de vestales!... au même quart de seconde! *taraboum!*... envoyez!

Suis-je à me moquer?... il ferait beau! j'écoute au contraire, très attentif... *tchutt! tchutt!*... ma locomotive là-haut... aux nuages... et cette demoiselle Pomaré, tout contre... je ne peux guère faire autrement, tel quel, coincé entre l'énorme projecteur, et je sais quoi... je bougerais je sens que je me ferais encore plus mal... surtout une oreille... je vous demande pardon, je m'apitoie je vous fais simplement remarquer... la brique!... touché très durement!... je remuerais même un petit peu... si je déboulerais!... aux cailloux!... bas du remblai... j'écoute, elle a laissé ses mômes ci... là! une gare... une autre... dans les fermes aussi... selon les alertes... Mlle Odile raconte... ils ont changé trois fois de trains... maintenant combien il lui reste d'enfants?... une douzaine, elle croit... malades?... bien sûr!... en plus de leur état naturel, microcéphales hoqueteux baveux... alors le plus urgent?... rougeole elle pense, on lui a dit... je voudrais les voir ces enfants... pas commode!... ils se sont répartis ci là tout le long du train, sous les bâches une plate-forme, une autre... d'où peuvent-ils venir?... quelle langue ils parlent?... oh ça, aucune!... ils bredouillent n'im-

porte quoi... tous des mômes de quatre à dix ans...
à peu près... elle pourtant Mlle Odile avait la connaissance des langues, germanique et russe, et même
des patois... ces mômes ne comprenaient rien du
tout, elle avait tout essayé... ces enfants, plutôt
mongoliques d'aspect devaient venir d'un asile...
évacués en hâte! oh on ne l'avait pas prévenue!...
on lui avait remis toute la bande, comme ça, le train
au départ, avec deux caisses de lait en poudre...
en avant!... « on vous les prendra à Oddort! vous
êtes attendue! bon voyage »! Oddort... j'allais la
renseigner!... le feu d'artifice!... non!... assez de
fatigue! ...mais là cette Odile tout contre moi toussait
de plus en plus... Lili me chuchote... Odile crache le
sang... ça n'arrange rien... tout de même c'est à
rire!... je peux pas m'empêcher... j'ai le droit! moi
aussi je crache du sang, là zut!... j'ai le droit depuis
la brique!... et par la bouche et par l'oreille il me
vient du sang!... Odile me coupe le rire...

— Vous aussi, docteur? vous aussi?...

Je lui réponds, j'ai réponse à tout... même je lui
crie...

— Vous voyez pas là-haut en l'air?

Elle cherche...

— Non rien! rien docteur!

Ça ne va pas mieux! ah si! quelque chose! notre
train là bouge... je crois... tout doucement... je peux
cracher aussi comme Odile... bien sûr!... et du sang,
comme elle!... moi ça serait de l'oreille... probable...
toujours j'en ai plein la bouche... vous remarquerez
l'anatomie... la très mince membrane, pas un milli-
mètre, et très finement perforée entre la pointe du
rocher et le pourtour liquide du cerveau... qu'il y ait

passage, que le sang filtre, bien sûr!... et alors?... ne remuer ni le corps ni les yeux!... d'un que je ne regarde pas cette Odile!... mais que me ferait relever les paupières?... je vous demande? en plomb mes paupières!... j'ai reçu cette brique sur la tête... parfaitement!... et c'est depuis! moi, pas un autre!... pas l'Odile tuberculeuse, ni Lili ni l'Italien... lui son cas est louche... sa façon de fabriquer des briques... j'approfondirai qu'il s'en vante toute la journée, que c'est sa gloire... moi mon oreille est pas glorieuse... un crâne fendu est pas à rire... si!... si!...à cause de la locomotive là-haut dans les nuages et des mouettes, maintenant tout autour... *tchutt! tchutt!* je l'entends même... elle traverse un flocon... un autre... elle reviendra!... tout ceci n'est guère sérieux... le principal est que je bouge pas... et que notre train, nos plates-formes, avancent!... nous, nos projecteurs!... ah que j'ai encore envie de rire!... je m'empêche, je ne veux offenser personne... à propos, de quoi rire?... flûte!... j'ai oublié... je comprends peu à peu ce que cette Odile a raconté... en somme tous ces petits crétins provenaient d'un asile... allez hop tous!... les Russes arrivent!... « demandezrien, sauvez-vous »! ah Oddort!... s'ils l'avaient échappé belle!... s'ils étaient attendus!... on peut dire tout ce qu'on voudra c'était pas mal organisé, phosphore liquide, pilonnage... Odile Pomaré se doutait pas... ils avaient loupé l'arrivée...

En route y avait eu cette rougeole... combien d'enfants étaient morts?... Odile estimait à peu près... ce qu'elle voulait Odile, une chose, c'est s'occuper d'elle, d'elle-même, sa poitrine, sa toux... les mômes étaient peut-être crevés de faim en fait de rougeole?

ils avaient eu trois caisses de lait, Breslau, ici... pas lerche!... toujours j'avais pas vu un môme, pas un seul... selon Odile, ils dormaient plus loin, sous les bâches... quelque part... ce train était vraiment parti, même il roulait assez vite... et pas d'alertes, pas un avion... ç'aurait été du tourisme s'il avait fait un peu moins frais... tourisme pour où?... on arriverait bien, un moment! ou peut-être jamais! que c'était drôle!... et que je m'empêche encore de rire!... ma locomotive des nuages passe au-dessus de nous, juste! au moment!... *tchutt!... tchutt!...* la voici!... à l'envers, les douze roues en haut!... elle disparaît... je cherche Lili, sa main... ça vaut la peine... je lui demande :

— T'as pas mal aux yeux?

— Non... pas du tout...

L'Italien m'a entendu...

— Mais non *dottore!...* pas de suie! pas de suie!... Ils nous poussent arrière!

Très bien!... bravo!... ainsi sans suie jusqu'à Hambourg? la loco arrière, on nous gâte!

Mais Odile veut que je l'écoute...

— Docteur!... Madame!... vous me voyez?

Non!... que je la vois pas!...

— Je m'arrêterai à Hambourg! n'est-ce pas je ne peux plus!... je n'irai pas plus loin...

Lili lui demande :

— Et les enfants?

— Je n'ai plus rien à leur donner... je ne sais même plus où ils sont... je crois sur les plates-formes arrière... il me semble... vous aurez la bonté peut-être?...

Elle nous les refile... je ne réponds rien... j'ai beau

être dans un drôle d'état, elle me fait réfléchir, comment on va continuer, nous?... ça roule... ça va, mais vraiment moins vite... les yeux fixés en l'air je peux pas regarder le paysage... je me rendrais compte... oh, ça ralentit... et même ça freine!... ce serait Hambourg?... oui!... deux... trois secousses... ça y est!... arrêt! l'œdème tant pis!... je me lève une paupière... un doigt!... ça va!... je vois!... et l'autre œil!... oh, en fente, en meurtrière si j'ose dire... suffit! maintenant m'asseoir!... hop!... l'effort!... par exemple, comme ivre... tout de même n'est-ce pas, un progrès... je m'occupe plus des nuages, ni de ma locomotive là-haut, la folle... mon seul souci : ce qu'on va devenir?... et ce mal à la tête!... et cette envie de rire... le rire je sais, c'est la brique!... l'autre là qui fabrique des briques je le ferai passer en Haute Cour... allons!... allons!... plus tard! plus tard!... que je regarde tout de même! me rendre compte... oui, y a à voir!... loin... loin... pardi, c'est un port!... et même : un bassin! un immense... avec plein de bateaux... mais ces bateaux tous culs en l'air, hélices sorties... les nez donc piqués dans la vase... je suis pas saoul mais c'est drôle! bouffon!... au moins dix navires, et des sérieux, des de quinze mille tonnes au moins... sûrement aussi des petits bateaux... ceux-là je ne les voyais pas... les gros, j'étais sûr... facile à comprendre... nous avions vu finir Berlin... Ulm... Rostock... mais Hambourg c'était fini... pas que la ville, les docks et la population... les grues à propos?... nib!... ils devaient avoir tout basculé!... je connaissais un peu la marine, plus que la technique ferroviaire... j'ai même fait naufrage devant Gibraltar... vous dire! là je voyais tout à travers le bas-

sin l'étendue d'eau... au moins douze navires hors
d'eau, comme ça, les hélices en l'air... la ville devait
être mignonne!... je demande à Lili...

— Où sommes-nous?... quelle gare?

— Une nouvelle... rien n'est écrit... pas de pancartes...

— T'es sûre?

Elle cherche... je suis pas sûr que Felipe sache lire...
une chose, y a plus personne sur les plates-formes ni
sur ce quai en bois... tout le monde, les adultes, les
mômes, tout est descendu... je les vois là plus bas
plein les cailloux, ils ne vont pas plus loin... ah les
petits crétins!... les voici pas d'erreur, pas exagéré, tous
bancalots, grosses têtes pendantes, des quatre à dix ans,
à peu près... Quasimodos bambins baveux... je cherche
une inscription moi aussi... aucune! comme à Oddort...
et pas d'employés non plus... pour moi c'est une gare
de fortune qu'a été montée après les bombardements...
mais qu'est pas faite pour durer... une gare d'urgence...
en tout cas on voit très bien le port... et les navires
hélices en l'air... pour cette locomotive aux nuages?...
j'en jurerais pas... fantasmagorie? possible! effet de
fièvre... mais pour ces paquebots culs hors-tout je suis
absolument certain!... *vide Thomas! vide latus!* eux là
en bas aux cailloux toute cette clique, mômes baveux,
et drôles de touristes, pouvaient absolument rien
voir... nous nous dominions...

— Docteur! Docteur les voici!

Longtemps qu'ils étaient descendus! elle voulait
dire ses avortons... elle était trop occupée par ses
accès de toux... elle avait rien vu... elle est désolée...
ils sont sortis de sous leurs bâches... sûr, personne
les avait aidés...

— Ils viennent!... ils viennent!

— Ils ne vont pas vous mordre!

Elle et ses hémoptysies!... quelle histoire!

— Je n'ai rien à leur donner, docteur!

Pardi, nous non plus... au moins huit jours notre dernière boule... déjà si sonnés abrutis écouter encore ces bêtises!... je vous demande!... je pense à nous, à notre état, au trajet... quel trajet? ça allait être encore bien sur un gentil coup d' « hardi petit! »! bientôt j'aurai soixante-dix piges... ce dut être vers 96 que je m'entendis stimuler la première fois, cet « hardi petit »! c'était mon oncle, nous traversions le Carrousel, il venait dans l'autre sens, il allait ouvrir sa boutique, rue des Saints-Pères... moi, ma mère, nous allions vers la rue Drouot, son magasin, rue de Provence où elle réparait les dentelles... d'un guichet l'autre, le Carrousel est infini... il s'agit pas de s'amuser... ma pauvre mère avait pas envie, moi non plus... pas besoin de ses « hardi petit »!... je me les faisais très bien tout seul... mon con d'oncle devait trouver qu'il fallait que je prenne l'habitude de me précipiter au boulot... nous ne lambinions pourtant pas, moi et ma mère... l'omnibus allait plus vite, mais c'était cinq sous pour nous deux...

Je vais vous perdre!... ah, l'exaspérante habitude qu'ont les vieillards de se faire reluire avec leur jeunesse, leurs plus petites insignifiances, pipis de travers, coqueluche en nourrice, leurs langes souillés... moi qui les vois là tous les jours dans mon journal habituel, photographiés dos, faces, profils, si contents d'eux, tout en viande blette, fanons temporales comme ça en déroute si mûrs pour les vivisections et si heureux d'être si gâtés, vedettes aussi

205

admirées que le Kidnappeur de la rue Torchon et la superstar Brillantine... formidables Gouverneurs de ci... fantastiques maréchaux du Vent... je les enverrai tous au marbre, nous présenter bien leur bazar pinéal, pancréas, prostate, qu'on voie comme est fait l'évidé bavard, son vrai de vrai soi, nature...

Allons!... allons! à notre chronique!... je vous perds encore, bel et bien... y a ma tête, la brique, vous savez... ce n'est pas une raison... je vous parlais photographies, du narcissisme, de l'arrogance des prémacchabs... oh, c'est bien simple! pas que l'alcool, l'auto, les vacances... la photo a fait l'essentiel, fait remonter l'homme toute l'espèce, à des siècles avant les cavernes... vous pouvez les voir tous les jours, photographiés, en transe cabotine, ouvrez votre journal habituel, que n'importe quel gorille aurait honte... des fresques rupestres calomnie aux frères Lumière, ça pourrait aller... tout à la main!... mais à présent regardez autour et dans votre journal habituel... ces bouilles à lunettes, à frisettes... je peux parler moi!... qu'ai tant à me faire pardonner!... mes trois points d'abord!... soi-disant renouveau du style!... Cousteau, l'*Huma*, Sartre, les Loges, l'Archevêque, s'en sont fait des maladies... et cent autres! mille autres! et qui s'en relèveront pas, jamais! peuchère!... qu'en gigotent encore dans leurs tombes... et ce gringalet si nul Vaillant qu'a eu le Goncourt exprès pour ça qu'il était mon fier assassin et qu'est que couille molle, que je l'attends toujours, que je sors jamais du jardin exprès pour, ici, au jardin Meudon Seine-et-Oise...

Oh qu'ils m'haïssent! à s'en faire péter rolandiques, cortex... tous et toutes!... je serai jamais assez plagié, contrefacié!

206

— Il existe encore?

— Pas lui!... pas possible! y a vingt ans qu'on l'a fusillé!...

Chacun son rêve, son idéal!... ex le voici, j'existe plus!... j'ose parler de Justice!... ce ne sont pas les miens, les « pieds pâles » qui vont aller voir là-haut les dix cornichons du Nobel les sommer de me faire une rente... deux rentes!... une pour le roman! une autre pour la Paix!... les miens les « pieds pâles » pensent qu'à me massacrer, offrir ma barbaque à la grande Idole...

Il faut dans l'état où je me trouve et à mon âge, rien vous omettre... je vous dois des comptes, tant pis si je digresse un peu!...

Revenons aux faits, ces mômes d'Odile étaient là, sortis de sous les bâches... dégringolés de leurs plates-formes d'instinct, ils avaient retrouvé Odile, leur petite mère... elle faisait la gueule leur petite mère...

— Je ne pourrai plus bouger docteur... je resterai ici...

Elle me prévenait...

— Et si ils reviennent?

Revenir, je voulais dire les bombardiers... ils regardent pas si ça vaut la peine...

Les mômes s'approchent, y a pas de différence entre filles, garçons... tous boudinés dans les lainages, ficelés... une quinzaine... pas difficile, à première vue tous des minus... bavants boiteux, faces de travers... tout à fait des crétins d'asile... nous en avons bien sûr partout qui parviennent à un certain âge et qui font carrière honorable, et mieux même, dictent, s'imposent, et tonnerre de Dieu!... là il s'agis-sait de l'immédiat, que ces gnomes mangent... l'Odile pouvait s'en occuper... nous nous avions droit à la fatigue!... très joli qu'elle veuille plus bouger, les hémoptysies, commode! et nous alors?... je perdais pas de sang moi! et la tête fêlée c'était rien?... plus je le dis, je le répète, invalide 75 p. 100... quand Petzareff aura autant, et son certificat d'études, il pourra parler... entre autres surprises... là ces mômes idiots étaient sûrement pas au complet... elle en avait laissé en route... trop malades... soi-disant de rougeole?... ceux-ci seraient en somme, rescapés, une sélection... certain une chose, ils avaient faim... nous avions rien à leur donner... il leur venait des bribes de mots... ils regardaient vers nous et Odile... mais c'est à nous qu'ils s'adressaient... je fais à Lili « montre-leur Bébert! » elle le sort de sa musette... ah, voici qui les intéresse... ils rient, leur façon, des plis plein le nez et encore plus de bave... ils veulent le toucher Bébert!... faut pas!... non! mais Bébert veut jouer avec eux... il en miaule... et les mômes pleurent... finissons-en! très beau en finir! mais n'est-ce pas où nous étions c'était une chose, le grand bassin devant nous, tous ces bateaux le derrière en l'air, et à droite la ville, enfin ce qui fumait, les décombres... et je crois que c'est pire qu'Hanovre, et sûrement plus abîmé qu'Ulm... donc ce bassin, je vous en reparle, l'étendue tenez à peu près la pièce d'eau des Suisses... vous savez, Versailles...

A vrai dire, ces mômes, si débiles, bulleux, baveux, ne pouvaient rien nous demander... on voyait, ils faisaient effort qu'on les comprenne, c'était tout... y aurait plus d'abattoirs possibles si les fonctionnaires préposés regardaient les yeux des anormaux... les guerres on comprend qu'elles durent, finissent jamais,

les mêmes brutes reprennent et d'un côté l'autre je
vois là les Goncourt c'est pareil, côté candidats, côté
juges, ils font des efforts, c'est tout, « ils sont pas
faits pour... » nos morveux les nôtres étaient pas
faits pour exister mais ils étaient arrivés là et ils
avaient faim... je me sentais moi-même je dirais
« abstrait »... l'effet pas tellement de la fatigue, mais
sûrement du choc, du coup de brique... Felipe avait
vu... aussi de cette perte de sang par l'oreille... sang
encore plein mon pantalon... je rêvais pas... caillé,
je dois dire.

— Felipe, on y va?
— On va quoi?
— Chercher à manger!

Il veut bien, mais où?... je lui explique... en face,
de l'autre côté du port... en fait de ville!... il voit
qu'une de ces fumées!... tout est caché... je peux pas
dire qu'il ait confiance, il viendra c'est tout moi je
titube mais je suis décidé... Odile est décidée aussi,
mais à pas bouger elle tousse trop...

— Oh non docteur je ne pourrai plus... je veux
mourir ici... prenez les enfants s'il vous plaît!...

Zut!... je suis plus malade qu'elle!... hémoptysies?... la belle histoire!... le Grand Cardinal a craché
le sang toute sa vie... s'est envoyé toutes les duchesses,
plus dompté l'Europe et comment!... qu'elle tient
encore râlante sous lui, l'Europe... si difforme, déman-
tibulée foutaise, crachement de sang!... simple! plus
que des salsifis lieu et place du Grand Cardinal...

— En avant!...

Hardi petit! je vous ai dit ce bassin grand comme
la pièce d'eau des Suisses et tous ces navires nez dans
la vase, hélices en l'air, en position très indécente...

et je remarque, pour être aussi près de la mer, presque pas de vent... l'odeur de brûlé bien sûr comme partout à travers l'Allemagne mais là en plus un brûlé de bitume, une buée bleue... comme chez nous les rues autrefois quand ils refaisaient la chaussée... Là autour je cherche une inscription... si on se perd, qu'on se retrouve... une pancarte... comme à Oddort, rien!... un employé?... aucun!... c'était une gare de fortune montée comme ça hors la ville pas faite pour durer... une gare tout en bois... on voit très bien le port, les bateaux, etc... au moins vingt fois que je vous raconte... les hélices en l'air... je vais sur mes soixante-dix ans que je bave pas tant que mes petits crétins c'est déjà bien extraordinaire... surtout travaillant, ma façon acharné, je peux le dire, m'y reprenant des dix fois, vingt fois... têtu comme Achille, lui aux profits... je serais absolument gâteux, ça ne serait que naturel... surtout après le coup de la brique!... je vous l'ai dit aussi, quinze... vingt fois... pour cette locomotive aux nuages je ne suis pas très sûr... foutre d'être sûr! est-ce que le tænia avait des preuves que je touchais de l'argent des Allemands?... ça l'a-t-il empêché de l'écrire dans *Les Temps modernes?* pour être bien sûr qu'on me fusillerait? oh bougre non!... et ce petit Vaillant, épilo-crétin, de se vanter de m'avoir mitraillé dans mon escalier? et Cousteau donc dans *Rivarol!* tout aussi diffamateur, encore peut-être plus enragé, déjà tout son bazar sous le bras, rectum et annexes, l'auriez-vous vu réfléchir? bigre que non! vous prouve que le cancer est atroce mais que la jalousie l'emporte!... c q f d... pour ça vous comprenez bien que toutes ces personnes, droite, gauche ou centre, sont toutes pour moi du kif et au même... sadiques, envieux, lâches absolus, « idoles de la jeunesse » en sus... et je vous parle pas du public, la horde des gradins, balcons, avant-scènes, baveux en bistrots, boudoirs, et salons... y a des épandages il paraît où toute la merde est si bien mixturée diluée qu'elle nous est revendue en poireaux carottes salsifis, très appétissants... y aurait encore de ce côté bien des fricotages, je serais pas surpris... vous avez qu'à observer l'éclatante fortune de tout ceux qui m'ont saccagé,... tout! bois et manuscrits... puis reclus en fosse que j'y meure... ces fulgurantes promotions! ces commandeurs de tout et tout!... et ces décès! toute la France en larmes!... pour ça que j'aime tant *Le Figaro*, sa si fastidieuse nécrologie, solennelles colonnes, son Temple ainsi dire... Brisson n'est pas né pour rien...

Pas aucun vent, je vous ai dit... les fumées si épaisses montent droit... et pourtant la mer est toute proche... je vous retrouve où je vous ai quitté... devant Hambourg... enfin, ses décombres... moi aussi n'est-ce pas je m'absente... juste le temps d'un petit résumé, rappel des ombres des aspects... l'inventaire, en somme je vous demande pas où vous vous fûtes... je vous reprends tel quel... je vous ai dit la mer est toute proche... les goélands les mouettes restent à planer au-dessus de nous... curieux de ce que nous sommes?... et filent vers les suies, les ruines... j'ai appris depuis ce qu'elles cherchaient!... elles cherchaient si nous étions morts... ou mourants... l'agonique ils lui piquent les yeux, lui évident l'œil, lui gobent et conjonctive... rétines... vous dire que requins pieuvres lamproies ont jamais droit qu'aux bas morceaux, tronc... guibolles... voilà vous savez, assez d'être perdant! moi qui suis ni requin ni mouette j'ai charge des mômes à faire becqueter... et pas des mômes ordinaires... Lili veut y aller aussi... bon!... Odile elle restera, elle veut plus bouger... ses mômes crétins, combien peuvent encore marcher, enfin plus ou moins! parmi y en a peut-être des pervers?... oh ils ne pourront pas mettre le feu!... Odile m'affirme qu'ils sont paisibles! pas méchants du tout, plutôt affectueux... elle a eu le temps de les connaître... toujours est-il qu'elle n'en veut plus!... elle me montre encore, un peu de sang, elle crache, que je l'examine!... ça peut attendre! l'essentiel d'abord... ces petits crétins ont pas eu de lait depuis Leipzig, s'ils étaient arrivés à temps, je veux dire à Oddort, ils auraient plus besoin de rien!... Odile se rendait pas compte... j'allais pas lui expliquer, donc, en avant!...

— Suivez-moi!... suivez mes bâtons!

Ceux que Felipe m'avait fabriqués, en gros bois blanc... oh les mômes demandent pas mieux, même ceux-ci si débiles avortons baveux... à l'aventure!... titubants, flanchants, pire que moi... se ramassent tous les pas, d'un rien, d'un caillou de travers... et pas à piailler, à rire!... je sais pas si on va aller loin, je voyais pas du tout la ville, trop de suie, trop de fumées... je vous ai dit ce bassin, comme grandeur, la pièce d'eau des Suisses... sottise!... bien plus vaste!... je suis sûr maintenant, regardant bien le quai...

Felipe a à dire, il s'est renseigné... ce qui l'intéresse lui plus que tout, c'est le train de Magdebourg... *soun pâtroun!*... sa briqueterie... et qu'il est en retard de huit jours...

— Existe plus votre Magdebourg!... effacé! brûlé comme ici! zéro!

Il me croit pas.

— *Si! si!... si!*

Il réfute.

Mais son train le Magdebourg-express sera ici à quai qu'à minuit... il a tout le temps.

— Nous allons prendre une bâche Felipe!... un grand morceau!

Il ne faut pas qu'il réfléchisse, il est fait pour obéir... je regarde les mômes, combien ils sont?... une douzaine... ces survivants de la randonnée Breslau-Hambourg... ils ne sont pas bouffis ni pimpants, mais pas tristes... les petits lépreux là-haut de Rostock étaient pas pleurnichards non plus... la tristesse s'apprend comme le reste, avec la vie, il faut du temps... le vieillard a la larme à l'œil, chronique, il fait plus que pleurer... il pleure qu'on va le mettre en boîte et que tous les autres vont rester là à s'amuser...

— Alors mes enfants! allons-y!

Je veux qu'ils me suivent... je guide... cette énergie « hardi petit! » dingue pas dingue me restera toujours... ce qu'on apprend dans sa toute jeunesse qui vous reste gravé... après c'est plus que des faridons, décalques, fatigues, courbettes à concours.

Je vais me répéter un peu, tant pis... à propos de Felipe y a dire... qui va retourner à Magdebourg pétrir d'autres briques... c'est pas un monde?... et qui se tient plus d'être en retard!... on va trouver quoi dans Hambourg?... des briques et des morts... ni plus ni moins... je remarque pour être aussi près de la mer, presque pas de vent!... l'odeur de brûlé bien sûr comme partout à travers l'Allemagne mais là en plus de bitume bouillant comme chez nous les rues autrefois quand ils retaisaient la chaussée... je les vois là nos compagnons des plates-formes ils sont descendus aux cailloux, au remblai... et que ça se chuchote!... mes mômes? pas exagéré bien des impotents... je ne devrais pas les emmener, mais leur Odile n'en veut plus, les autres là, ces gens de je ne sais d'où ne veulent même pas les approcher... je crois qu'ils les foutraient à l'eau...

Vous savez aussi ma tête, la brique!... dix fois... quinze fois que je vous raconte!... pour cette locomotive aux nuages, je suis pas très sûr... foutre d'être sûr!... est-ce que le tænia était sûr que je touchais de l'argent des Allemands? ça l'a-t-il empê-

ché de l'écrire, l'affirmer dans *Les Temps modernes*
pour être lui sûr qu'on me fusillerait!... oh bougre
que non! et le Cousteau (de *Rivarol* et *Propaganda*),
tout aussi accusateur! lui déjà tout pourri de cancer, son anus sous le bras, et est condamné à mort
comme employé de la *Staffel*, donc extrêmement bien
renseigné, ne jurait-il pas qu'il n'avait rencontré dans
tous les Services de plus pire, vendu que moi là,
mais Cousteau! rescapé comment?... oh pas que cent
autres!... mille autres!... un des plus rigolos, le Vaillant,... ce nabot d'écriture qui... se ronge de pas
m'avoir assassiné dans mon escalier,... qu'il m'écou-
tait monter descendre... mais moi bordel je l'attends
toujours!... et autres « Idoles de la Jeunesse »!...
Paris-Meudon... pas une affaire! un coup de taxi...
dix NF... je m'absente jamais... mais le tænia à
propos, que n'a-t-il provoqué les boches, il aurait été
en prison puisqu'il souffre d'être là à se promener
bien libre... il avait tous les nazis, des pleines salles,
au Sarah-Bernhardt!... il serait monté sur la scène
il leur aurait dit! vous tous teutons je vous hais,
pillards, tortionnaires, bientôt vous serez tous chassés! bravo!... et puis hachés très menu! et puis roustis,... ça sera ma vengeance de Sartre! foi de tænia!
vive la France libre!
     Je crois qu'il aurait eu ce qu'il demande prison,
patate... encore je suis pas bien sûr qu'ils l'aient
jamais pris au sérieux... il faut un certain sérieux pour
décider le juge d'instruction, français ou allemand...
pour ça vous comprenez bien que toutes ces personnes
droite gauche ou centre tant qu'elles sont pas incarcé-
rées, et encore!!!... doivent être tenues pour mi-foliches,
mi-appointées... je vous parlerai plus tard du public...

215

Maintenant nous sommes devant Hambourg, nous allons chercher fortune... beaucoup dire!... du haut de ce remblai il nous arrive certains bruits... des explosions un peu sourdes... après les bombardements, des mines qui se décident... souvent après des délais de mois... d'années... « suspense », je devrais dire, « Modern-style »!... Mais notre Felipe?... je le voyais pas il était pas des fois reparti?... non! mais comme caché dans les replis d'une énorme bâche... mieux il était dessous je ne pouvais pas le voir... zut! je pense encore au tænia! je peux pas vous raconter dans l'ordre, voici! la brique et ma tête... Mais *alas too late poor Taenia!* vous m'excuserez!... si vous m'excusez pas tant pis! une petite fugue!... la première fois tout est tragique, la seconde fois tout est grotesque... *alas! alas!* je vous parlais de ces mines à retardement... c'était mieux d'envisager le pire... je suivais Felipe sa bâche en paquet sur sa tête... les petits crétins avaient pas compris mon français mais ils demandaient pas mieux que de me suivre... tituber plutôt buter... nous étions aussi crétins qu'eux... ils en savaient autant que nous... eux au moins sortaient d'un asile, nous de je ne sais où... aussi vacillants, baveux qu'eux d'un caniveau l'autre vers là-bas la ville, enfin les fumées les décombres... le temps quand même de réfléchir... réfléchissons!... pas en geignant pleurant non! je demande pas à être pleuré! foutre tous ces gens doléants qu'on les perde! et hop!... qu'ils ne pleurent plus! crocodilars!... souvenirs qu'il me faut... et je peux pas me souvenir de tout... choses et personnes... je m'y retrouve plus... comme Felipe là sous sa bâche... écrasé, perdu... je vous le retrouverai... mes souvenirs d'abord!... méli-

mélo... Baden-Baden... La Vigue... Restif... Harras...
Moorsburg... Zornhof... je suis certain de ceux-ci...
les autres il faudrait que je dorme ils me revien-
draient... la preuve, par bribes... tant bien que mal...
— Il n'a ni syntaxe, ni style! il n'écrit plus rien!
il n'ose plus!
Ah, turpitude! menterie éhontée!... plein de style
que je suis! que oui! et pire!... bien plus que je les
rendrai tous illisibles!... tous les autres! flétrides
impuissants! pourris des prix et manifesses! que je
peux comploter bien tranquille, l'époque est à moi!
je suis le béni des Lettres! qui m'imite pas existe
pas!... simple! allons! que je regarde où nous sommes!
tonneaux éventrés, terrasses, pissotières inondées!
immense désespoir! ah grands-croix de toutes les
Légions, bon à lape, falsifis suprêmes!... pitié j'aurais si je pouvais mais je ne peux plus!... qu'ai-je à
foutre de tous ces doléants? chromos, « jours d'ate-
liers »... faux 1900... je leur ai bien dit d'aller dehors,
à l'air, ils m'ont pas écouté tant pis! qu'ils se meurent,
puent, suintent, déboulent à l'égout mais ils se
demandent ce qu'ils pourront faire, à Gennevil-
liers? pardi! à l'épandage! l'égout je vais pas m'en
mêler... ils y arriveront feront ce qu'il faudra de
limon en mélasse... je vois le Mauriac ce vieux cancéreux, dans sa nouvelle cape allongé, très *new look*,
et sans lunettes, véritable régal des familles « tra-
vaille enfant! tu vois plus tard tu seras comme ça »
tartuferie, néoplasme façons impeccables d'aboutir...
sous tous les régimes... fariboles d'États... ouvrez!...
fermez le banc! tripes plein les sciures, épiploons et
cervelets... le vrai sens de l'Histoire... et où nous en
sommes! sautant par-ci!... et hop! par-là!... rigodon!

217

pals partout! épurations vivisections... peaux retannées fumantes... sapristis gâtés voyeurs, que tout recommence! arrachement de viscères à la main! qu'on entende les cris, tous les râles, que toute la nation prenne son pied.

— Eh là! vous battez la breloque!...

— Certainement!

— Vous n'avez rien vu sur ces quais? soyez sérieux! rails?... matériel? oui moins un, deux treuils!

— Ah si!... une grue basculée... et deux aiguillages broyés...

— Alors?

— Nous allons vers la ville, voilà! puisque ce port n'existe plus... sauf ces bateaux, derrière en l'air... je vais pas me répéter... déjà vingt fois... cent fois, je l'ai dit... nous, vous savez, c'est Lili, Bébert, moi, Felipe l'Italien et les mômes... combien sont-ils?... je vous dirais sept... non! dix au moins!... ou quinze... je vais pas les recompter!... qu'ils viennent s'ils veulent! satanés morpions!... et ces gens de toutes les plates-formes de quel pays ils sont? ils se chuchotent... pas en allemand pas en russe... peut-être des Hongrois?... je l'ai jamais su... vous approchez d'eux, plus un mot!... je sais pas pour qui ils nous prenaient?... jamais su non plus!... donc en avant! les bateaux, les mômes les regardent... mais sont pas étonnés du tout... aucun effet... ils en bavent ni plus ni moins... on peut pas dire qu'entre eux ils se parlent... il leur sort des sons, des bouts de mots, et plein de bave et de bulles... deux aboient un peu... ils veulent bien venir, c'est déjà ça... la ville et les énormes fumées leur font pas peur... même les éclatements... et on en entend de plus en plus... pas de

bombes d'avions mais de mines « piégées »... je
connais... là maintenant à peut-être cent mètres
voici les premières grosses ruines... au bout du bassin, à l'écluse... là regardant arrière nous pouvons
bien voir tous les autres... qui sont restés sur la
plate-forme... ils nous voient aussi, ça les fait pas
venir... ils rigoleraient bien si on sautait sur quelque
chose... oh mais c'est là, bel et bien!... j'y étais pas...
nous sommes dans Hambourg... dans la ville même...
je m'y retrouvais plus... je devrais avoir l'habitude
des villes en compote, que vous savez plus par quel
bout prendre... là je crois c'était Sankt Pauli, le quartier... plus qu'un quartier presque une autre ville,
tout au plaisir, bobinards, friteries... ça tombait bien,
mon envie de rire!... j'ai connu ailleurs des escales à
peu près aussi en friteries, beuglants, guinches... pour
comparer je dirais surtout le Brousbir Casablanca...
rue Bouteru était pas grand-chose... Sankt Pauli était
quelqu'un... Chatham, Rochester et Stroude se pré-
sentaient peut-être encore mieux, surtout le samedi
soir, toutes les garnisons « quartier libre » et navires
à quai, troupes équipages en bordée franche... et je
vous dis, de ces uniformes, du bleu foncé à l'écar-
late, du jaune citron au réséda... la grandiose palette
de l'Empire... ce quai du samedi l'énorme Rochester
Chatham titubant de couleurs et de whisky... de
grivetons et de gabiers plein gueulants, pugilats,
défis... vous remarquerez l'acétylène! la lumière si
crue si violente presque à déchirer les figures... je
vous oublie pas les Salutistes en cercle au beau
milieu de ces fureurs chantant leurs espoirs... « Dieu
va venir!... » harmonium, cornets à piston... leur
Miss Heyliett de service en noire capeline qui y

va aussi de son couplet... duo avec la vieillarde à la soupe, gamelles et gamelles,... tout entourée de cloches mâles femelles anciens débardeurs... pour eux aussi c'était le week-end... je veux pas vous faire de réclame pour ces enchantements d'autres temps... d'autres ports... que je vous rattrape! très bien ma tête, le coup de brique, le sang par l'oreille et patati... mais je ne peux pas me permettre tout!... respect au lecteur s'il vous plaît! respect, oui, certes... tout de même je vous fais remarquer, je me permets, que les odeurs me manquent, les fumets de friterie, tabac et les sueurs... et de tout ce monde-là, matelots, militaires et truands... odeur de cargaisons aussi, campêche, safran, huile de palme... absolument essentiel pour que vous y soyez un petit peu, que ce soit pas seulement du rêve, ces quais de Richmond, Chatham et Stroude... enfin vous ferez ce que vous pourrez!... à la grâce de Dieu!...

Là que j'houspille les mômes! zut et ma cabèche! ça me va d'évoquer!... je pourrais en vouloir à Felipe, damné reître... lui sa fabrique! peut-être une à lui qui m'a fêlé la cabèche?... lui qui veut pas rater son train, Magdebourg-express... pardi oh que je le crois capable de tout... son usine à briques, il a hâte!... si je l'ai à l'œil!... gentil de fournir partout des briques!... et puis?... et puis... nous verrons... que je vous retrouve, vous!... j'avais fait mon point... nous étions dans Sankt Pauli, le quartier des kermesses, lupanars et cafés chantant... c'était pas mal d'être parvenu, même si titubant!... nous et les mômes... je les avais pas encore comptés... ça serait pour plus tard!... j'en pouvais plus, je me serais bien assis... le tourisme, l'aventure sont des ornements de

la Paix, qu'on m'en parle pas en ce temps de guerre!...
pourtant regardez les états-majors des armées les
plus enragées, féroces, saignantes, voyez leurs chefs,
tout-puissants, aux instants les plus critiques où la
balance de l'Histoire oscille et vacille comme-ci,
comme-ça, d'un fétu, d'un cheveu... si ça se tape la
cloche les hauts chefs! houspillent les cuisiniers?...
la preuve ces bides! parois distendues... véritables
grossesses à terme...

Moi là vous voyez j'hésite... je cogite, j'ergote,
au lieu de faire ce qu'il faut... prospecter les ruines...
s'il ne reste pas un fond de boutique, un bout de bis-
cuit, une boîte de lait sous ces ruines? je veux ces
ruines fument... même elles explosent de temps à
autre, je vous ai dit... mais pas très fort...

— Allons en avant! vous, partez pas sans moi,
Felipe!

Je me méfie... eux les mômes ont pas peur du tout,
ils viennent... ils sont insensibles, au moins un avantage qu'ils ont... ils butent, se requinquent, rampent
plus loin... bavant, aussi ils aboient... sûrement ils
ont faim, ils peuvent pas le dire, ils se plaignent
pas... ils parlent pas... question des petites explosions ils ont dû en entendre d'autres! pensez depuis
Breslau... ils peuvent pas nous dire... comme ils sont
couverts si emmitouflés, lainages et bâches... ça
irait s'ils étaient pas mouillés à tordre il faudrait qu'ils
se sèchent!... zut! encore ce conditionnel... faudrait!
faudrait! un moment donné vous avez plus que ce
damné temps! vous avez plus une bribe de force,
tout vous écrabouille, le monde est un conditionnel... « il a eu tort, il faudrait! » vous vous avez plus
qu'à baver... les mômes eux, butent, tombent, se

relèvent... et recommencent, d'un trou un autre...
vacillent plus loin... c'est une entrée dans Hambourg!... là ça y est! nous y sommes... bravo mômes
crétins! en pleine ville... je le dis à Lili, à Felipe!...
qu'ils sachent! qu'ils profitent un peu de mon savoir...
je connais Hambourg et l'historique...
— Tu m'as fêlé la tête Felipe! brute à briques!
tout de même Charlemagne! Charlemagne qu'a créé
Hambourg! Charlemagne quelqu'un! me contredis
pas Felipe!...
Il me contredit pas, il s'en fout... la bâche en
paquet sur sa tête... voyons que je m'y retrouve!...
oh, je connais! plutôt je connaissais... j'y avais fait
bien des séjours... dix fois... vingt fois... voyons!
c'était pour la S.D.N.... oh comme c'est loin!... pour
les maladies tropicales... aussi qu'intéressent plus
personne... leurs noms même vous diraient rien...
maintenant là quel *tutti frutti*! de ces monticules
de pavés, un... deux tramways hissés dessus, en
équilibre... je vois de ces dessins de soi-disant fous
qui sont beaucoup moins astucieux... pas à beaucoup
rien reconnaître... aussi la fumée je dois dire si
épaisse, crasseuse poisseuse pire que sous les tunnels,
presque une ouate, allez discerner choses ou gens!
Felipe! Felipe! Lili! je faisais l'appel... « tu as
Bébert? oui » pour les mômes je pouvais pas savoir...
d'abord je les avais pas comptés... et puis ils n'avaient
pas de noms... mais ils m'entendaient... oh les gens
tout autour de nous, les dits normaux sont kif au
même! ils nous entendent et comprennent rien...
la terre veut pas d'hommes, veut que des homi-
niens... l'homme est un dégénéré un monstre parmi,
qui heureusement se reproduit de plus en plus rare-

222

ment... l'avenir est aux Balubas hacheurs bâffreurs, goinfreurs de trains... trains complets, voyageurs, cheminots et bébés! tout! quand ils seront tous motorisés et l'atome en plus, vous allez voir...

Combien pouvais-je avoir de mômes? je vous ai dit, j'ai jamais su trop... douze?... quinze? c'est vite dit! compter... mais la force? j'étais pas si vieux qu'aujourd'hui mais quand même... l'homme sain bien nourri fait qu'un « seizième » de cheval, à tout casser... force parlait, mais l'ahuri caveux malade peut faire qu'un « vingtième », à peu près...

Tout à coup, là d'où je vous raconte, je crois en plein Hambourg, une bourrasque! subit! le vent avait dû tourner et subit aussi je reconnais l'endroit... pas d'erreur, devant l'hôtel Esplanade... oh je me trompe pas!... mais cabossé et bien fendu, l'hôtel Esplanade, le toit croulant lui pendait devant... je dirais pour rire : surréaliste!... pas si chahuté que les tableaux mais presque... encore n'est-ce pas les tableaux ont à peine d'odeur... là y en avait une et très âcre... aussi un relent de cadavre, en plus je fais pas d'effet, je connais, c'est tout... je me trompe pas... les mômes eux rien les effrayait ni les fumées si âcres si noires ni des ruines où les explosions ils étaient sûrement habitués... ils s'occupaient que des trous... encore un autre! un plus profond... ah aussi des rails, démantibulés, en bouts tordus, en bigoudis... question de cet hôtel Esplanade, je vous raconterai bien l'histoire de son premier sommelier, une histoire de bordeaux glacé qu'il n'avait pas voulu servir, qu'il s'était fait foutre à la porte, etc... je vous la raconterai un jour cette histoire, si j'ai le temps et si je vis encore... *Zimmer Wärme! Zimmer*

Wärme! température de la chambre!... il y tenait!...
ça lui avait coûté sa place, le client outragé, tcetera...
il me l'a raconté vingt fois à l'infirmerie de la prison...
il avait fait d'autres bêtises...

Allons je me perds!... ce que voudrais et que je
tiendrais tout de suite, c'est que Felipe m'explique
la brique! de plus en plus je crois que c'était voulu...
qu'il l'avait fait cuire lui-même, chez *soun pâtroun*
à Magdebourg!... bel et bien!... cette brique! oh
mais je le tenais pas quitte!... qu'il me rendrait des
comptes!... ma tronche ébréchée pour rien!... zut je
ne bouge plus tellement son cas abominable me fait
réfléchir... qu'ils y aillent à la mer!... tous! je refuse
moi, je vais pas!... je m'allonge comme Odile, j'ai
plus de force... à propos d'Odile, cette garce...

— Dis Lili, va voir là-bas, retourne!... vite!...
dis-lui veux-tu, qu'elle vienne tout de suite!... que
j'ai pas fait l'appel des mômes... que je ne suis plus...
que pour chercher à manger... j'ai peur...

Felipe est là... un peu plus loin... couché sous sa
bâche, au moins trois, quatre épaisseurs, il bouge
plus... Lili ne se fait pas prier, elle est plus jeune que
moi c'est vrai, beaucoup, mais elle pourrait être
fatiguée... elle a pas droit à la fatigue!... vite!...
vite!... qu'elle aille qu'elle houspille cette Odile!...
et me la ramène!... cette fainéante...

Je regarde pas... je ferme les yeux... je dors pas
pour ça... je réfléchis... ce qu'on cherchera en ville?
une épicerie?... une pharmacie?... un boulanger? je
crois pas beaucoup... tout doit être pire que Berlin...
Harras nous avait prévenus... à propos des prosti-
tuées... à Hambourg elles trouveront rien, tout a
brûlé... enfin tout de même puisque qu'on est là,

on ira... je me demandais pourquoi Lili ne revenait pas...

Je sens qu'on me tortille l'oreille... une petite main... et puis le nez... et puis qu'ils sont au moins quatre à me tirer sur les cheveux... les mômes, qui s'amusent... je pourrais leur faire peur... ils se sauveraient, il faudrait que je les rattrape... ah mais ça y est! ils me pissent dessus, un... deux... trois au moins... ce que c'est que d'attendre!... je m'assois!... et je fais... *ooouh!*... je les fais rire!... aucune autorité je vois... je vois aussi Lili... ah, elle!... il est plutôt temps!

— Et Odile?

— Elle peut plus bouger!

— Et ceux-ci, là?

Je vois quatre rabougris, encore plus malingres que les nôtres, et baveux, morveux aussi comme eux emmitouflés lainages et bâches, mais en plus ils rient... les nôtres ont jamais ri beaucoup... ceux-ci les quatre seraient du genre drôle...

— D'où viennent-ils?

— Ils étaient avec Odile... elle te les envoie...

Tas de décombres et morceaux de boutiques...
et plein de pavés par monticules, en sortes de buttes...
tramways en dessus, les uns dans les autres, debout
et de travers, à califourchon... plus rien à reconnaître... surtout en plus des fumées, je vous ai dit,
si épaisses, crasseuses, noires et jaunes... oh j'ai l'air
de me répéter... mais n'est-ce pas il faut... je veux
vous donner l'idée exacte... pas rencontré un seul
vivant, les vivants! où?... je dois dire... ils sont partis... aussi sous des tas de pavés? pourtant c'était
du monde Hambourg!... disparus tous? à leur aise!...
moi c'était le lait condensé... on a un but!... je voyais
pas très bien une boutique ouverte... épicier ou
pharmacien...

— Ralliez-vous à mes bâtons blancs!... chiards
baveux!...

Que je dis!... je me force à me lever... qu'on va les
prospecter ces ruines!... du diable si on trouve pas
une boule! je veux dire en pain de troupe... obus
piégés, bitume, explosions, on en a vu d'autres!...
ah, un môme reste en arrêt... il regarde quoi?... j'y
vais... Felipe aussi, et Lili... qu'est-ce qui l'inter-

226

loque?... dans le bitume comme ça?... un pied tout
noir... seulement un pied... pas de jambe ni de corps...
le corps a dû brûler... Harras m'avait dit : ils arrosent
tout au phosphore... il ne reste rien... évidemment!...
ah, tous les mômes s'agglomèrent autour de quelque
chose... c'est plus un pied ce sont des corps entiers
dans la glu... du bitume a fui, glu dessus et autour...
gras enduit noir... ah, oui!... un homme, une femme
et un enfant... l'enfant au milieu... ils se tiennent
encore par la main... et un petit chien à côté... c'est
un enseignement... des gens qui devaient se sauver,
le phosphore a mis le feu au bitume... plus tard on
m'a dit, des mille et des mille... nous on n'était pas
là pour rire, le lait qui nous intéressait, et une boule,
un pain, en somme, une boutique... je crois, à réfléchir que ces décombres étaient dangereux, cadavres
à part... ça explosait un peu partout... les feux étaient
pas très éteints, et je voyais le bitume... plus on
avançait plus il était mou... vachement à se méfier,
comme les sables mouvants, vous savez, la baie du
Mont Saint-Michel... mais ici l'odeur de brûlé... pas
tellement des corps, il faisait trop froid... au printemps ça cocoterait... y avait de quoi rire, mais
d'abord chercher à manger... le ravitaillement, on
m'excusera ce mot me dit beaucoup... avec n'est-ce
pas la brique, ma tête, j'ai droit à quelques souvenirs, ils me viennent comme cheveux sur la soupe...
oh tant pis! patati!... Verdun, je veux dire octobre 14,
le ravitaillement du 12ᵉ... j'en étais avec mon fourgon... le régiment dans la Woevre... je vois encore
ce pont-levis de Verdun... debout sur les étriers
j'envoyai le mot de passe... le pont-levis grinçait,
s'abaissait, la garde, les douze hommes sortaient

227

vérifier... les fourgons un par un... l'armée alors était
sérieuse la preuve elle a gagné la guerre... nous
entrions donc dans Verdun, au pas, chercher nos
boules et sacs de « singe »... on ne savait pas encore
le reste, tout le reste!... si on savait ce qui vous
attend, on bougerait plus, on demanderait ni pont-
levis, ni porte... pas savoir est la force de l'homme et
des animaux...

Nous là maintenant c'était pas la porte, je vous
parle d'Hambourg... j'avais qu'à y aller, y entrer,
avec ma bande de baveux!... le goudron brûlait plus
mais il était encore bien mou... il avait eu chaud...
on enfonçait pas, mais les pieds marquaient, c'était
mieux de pas insister... sûrement plus chaud encore
en ville, du côté de ces explosions... par là ça devait
bouillir... c'était de pas y aller... mais le ravitaillement?... nous n'irions pas loin... où ça semblait
encore possible... juste l'autre côté du petit canal...
c'est tout en petits canaux Hambourg, un peu le
genre Venise... celui-ci était presque comblé par les
éboulements... mais que par endroits... vous pouviez
passer... « courage corniauds! par ici »... je les avais
toujours pas comptés... ils viennent ils traversent
avant nous... nous je veux dire Lili et Bébert dans
son sac, Felipe sa bâche sur la tête, et moi titubant...
encore des ruines, les décombres d'une rue, des monceaux de tout, comme à Berlin... mais ici en plus
chaud, il me semble... je dis des monceaux, plutôt
des buttes!... celle-ci là tout de suite est énorme je
vous dirai comme grosseur, hauteur... de la Trinité
à la place Blanche... sûrement des quartiers entiers
là-dedans pris là-dessous, immeubles et personnes...
d'où aussi bien sûr cette odeur... ces odeurs, je dirais

nous nous assoyions... pas mal... bien un mont aussi haut je vois que celui de Lunebourg, où j'avais vu, vous vous souvenez, tout à la crête, ma première locomotive... nous nous reposons... tout à coup une idée me passe... « nos mômes? nos si emmitouflés morveux?... tous disparus?... » Felipe! Lili! les mômes... ils savent pas... ah, si! Lili les a vus... ils s'amusaient, ils se bousculaient... de l'autre côté de la butte... je me dis : ça y est!... ils sont dans un trou!... j'étais sûr... leur manie les trous... j'avais remarqué... leur manège, disparaître... s'enterrer, à deux, à trois... engeances, crottes d'asiles!... où ils peuvent être?... sous une maison?... « Lili! Felipe! » qu'ils cherchent avec moi, tout de suite!... y a aussi les brèches, les fissures... une grande là, assez large pour qu'ils passent tous... ils doivent être déjà au bout... j'appellerais ils répondraient rien, ils sauraient pas... sourds crétins baveux... mais tout contrefaits comme ils sont ils peuvent bien passer par les trous et entre les rocs et les ferrailles... Catacombes sont bien faites pour eux... il doit y avoir de tout là-dedans... je vous ai dit un peu la hauteur, d'où nous sommes à là-haut la crête, à peu près de la Trinité à la place Blanche... vous vous rendez compte? les mômes étaient peut-être écrasés? asphyxiés?... au grand air, à la lumière ils avançaient déjà que par bonds... ils s'extirpaient d'un trou, un autre... dans les ténèbres là absolues, je pouvais pas imaginer... on pouvait supposer, c'est tout... jusqu'où nous étions avancés dans cette fissure?... si les mômes étaient enfouis, disparus écrabouillés, on retournerait au train c'était tout... d'eux-mêmes ils étaient foutus le camp!... Lili me dit : « le mieux tu vois c'est de laisser aller Bébert!... »

comme ça un trou Bébert irait, c'était sûr, lui était
pire que les mômes, question de disparaître, il fon-
çait... et puis il trouvait, il miaulait... « lâche-le!... »
Lili le pose à terre... comment les mômes ont pu
passer?... je me demande... Bébert entre facile, il
va... Lili l'appelle... il miaule... un miaulement tranquille... Lili me demande pas, elle va aussi, pas le
temps de faire ouf... à genoux elle y va, elle peut se
risquer, elle est acrobate... moi, je pourrais pas, ah
si!... je peux!... à genoux!... de même... hardi petit!...
arrive ce qu'arrivera!... aïe donc!... c'est de la terre
glaise... j'appelle... « je viens!... je viens! » Lili me
répond... ça va!... je progresse... sur les coudes... par
les coudes... j'aurais pas cru... de dehors ça s'imagi-
nait pas, le passage s'agrandit, je veux dire cette
espèce de crevasse... dirons en somme un couloir...
pas droit, à détours et zigzags... toujours en pleine
glaise... pas il me semble de la fragile glaise croulante
seulement très mouillée, poisseuse... je comprends
pas comment ça s'est fait... pas vu d'autres pareilles
sur Hambourg semblables monticules... aussi hauts,
énormes... bien sûr les fumées cachaient tout... ni
des buttes creuses comme celle-ci... je suis pas géo-
logue, spécialiste... j'appelle « Lili!... Lili!... oui!...
oui!... oui!... viens!... » Felipe aussi a à me dire...
« *Dottore! Dottore!* » il est pas resté à la traîne, il a
pris le boyau comme nous... là, maintenant d'ici, je
suis sûr que ça sent le cadavre... rats morts ou
gens?... on verra... peut-être?... c'est une aventure,
je veux dire, dans un genre... en somme à bien regarder cette butte fait cloche... butte si on veut comment ça avait pu se produire? on peut toujours imaginer un coup d'arme secrète?...ils en avaient parlé!...

que c'était l'écrasement de l'Angleterre, et patati!... mais tout serait revenu sur eux, alors? ou bien l'explosion d'une soute à munitions juste là, réserve à torpilles?... c'était arrivé ailleurs... d'où cette énorme butte?... y avait personne pour nous dire... je vous ai fait voir comme hauteur, de la Trinité à la place Blanche... toujours maintenant nous avancions très prudemment, pas à pas... dans un demi-jour, d'en haut de là-haut, de cette crevasse... j'hurle, je demande... « t'as du jour toi?... oui! oui! viens, il fait clair!... » du jour dans cette grotte?... grotte en surface, si j'ose dire... vous me comprenez... trois-quatre fois haute comme Notre-Dame... en avançant je vois, c'est certain... ce doit être la fissure d'en haut... crevasse je dirais au sommet... cratère, je l'ai appelée... y a pas de fissures que dans les côtés... cette butte en somme a des trous partout... vous vous expliquez vous vous rendez compte une géante cloche en glaise fragile... cloche en somme une cloque... une soufflure géante en terre glaise... d'autres ont dû la voir, enfin peut-être... ils pourront un jour, témoigner... et pourtant ça tenait!... la preuve que nous avancions Lili moi, Felipe et Bébert... d'en haut il venait pas que du jour, bien sûr il pleuvait, les parois ruisselaient... y a des spéléologues, dans les Alpes, Dolomites, Pyrénées, Hautes, Basses qui s'envoient tous les dimanches des descentes autrement ardues... nous c'était que gluant, pas grand-chose... forcément, la glaise... ça aurait pu s'effondrer, tout, l'espèce de cratère là-haut, céder, rompre... oh certainement, mais toujours pour la minute nous avancions... je vous ai dit l'effet, trois ou quatre fois Notre-Dame... le tunnel que nous avions pris si

231

riquiqui au début était devenu une géante grotte...
et surtout on y voyait presque... le jour venait d'en
haut, de tout en haut... du trou du cratère... l'effet
je vous répète d'une géante nef en pleine glaise,
pleine?... pas tant que ça... parois je crois assez
minces... comment ça s'était produit?... cloque cloche
ou coquille?... par une tempête dans le sous-sol,
une levée de terre, explosion d'une soute à torpilles... c'était arrivé ailleurs... y avait peut-être
d'autres buttes semblables dans Hambourg même...
des soufflés cloches... j'avais pas vu je pouvais rien
voir avec les fumées... enfin nous étions arrivés je
crois tout à fait au-dessous de la crevasse... et sûr,
ça sentait le cadavre... bien plus que dehors... je
n'avais vu aucune bête morte, ni rat ni chien...
moi, n'est-ce pas épidémiologiste j'observe... j'observe tout de suite... j'étais assez étonné... dehors
on avait vu plein de corps, roulés dans le bitume,
en robe... refroidis... Harras nous avait prévenus...
pas que des corps entiers... des membres... des pieds
surtout... Hambourg avait été détruit au phosphore
liquide... on avait fait le coup de Pompéi... tout
avait pris feu, les maisons, les rues, le macadam et
les gens à courir partout... et même les mouettes sur
les toits... la R.A.F. regardait pas!... toute la sauce!...
le plein air, les toits et les sous-sols!... moi j'ai du
mal à ne pas vous perdre... là il s'agit de savoir un
peu pourquoi ça sent si fort le cadavre?... j'appelle...
Lili est là... et tous nos mômes avortons?... tous?...
je les compterai plus tard... et Felipe?... il est là,
il nous a rejoints... ils regardent... quelque chose...
il faut avouer, une surprise!... une épicerie!... comme
plaquée contre le fond, et de glaise, prise dans la

232

paroi... je dis : épicerie, vous me comprenez : *Kolonialwaren*... comment elle est là? comment elle tient?... et l'écriteau, on peut pas se tromper!... en splendides lettres d'or sur fond rouge... et pas une petite pancarte... un long, large panneau... je me rends pas compte... Felipe regarde... il comprend lui... « c'était une épicerie, *dottore!... vroomb!* engloutie!... vous comprenez? » Felipe a raison, il a compris avant moi... un petit tas de briques... deux tas... sur de l'immeuble... vous voyez un peu le cataclysme?... croyez pas que j'exagère... si je vous dis que demain la France sera toute jaune par les seuls effets des mariages, que toute la politique est conne, puisqu'elle s'occupe que des harangues et des mélis-mélos de partis, autant dire de bulles, que la seule réalité qui compte est celle qui se voit pas, s'entend pas, discrète, secrète, biologique, que le sang des blancs est dominé, que les blancs peuvent aller tous s'atteler, très vite leur dernière chance... pousse-pousse ou mourir de faim... allez pas dire que j'exagère... mais tout de même que je vous perde pas!... j'en étais à vous expliquer sous cette géante voûte que cet épicier macabre perdait ses boyaux dans la glaise... j'ai le droit de voir les gens un peu troubles, j'ai l'âge, vous rectifierez, et c'est tout! en somme vous m'aidez... pas seulement une épicerie, d'autres magasins pris dans cette glaise... les débris je crois d'un restaurant, plus loin, un tailleur... ah que de tabourets et comptoirs!... tout en bouillie... dehors y avait des cadavres, sur le port, à travers les rails... on avait vu mais surtout des membres, pris dans le bitume, englués... là dans cette grotte, je veux dire sous cette cloche de glaise, cadavre j'avais vu que l'épicier... mais ni de rats crevés ni d'autres animaux... tout de même l'odeur était plus forte que d'un cadavre, j'ai l'habitude... y en avait d'autres!... mais les mômes? pisseux baveux... je les voyais plus! je demande à Lili... Felipe lui savait, ils étaient entrés dans une autre fissure... tous! encore dans la glaise... ah je le revois!... là!... le cadavre... je dirais un mort de cinq à six jours... il fait froid il a pas beaucoup fermenté, tout de même il sent... je m'approche... c'est un commerçant à sa caisse... assis... la tête, le buste croulés en avant... un pharmacien? un épicier?... je dis à sa caisse... la caisse c'est sûr, le tiroir ouvert, bourré de *mark papier*... et une boîte, ouverte aussi, pleine de tickets de ravitaillement... voyez, je précise... mais ce qui m'intéresse : de quoi il est mort?... oh, d'un éclat! les boyaux lui sortent par une plaie d'à peu près la hanche au nombril... éventré, en somme... les intestins et tout l'épiploon sur les genoux... un éclat de mine?... Felipe saisit plus vite que moi... il me montre là-haut, de tout au sommet, la brèche... que j'ai appelée le cratère... *vroomb! dottore!* qu'une torpille d'avion a percuté juste!... est entrée là!... et *vroomb!* comme il dit... ouvert la boutique, les boutiques, et le pharmacien... ou l'épicier... je ne savais pas... en tout cas une caisse pleine de marks et de tickets de ravitaillement... mort là, il pue... les mômes se sont pas arrêtés, ils s'intéressent pas aux macchabs ils s'intéressent qu'aux fissures où peuvent-ils fouiner en ce moment?... dans le fond?... un autre fond?... foutus morbacs... suivons!... suivons!... qu'ils aient versé dans un gouffre?... un autre?... y avait rien à être surpris, c'était pas à une crevasse près... en somme un endroit pas à recommander, je veux dire aux touristes d'abord cette grotte n'existe plus... je vous ai dit la hauteur, et en somme fragile, tout en glaise... phénomène peu imaginable hors ces très rares circonstances, explosion de toute une casemate souterraine... les éléments en somme, hors d'eux! et mes baveux drôles?... et Bébert? disparu avec... j'étais pas étourdi de nature mais maintenant j'avoue je laisse aller... la fatigue c'est sûr, vous savez, et cet accident... je vais pas vous parler de la brique... suffit!... d'abord la marmaille!... Lili les appelle... Bébert qui répond... *miaou!* et il vient... de par là, d'une autre ouverture... je vous disais cette cloche, cloque, grotte, ce que vous voudrez, est tout à surprises... *miaou!*... sûrement lui a été au fond... et nous alors?... les deux parois bien gluantes, dégoulinantes... enfin ça semble aller quelque part... j'ai plus mes bâtons... Felipe je remarque a plus sa bâche, il l'a laissée à l'entrée... il aurait pas pu... c'est mieux ainsi... moi aussi j'aurais pu rester à l'entrée... zut!... qu'ils se débrouillent!... l'autre, avec ses boyaux partout... épicier?... pharmacien?... je ne sais pas... j'entends plus rien je croule et ça y est... ils feront ce qu'ils voudront... je vous raconte comme ça s'est passé.

Je serais resté là sur le dos, je peux pas dire que j'aurais dormi... dormir demande beaucoup de force, et justement j'étais bien faible... faible à un point que Felipe et Lili se demandaient ce qui m'avait pris si c'était pas le cœur... je les rassurais, je faisais effort pour me relever...

— Tu crois que tu pourras?

— Pas tout de suite... dans un moment...

J'avais encore très bien conscience, la preuve je leur dis :

— Allez voir ce que font les mômes, vous reviendrez me dire...

Quand vous êtes dressé à la bonne école, anarchiste, pas anarchiste le devoir vous tient, moi les mômes baveux, et surtout leur lait... ils en trouvaient peut-être en ce moment?... Dieu sait si ils étaient foutus!... pas à parler, pas à regarder, objets de bocaux... mais pour disparaître là je vous assure : phénomènes!... un trou vous les voyez plus!... n'importe quelle crevasse, boue cendre, glaise, ils disparaissaient... vous réapparaissaient l'autre côté, l'autre fissure... maintenant ils devaient être planqués... dans quoi?... un grenier?... puisque tout était à l'envers, les hauts dans les caves?... sûr Bébert était avec eux, Lili avait qu'à le faire miauler... moi personne m'obéissait... tout de même j'aurais dû me secouer, me remettre debout, aider Lili et Felipe... les aider à quoi?... je comprenais peu à peu leurs mots... oui, les aider qu'il s'agissait...

— Ah nom de Dieu!

Que je fais, en sursaut... je me soulève, je flageole, mais je tiens!... « là! là! » je regarde... j'ai trouvé!... c'est dans l'ombre... je dirais, un décor! une sorte de... dans la glaise... en pleine glaise... une porte... une porte en bois... je vois qu'ils me demandent de les aider... ils ont essayé... ils veulent qu'elle cède... où va cette porte?... c'est un décor, un fond de boutique... je vois maintenant au-dessus de ce battant et le long de la paroi, la cloison de glaise, plein d'étagères... et pas rien dessus! surchargées!... très haut! presque jusqu'en haut, boules, saucissons, et boîtes de lait... je vous dis très haut, je vous répète, cette hauteur, trois à quatre fois Notre-Dame... vous me direz que j'exagère, y a eu des témoins, je crois... juste ce qu'il nous fallait, des « laits condensés » à gogo! et ces mômes?... ils étaient paraît de l'autre côté de la lourde... pourquoi?... ils s'étaient fait renfermer!... ils étaient tous pris dans la glaise, dans un alvéole, et avec Bébert... on l'entendait miauler Bébert... sûrement lui pourrait échapper... ça devient rien du tout un chat quand ça décide qu'il doit être mince... encore plus mince... nos mômes sûrement pouvaient tenir à douze ou quinze dans n'importe quel trou... je les avais pas comptés... en plus je vous ai dit, baveux, visqueux... et recroquevillés... ils passaient par n'importe quel trou, des fentes vous vous demandiez comment?... et j'ai été accoucheur, je peux dire passionné par les difficultés de passages, visions aux détroits, ces instants si rares, où la nature se laisse observer en action, si subtile, comment elle hésite, et se décide... au moment de la vie, si j'ose dire... tout notre théâtre et nos belles-lettres sont au coït et autour fastidieux ressassages!... l'organisme est peu intéressant, tout le battage des géants de plume et de cinéma, les millions de publicité ont jamais pu mettre en valeur que deux trois petites secousses de croupions... le sperme fait son travail bien trop en douce, bien trop intime, tout nous échappe... l'accouchement voilà qui vaut la peine d'être vu!... épié!... au milli! partouze?... Dieu sait si j'y ai perdu des heures!... pour à peine deux... trois remous de fesses! regardez les romans, nos maîtres, qui lésinaient pas aux spectacles, eux se laissaient pas tromper, s'il fallait que ça s'entretue!... s'ouvre les poitrines, cages thoraciques... que les sénateurs, et Mesdames descendent des tribunes dans l'arène, mater les agonies saignantes, et les cœurs encore palpiter avant qu'on les arrache, final, jette aux fauves... tout ce qui manque aux nôtres, besogneux pancraces, que nos sénateurs et leurs dames passent les cordes, montent chatouiller les agoniques, arrachent, jettent leurs cœurs au peuple... ce pauvre cher peuple qui hurle pour rien!... *mgnam! mgnam!* qu'il se régalerait!... nous avons la décadence flasque... se touche, se touche et se finit pas... moi aussi zut!... velléitaire... je vous laisse en plan... nous étions devant cette foutue porte et tous nos mômes de l'autre côté...

soi-disant!... alors en chœur contre cette porte!...
on tire, on pousse!... elle gode... elle gode... elle va
céder... et *vlang!* moi qui prends! tout!... un... deux...
trois pains de sucre!... et toute l'étagère!... deux!...
qui me coiffent!... et toute la camelote! ma tronche!
vous direz : il le fait exprès... non!... comme pour la
brique... non!... une fatalité ma tête!... j'ai la grosse
tronche mais quand même... comme pour la brique...
un sort?... ou juste pour vous amuser?... *prong!* en
tout cas ça sonne!... du gong!... j'insiste pas... ça va!...
je suis ébranlé, je veux dire j'y suis plus... j'entends
plus rien, je perds connaissance, je devrais commencer
à m'y faire, j'ai honte je défaille pour presque rien...
c'est le coup de brique!... Hanovre, cette façade...
aux autres de se donner du mal!... comateux suis!...
les autres? Lili, Felipe... pour une fois, j'avoue, je
bouge plus... je crois qu'ils essayent de me réveil-
ler... et même ils me secouent... il me semble et puis
peu à peu, j'entends... oh, je vais pas remuer!...
qu'ils s'agitent!... j'entrouvre un œil... je vois un
môme... deux... des nôtres... ils sortent du fond...
c'est vrai, ils étaient au creux de cette crevasse...
la preuve!... cinq... six... et qui portent chacun
quelque chose... ils vont vers où... Felipe leur montre...
je comprends, ils doivent porter leurs paquets à
l'extérieur... camelote de quoi... de qui?... sûr des
boîtes de lait!... une épicerie?... une pharmacie?...
j'y vois mieux... chacun une boîte... et pas que du
lait, aussi des boules et encore... des confitures...
ils vont vers l'entrée... là qu'était la bâche, l'énorme
que Felipe portait sur sa tête... il l'avait étalée
dehors... ça que les mômes y allaient va-et-vient
vider boîtes et boules... ils bavaient toujours, petits

crétins, mais tenaient mieux debout, il me semblait,
se ramassaient pas tant, et même je crois y en avait
qui s'amusaient... là-bas aux wagons j'en avais
pas un vu rire... ça va vite mieux les enfants, seulement un petit coup d'aventure, même les pires
débiles comme ceux-ci, vous les voyez reboumer
espiègles!... tout de même si avortons qu'ils soient,
vous les suivez plus, ils sont dans le sens de la vie...
l'autre bord les vioques, vous filent, vous filent,
quoi que vous fassiez! ménopause venue l'athlète
qui se raccroche, le premier ministre asthmatique,
sont plus que baudruches à l'égout... bien plus ridicules que nos mômes d'asiles, pourtant très chétifs,
bien navrants, mais eux on pouvait espérer, l'athlète
fini on ne peut plus rien, le ministre qu'était tout
vent avant, a plus de vent du tout... les nôtres
mômes là passaient... passaient chacun avec sa confi-
ture, une boule... où ils allaient porter tout ça?...
je crois à l'entrée de notre crevasse... ils revenaient
tout de suite... je devrais bien me secouer... voir ce
qui se passait... d'abord, vous remarquerez, aucune
illusion... cette géante voûte, cette cloque de glaise
ne durerait pas... je vous ai dit cette hauteur, au
moins trois fois Notre-Dame... un autre coup sis-
mique, pareil, un autre remou des profondeurs, elle
existerait plus, elle s'émietterait... ceux dessous avec...
je voulais bien me lever... mais la force?... oh, j'avais
bien repris connaissance, mais question de me remettre
debout... Lili, Felipe viennent, m'aident... oh, c'est
un coup d'« hardi petit »! je comprends tout de
suite... voilà! j'y suis!... la même crevasse... d'une
paroi l'autre... que ça glisse!... tout en descente...
la glaise mouillée... et voici le jour... le plein jour!...

c'est là!... c'est ça!... j'avais bien deviné!... ils font que ça nos mômes!... ils apportent tout au bout de cette crevasse, leur va-et-vient, des planques des boutiques, les qu'on avait vues... enfouies dans la glaise, pharmacie?... épicerie?... j'ai jamais su... je suis sûr que de l'éventré à sa caisse, ses boyaux partout... ça les amuse... boules, boîtes de lait, confitures... leur queue leu leu... et quantité de tournevis... des tire-bouchons, des ouvre-boîtes... ça c'est plutôt d'une épicerie... et des bouteilles, en vrac des flacons plutôt... je crois flacons de liqueur... une forte réserve alcoolique... ils bahutent tout dans cette bâche, bien ce que je pensais, à l'entrée... la bâche à Felipe... qu'est-ce qu'il planquait l'épicier!... il a son compte à présent, le bide grand ouvert, boyaux partout...

— *Dottore! Dottore!* nous sommes en retard!

Felipe me relance... sûr il a raison... je me rendais mal compte...

— Bien sûr!... au train!... au train!

Les mômes demandent pas mieux... mais on a à trimbaler... plein la bâche... on la tire à nous, nous tous ensemble, par tous les bouts... à la traîne la bâche!... elle est solide... nous ne sommes pas tant, mais nous les mômes, on arrivera... au fait je les ai pas comptés!... on prend le même parcours, la crevasse, elle glisse... il est tombé un peu de neige... pas beaucoup, une poudre... en avant donc pour ce train, nos plates-formes!... mettons qu'elles y soient encore!... que ce train n'ait pas déménagé! en tout cas de là-bas, de là-haut du remblai, on nous interpelle!... et rauque!... *los! los!*... un fritz!... deux fritz!... qu'on radine!... pas des voyageurs! les voya-

241

geurs parlaient pas... les mécaniciens qui ont hâte...
mais nous on a les provisions... c'est pas eux qui
ballottent la bâche, c'est nous et nos mômes les
baveux... et pas commode, que par à-coups!...
reposent! et hop!... plus loin!... l'énorme camelote...
c'est pas eux, c'est nous!... agrippés!... Bébert suit
lui, libre... il nous regarde... ça va! on vient!... encore
tout le long du bassin... vous nous voyez... ce mal!...
los! los!... ils sont impatients, là-haut!... ils vien-
draient pas nous aider!... nous qu'on succombe, ils
s'en foutent! qu'est-ce qu'il y a là-haut si urgent?...
le feu?... y a toujours le feu, et partout!... pardi!
imbéciles!... « *ja! ja!* on arrive! »... nous y sommes
presque... mais vrai les mômes trébuchent trop, ils
peuvent plus... ils se laissent traîner, avec la bâche...
ils s'agrippent... on s'arrête, on les remet debout, si
on peut dire... et tout repart!... voilà!... voilà! les
autres là-haut, maintenant je les vois, les deux
impatients... *los! los!* deux mécaniciens... on arrive!...
et qu'est-ce qu'on rapporte!... si y avait de la planque
sous cette butte!... cette cloque... je vous ai dit... je
vais pas vous raconter encore... haute, deux ou trois
fois Notre-Dame... là on y est presque... plus que les
cailloux... et le remblai... mais je ne vois pas un
voyageur... plus un! ils sont partis dans Hambourg?...
ou ils sont retournés d'où ils venaient, blottis entre
les projecteurs?... tout le long des plates-formes?...
toujours nos deux hurleurs se calmaient pas... *los!*
los! qu'est-ce qu'ils avaient de si urgent?... *was?*
was?... je gueule de même!... quoi? ...la R.A.F! les
« forteresses »!... ils sont en alerte!... épileptiques moi
que je les trouve!... c'est toujours « alerte » oui ou
non? qu'on se magne! ils beuglent... il faut dégager

les plates-formes!... tout doit brûler!... bon!... en avant!... et Odile? oh, elle, elle bouge pas!... que tout tonne!... que tout flambe!... elle veut pas de notre offre qu'on l'emmène!... non! elle tousse, elle crache le sang, ça va! elle ne veut plus voyager du tout... que je les emmène ses avortons, que je les sauve, elle nous les donne! ils ont l'air de se plaire avec nous, même ils rigolent, enfin leur façon, en hoquets et bave, la première fois qu'on les voit rire, ils clopin-clopinent, butent, s'étalent, bavent, pleurent, mais en somme gaiement... Felipe leur ouvre les boîtes, à tous, d'abord avec un bout de fer puis avec le vrai instrument, y en a plein la bâche... si ils tètent tous!... « en voiture »... les mômes s'oc-cupent pas d'Odile, ils nous voient monter, ils montent, tous, ils se casent sur la première plate-forme, avec nous Lili, Bébert, moi... mais la came-lote?... nos boîtes, confitures, boules?... et les plaques de chocolat? Felipe nous aide, et les deux vieux mécaniciens, toute la camelote et la bâche, sur notre plate-forme!... oh hisse! tout de suite après la loco... seul j'y arrivais pas, restais là... je dois dire les petits crétins aident, ils s'y mettent tous, combien ils sont?... je les avais toujours pas comptés... on laisse quatre boîtes à Odile, des confitures et plein de boules... on a! on a!... « Felipe!... Felipe!... » il a pas demandé son reste, il me répond de l'autre côté des voies, une autre plate-forme, il s'embarque aussi, au plus vite, son dur est formé!... son « Magdebourg »... « Dottore! Dottore!... » il va retrouver *soun pâtroun*... je lui réponds pas... que je me hisse d'abord! notre plate-forme... avec la bâche, grâce à la bâche, je vais pouvoir!... j'accroche, j'y suis!... ça y est!... en plein dans les provisions!... si les mômes hoquent, marrent!... si je suis comique!... m'en fous!... ça y est!... nos deux birbes mécaniciens les deux insolents, se moquent de nous, aussi!... oui!... ils sont vieux, comme moi à présent, « alerte », pas alerte, qu'est-ce que ça peut vouloir leur dire?... un certain âge plus rien veut dire... à moins d'être de publicité, marchands de « pilules éternelles »... toujours on a de tout, et je suis couché dessus... qu'est-ce qu'on a ramené de cette grotte!... enfin cette cloche... cloque... de ces tréfonds... épicerie enfouie?... on a de tout!... on aura le temps d'inventorier... victuailles, boîtes et les souvenirs... « en route!... en route! *los! los!...* » mon tour d'hurler!... qu'on évacue ces fouteries de plates-formes!... ah, ça va brûler!... j'ai compris! moi aussi que je leur crie : alerte! alerte! et que ça fonce!... prolonges, loco, et confitures et boîtes de lait!... bien plus qu'eux « alerte » les deux septuagénaires là, mécaniciens insolents, chauves édentés... qu'ils se permettent de donner des ordres!... « fainéants! fainéants!... » je leur rive leurs clous... « roulez! roulez! saboteurs!... gâteux!... *traîtres!...* » le mot que je sais bien : *verräter* ils me connaissent pas!... sur leur engin!... ils vont savoir! ça agit!... preuve! notre prolonge tremblote et moi-même, et Lili, Bébert dans son sac... ils ont mis en route... on va bouger... ça y est! heureux que je me suis imposé, on y serait encore!... la colère a du bon des fois surtout quand on n'a plus de force... enfin, on va!... cette loco ne siffle pas, ni de *pouf! pouf!...* je fais pas d' « au revoir »!... à personne... ni à Felipe ni à l'Odile... ils étaient décidés, les deux!... bien! des caractères? bon! moi aussi, salut!... la preuve que je

244

suis là et que je me souviens très exactement... et que je n'ai pris aucune note, vous pensez!... que je suis là, pas fier, mais sérieux... et que j'ai tout autour de moi... bien des imbéciles, déchaînés jaloux morveux baveux, pire que des gens qu'ont fait Lourdes quatre... cinq fois... supplier qu'on ne crève... bien entendu je suis sur mes gardes... l'autre ses crachements de sang... le rital et sa brique...

D'abord ils ont bien dormi, je veux dire les mômes, quelques-uns là, tout près des autres, et encore au bout de la plate-forme, entre une dynamo et je dirais un transformateur, un engin en cage, plein de ressorts... pour être cahotés, tressautés, y avait de la gâterie... et tamponnages d'arrière et d'avant... sûr, cette voie avait été refaite, on pouvait voir, très sommairement... le principal, on avançait, et même assez vite... nous avions connu des voies pires... Lili me demande...

— Jusqu'où maintenant?

J'en savais rien... ces deux vieillards de la Diesel devaient avoir une idée... dans une heure... deux heures je demanderai... je veux pas les questionner tout de suite... d'abord, moi aussi la force?... je pourrais rien demander à travers ce bacchanal... de rails, plates-formes, sursauts, de chaînes... faudrait que j'hurle... je tiendrais pas debout...

— Tout à l'heure, à l'arrêt, Lili! je demanderai, à l'arrêt!...

Ce train d'ustensiles s'arrêtera bien, un moment, je crois... j'étais pas sûr... ces deux vieillards si

malgracieux me semblent bien capables de s'arrêter
jamais... je voyais pas beaucoup la suite... on était
plus que Lili et moi... fini Harras... fini Restif... fini
La Vigue... même le Felipe était parti, et ses briques...
lui avait été qu'un moment... l'Odile avait pas
compté... juste pour nous refiler sa marmaille... au
fait combien ils étaient?... baveux d'asiles?... j'allais
pas regarder sous les bâches... plus tard!... au moins
douze... quinze... il me semblait... et Felipe?... Le
Felipe me revenait... et sa brique... je l'avais peut-
être accusé à faux?... mais c'est accusant tout travers qu'on risque un peu de tomber juste... par
réquisitoires à tâtons... principe assez drôle, toutes
les erreurs judiciaires, tous les décapités indus,
furent au moment, irréfutable... indéniable justice,
cousue main... oh mais je divague! la berlue! je
n'aurai jamais de ces idées à trois-quatre grosses
conneries la ligne, bien tassées, que vous vous voyez
sacré prodige, envoyeur de messages comme pas,
qu'avant vous personne n'existait, et qu'après vous
ça sera bien pire, retour à zéro, les robots en panne...
toutes les terrasses en branlettes sèches... pour ce
qui me concerne, je réfléchis, aseptisé par dix mille
haines, tranquille que je ne gênerai personne, encore
longtemps après décès, ma mise très humble aux
astibloches mes vrais seuls sérieux amateurs...
assez!... je débloque!... chaque chose en son temps!...
je dois vous expliquer cette plate-forme... vous me
direz : ça suffit!... vous aurez raison... au moins
dix... vingt fois que je vous raconte... et notre tourisme assez spécial sous les tunnels, puis en plein
air... par exemple ici, plate campagne, presque
sans herbes... la mer ne doit pas être très loin... les

mouettes planent... assez en somme le genre Zornhof. Au fait, les von Leiden?... les Russes devaient y être?... flûte, à nos oignons! s'il vous plaît, ici ma boussole!... je l'avais toujours en sautoir... je voulais pas qu'on me trompe... nord!... nord!... nord!... ici je l'ai toujours cette boussole posée là, rouillée, souvenir... je l'avais fait acheter en Suisse, en fraude, pour passer en Suisse... comme le tourisme nous a tentés, nous qui ne bougeons plus jamais... mais qu'on voudrait faire décamper, toujours, toujours... très salissants, impossibles êtres... moi qui ne dis jamais un mot, qui ne me montre jamais, et qui ne reçois jamais personne... oh bien sûr, aucune importance, parvenu un certain tournant, plus rien compte, que la rigolade et le cimetière... en tout cas, une chose là, sûre, nous allons bien nord... plein nord, et même assez vite... et déjà depuis au moins une heure... la nuit va tomber, je me dis il faudrait que les mômes boivent, ils ont eu que du lait, ils dorment mais ils se réveilleront... et nous n'avons pas d'eau à boire... peut-être les autres plates-formes?... je me demande... à la locomotive?... sûrement, pas loin, nous sommes juste après... mais je ne vois pas nos deux vieillards mécaniciens... ils ont mis en route et ils se sont planqués?... possible! toujours ils s'occupent pas de nous... le ciel s'occupe pas de nous non plus... notre chance!... deux... trois ronrons d'avions très loin, très haut, c'était tout... pas des allemands, y a plus de fritz au ciel... à cette allure, j'ai assez étudié les cartes, le canal, le fameux « mer du Nord-Kiel » doit pas être loin... je le dis à Lili... « là y aura du sport »!... elle comprend pas... moi je sais, j'ai fait bien des fois ce canal, médecin de bord,

aux émigrants... la ligne Havre-Dantzig-Leningrad...
par petits cargos, et tonnages sérieux *Kansas,
Colombie,* navires sûrement qui sont au fond, l'heure
actuelle... toujours je connaissais bien ce canal, pas
rigolo, un de ces courants d'air surtout! grelottine
d'une mer à l'autre, même l'été, entre ses parois
géantes, rocailles et pins rabougris... vous étiez heureux d'en sortir... tout du long, des ponts et passe-
relles plus hautes à peu près que le premier étage de
la tour Eiffel... vous dire le grandiose achèvement, le
prestige que ça avait valu à l'Empire Guillaume...
certes cet Empire en a vu d'autres! là maintenant
dans l'immédiat j'aurais voulu avoir à boire... les
mômes aussi, je crois... y avait à manger plein la
bâche, mais comme liquide je voyais que les fioles...
des flacons à étiquettes, de quoi? j'y goûterai pas...
de pharmacie ou d'épicerie... je demanderai aux
deux vieillards de la « Diesel »... eux voudraient
peut-être essayer... c'était de la gnôle, il me semblait
mais faudrait encore que je les voie... ils devaient
être planqués, peut-être eux aussi dormaient?... on
allait moins vite, beaucoup moins... on arrive peut-
être quelque part? oui!... une montée... ça va y
être... tout s'arrête... la locomobile et notre plate-
forme et toutes les autres, la queue leu leu... maintenant il fait presque nuit... personne descend des
autres prolonges... les gens sont restés à Hambourg...
hommes, femmes... ils venaient d'où?... j'ai jamais
su... toujours une chose nous sommes que Lili moi
et les mômes... et tout le matériel l'énorme bric-à-
brac... vers le nord... vers le nord où? je ne sais pas,
je demanderai... il ne fait pas nuit absolument... une
grisaille, une demi-nuit... je crois effet de projecteurs

très loin... assez pour être sûr que nos deux vioques sont descendus de la Diesel et qu'ils tâtonnent notre plate-forme, le rebord...

— Alors?... alors?... *Wasser?*... eau...

Je demande.

— *Da!... da!*

Ils me répondent... l'eau est plus haut! plus haut où?... je descends voir, pas tout seul, avec Lili et Bébert... bien sûr tous les mômes aussi... tout ça s'extirpe de sous les bâches, dégringole... ils sont au remblai avant nous... eux qui arquaient vaseux cloportes maintenant je les vois presque agiles... l'aventure c'est ça pour les mômes, si baveux ils soient, ils reprennent vie, ardeur, quatre cents coups!... vous vioque, au rebord, pantelant, y a des conditions, des itinéraires, tant pis pour vous! maintenant ces mômes sont sur le remblai, je vous ai dit... l'eau n'est pas loin, à peu près cent mètres, en montant, en suivant la voie... un énorme baquet... les mômes y sont avant nous... ils boivent à même, toutes les têtes dedans... nous aussi alors!... Bébert lui veut pas, il ne boit pas... je demande à nos deux vieillards si on va repartir?... pas encore! il faut attendre la fin de l'alerte!... nous n'avions rien entendu, ni Lili, ni moi... et là qu'est-ce que c'est?... le pont du *Kanal!* oh je m'étais douté que nous en approchions... et nous y sommes!... je veux observer si c'est exact, ça doit être là, encore quelque pas, vrai!... le vide et plein de poutres en fer, et des arceaux, c'est bien réel, c'est bien le canal... ils ont pas menti... tout au fond de ce noir, du vide, je dirais de cette tranchée... deux... trois... quatre falots qui clignotent... dix peut-être?... des navires?... je crois pas... mais je sais... j'ai pas besoin qu'on me renseigne... *Unter-seebooten!* sous-marins... je connais bien les choses de la mer... non! pas bien, mais je dirais : un peu... ce canal je le connais, je l'ai bien traversé huit fois... dix fois... de bout en bout...

A nos vieillards!... ils sont d'accord... ce sont bien des sous-marins ces feux... et qui attendent qu'on leur permette de passer en mer du Nord... question de signaux... et nous notre train, nos prolonges, signaux aussi?... parfaitement! la fin de l'alerte... attendons!... les sirènes... j'entends pas du tout d'avions... pourtant ce canal est bien l'endroit à bombarder... mais pourquoi ils se précipiteraient, maintenant, après quatre ans de guerre... ils en auront besoin bientôt pour leur propre trafic... si ils devaient gagner... j'allais pas dire ce que je pensais à ces deux vieux... d'abord ils étaient occupés... surtout un, le moins vioque, il voulait se raser, et tout de suite, profiter de l'alerte, et aussi du grand baquet d'eau... il avait tout descendu, une *torch*, un petit miroir, un rasoir, et deux savons... je voyais d'où l'eau venait, d'un très large tuyau en toile, flasque, le même genre que chez nous... ça va!... il pouvait disposer... on avait tous bu... il avait accroché sa glace après notre plate-forme, à un clou... tous les mômes et nous le regardions, il se savonnait... juste au moment, les chandelles, les vertes!... de partout, de tous les nuages... vous connaissez... les « avertisseuses »... ensuite la routine, les « blanches »... et puis les bombes... vous avez eu bien de la veine si ça ne vous est pas arrivé... nous, je ne sais plus combien de fois... drame comique à récapituler... Montmartre... Sartrouville... Saint-

Jean-d'Angély... Francfort... etc... Berlin... que même ici Meudon vingt-cinq ans plus tard j'ai un trou de cratère, un effondrement très traître juste devant porte du jardin, que tous les voisins disent que c'est moi, que c'est temps qu'on me chasse, qu'ils pétitionnent que la Préfecture fasse quelque chose!... oh je me moque pas, je me rends compte qu'Attila était que petite bière lui et son herbe qui poussait plus... moi c'est des cratères, où je me trouve!... partout je m'amène tout tourne pourri, sol et végétaux et bétail... les êtres humains rien qu'à me voir perdent envie de tout, bibine et manger et sommeil... voilà où c'en est!... quand je pense que cet effondrement très traître juste à la porte de mon jardin provient, je sais qu'on me croira pas, du bombardement de Renault... je l'ai vu, je sais, nous étions là-haut à Montmartre, exactement rue Girardon, au coin vous savez, pas au diable!... n'empêche que dans mille ans encore tous les blancs, tous, devenus bien jaunes, « superbrasilias » n'importe quel effondrement en Mars, la Lune, ou la petite Ourse, ça sera encore tout de ma faute!... je suis prêt!...

Oh, mais je ne doute de rien parole! où vous emmenais-je? nous étions au-dessus!... presque à pic... vous vous souvenez! le canal de Kiel... ce canal à géants hauts-bords, rocaille et herbes... un de nos très vieux mécaniciens se faisait la barbe, vous vous souvenez... nous avions tous bu dans ce baquet... lui là je vous le place, allait se raser... il y voyait mais juste, grâce à sa *torch* et son petit miroir... accrochés à notre plate-forme... *pataclac!* du coup là on voit clair!... plus que clair!... plus que soleil!... le prélude à l'écrabouillerie!... Kif à Montmartre Berlin... Zorn-

hof... nous savons... on n'a pas long à réfléchir...
prrrag! ça y est!... la secousse! que le pont-levis je
crois, bouge... soulevé tout entier... et retombe!...
et le baquet plein d'eau!... et le vieux qui se rasait
juste au-dessus!... avec!... enlevé!... projeté, je le
vois encore... son rasoir ouvert, grand ouvert! et le
baquet! tout! au vide!... c'est pas le moment d'aller
regarder!... il a été emporté, le souffle d'un chapelet... dix... quinze mines! nous étions en retrait d'un
mètre... d'un mètre à peine... maintenant il doit être
en bas... je crois, j'irai pas voir... je vous ai dit cette
hauteur, le plongeon à peu près le premier étage de
la tour Eiffel... pas la première fois... dix fois nous
avons failli!... mais pas de si haut... la veine! vite
dit!... malheur tenu en réserve pour la prochaine
occasion! certes des personnes sont optimistes, et
des personnes qui me valent bien auxquelles la
chance sourit toujours, et la santé, et la fortune...
je ne m'y fierais pas!... même comme je suis, des
plus méfiants, je me trouve encore embringué dans
ces calamités diverses, toutes les sauces!... mais que
je vous raconte, nous avions deux mécaniciens, celui
qui reste, aussi vieux que l'autre, me hurle dans
l'oreille « il faut redescendre » plus bas, d'où nous
venons, il veut dire... eh, je peux pas redescendre!...
bien trop faible, zut, on a fait assez d'efforts! et puis
les mômes, où ils sont eux? ils sont partis sur le
pont, pardi! à la rigolade!... *brang! proum!* ça éclate
pourtant énorme je vous dis!... pas en *Blitz*, pas en
vol piqué comme les fritz, mais de très haut, plus
haut que les nuages... ce qu'on a comme équipe
de mômes, ils ont pas peur, ils entendent rien, ils
s'amusent... je crois que c'est là-haut une arrivée de

« forteresses » pour détruire le pont ou pour le canal, les sous-marins à l'abri... pour le tout sans doute... les mômes ont pas peur du tout, ils s'amusent bien au contraire, ils courent, enfin ils essayent, ils se tombent les uns dans les autres, chaque énorme *prang!* il doit en basculer au vide... tout les fait rire... sauf ceux qui basculent... ils font des progrès je vois, c'est vrai depuis Breslau ils ont fait que ça d'un pilonnage l'autre... pas étonnant après tout que leur Odile ait plus voulu... l'enfance l'intéressait pas... mais Hambourg je vous demande un peu, les « forteresses », sûr, sont revenues... et cette espèce de gare en bois!... nous là et d'un! contre le baquet j'hurle... ce qu'il faudrait faire? d'abord rattraper nos baveux! ils vont repartir à la bourrasque!... planer... c'est l'avis aussi du birbe... il veut aller avec nous rattraper les mômes... mais d'abord il nous demande à boire... pas l'eau du baquet, autre chose!... c'est un délicat!... bien le moment!... *broum! vrang!* qu'est-ce qu'ils nous larguent! que les bords et les hauts remparts du canal sont tous lumineux d'éclatements... rouges... verts... et de ces cascades de magnésium! ah pour voir clair, un éblouissement... les deux berges!... et les relevées de berges, en remparts! ce qu'est joli surtout ce sont les explosions, les mines qui viennent s'écraser là en géantes fleurs vertes... rouges et bleues... contre les pierres des deux remparts de chaque côté... à éclore du haut en bas et à travers le canal... rouges bleues vertes... des fleurs de dix mètres de large... au moins... il faut avoir vu... je ne peux pas vous faire entendre ces *broum!*... les échos surtout vous pensez entre ces deux remparts des rives... le birbe veut bien aller avec nous rattraper nos petits crétins et peut-être l'autre machiniste, mais seulement quand il aura bu, et pas au baquet!... autre chose!... il sait que nous avons... certes nous avons!... plein la bâche... mais de quoi?... du rhum ou des médicaments? du vitriol?... je pouvais pas dire... apothicaire ou épicerie?... je me demande encore... en tout cas nous l'avions vu, et à sa caisse, bien éventré, ses boyaux hors... apothicaire ou épicier!... il sentait pas tellement mauvais parce qu'il faisait assez froid... question flacons c'était plus grave ça pouvait être du phénol... ça dépendait, j'ai jamais su... j'avais rien goûté... zut! qu'il se risque, lui!... il y avait un tire-bouchon!... deux, même!... bien!... on y voyait clair, je vous ai dit plus clair qu'en plein jour... ils regardaient pas au magnésium... par cataractes les fusées!... je dois dire que ce vieux mécanicien avait du mal à tenir debout, il avait voulu, mais chaque coup de *broum* il flageolait tanguait, de façon que je le voyais partir comme l'autre, non!... il tenait... et y avait des « arrivées »!... si les R.A.F. cherchaient le pont ils l'auraient déjà broyé, il existerait plus... c'est aux sous-marins qu'ils devaient en avoir... ils ont donc un peu à faire, ils sont tout le long du canal, échelonnés... je connais, je vous ai dit, 99 kilomètres exactement... je me risque à quatre pattes, je rampe jusqu'au tablier du pont, Lili aussi, de là on peut voir que les deux rives, et les remparts sont comme en fleurs, d'éclatements de mines... en violet... rouge... jaune... spectacle qu'on revoit jamais... comme les grandes manœuvres de 1913, toute la cavalerie légère, lourde, dragons en de ces déploiements, fourrageurs et chargés... de quarante, cinquante escadrons...

camp de Cercottes 1913 il faut avoir vu, c'est tout...

Je m'égare encore! au fait!... au fait!... je vous disais ce pont tremblotait, gigotait même!... pourtant pas un pont fragile, une géante armature de poutres et d'arcs... vous auriez dit impossible... si! et rien qu'aux souffles des explosions... le genre de rigodon que c'était! et nous à nous amuser à regarder l'éclosion des mines!... violettes! rouges!... jaunes!... au fond du gouffre... sûr, dans le canal! les sous-marins devaient écoper!... vous parlez de remous d'air... de quoi bien valser nous aussi!... mais nos mômes baveux?... on pourrait un peu être inquiets! ils pouvaient avoir passé le pont, bien s'amuser de l'autre côté, l'autre rive... ce qui était grave chez ces gniards c'est pas seulement qu'ils étaient sourds mais qu'ils avaient peur de rien, qu'ils étaient faits aux bombes et tonnerres que ça avait dû leur arriver pas une fois, cent fois... eh bien non!... ils étaient pas passés en face! ils étaient là sur cette passerelle, je les voyais, ils s'attrapaient, ils se rattrapaient... ils jouaient à s'envoyer au vide... les explosions les gênaient pas, au contraire, on aurait dit... je les avais jamais vus si gais... ils se faisaient des niches... moi je pouvais plus avancer, ni Lili... aussi fallait voir le pont se soulever et les rails et nos plates-formes... et *proum!*... tout retomber!... mieux dire, tout ondule... en vraie montagne russe... si vous voulez... bien sûr que nous sommes sourds... comme les mômes, forcément... des percussions, des ouragans de mines... aucune oreille peut résister, ni tête, la mienne vous pensez! je veux pas vous en parler encore!... ni de la brique, l'autre, l'autre mécanicien je le vois encore partir au gouffre... le rasoir ouvert!... il allait se raser... celui qui reste vient pas du tout... il avait promis... il est à dénicher une fiole... à genoux dans notre bâche... je l'appelle... hep! *hier!*... il me montre à bout de bras qu'il a!... de loin... une grosse bouteille... et deux!... et trois!... alors qu'il arrive!... ça va!... *brang! vromb!* non, il veut pas! il me fait signe que le pont est trop secoué... et nous alors?... on est indemne?... et nos mômes baveux qui se marrent bien ils pourraient pas eux avoir peur? notre seul mécanicien qui reste a pas que la foire et grelottine cette brute est fin saoul... il a dû se trouver du kirsch... je crois nous en avions dans notre bâche... ce que nous avions trimbalé! et avec quel mal! à remarquer, je fais pas de morale, que c'est toujours le mal qu'on se donne qui tourne contre vous... vous pensez avoir bien fait, vous vous êtes damné!... regardez un peu autour de vous les pires grossiers saltimbanques félons traîtres ont pas du tout de peine à se tout couvrir d'or et d'honneurs... *brrang! vrannng!* je suis interrompu... je suis pas là pour méditer... je suis là pour aller plus loin... le nord, ma marotte! ah et d'abord retrouver notre clique! nos mômes baveux!... je vous ai fait... *clic!... ptim!... vlac!...* des bruits secs... des bruits d'éclats contre fer... les premiers que j'entends... ça avait éclaté plus bas jusqu'à présent... si ils cherchaient à broyer le pont ça serait déjà fait... leur but devait être les sous-marins, en bas... d'un bout à l'autre du canal... mer du Nord-Baltique... je vous ai dit, cent kilomètres!... en tout cas ici pas d'erreur une vraie grêle d'éclats contre les poutres du pont... et ces souffles!... bourrasques les unes dans les autres, contre les autres, que bien qu'à plat allongés pas

question de lever la tête... même d'ouvrir un œil!...
fallait que ça se passe, et c'est tout... ça finirait, tout
finit... on s'était aventurés, mômes pas mômes on
devait pas aller jusqu'à la rampe... même à quatre
pattes... au-delà du baquet... après le baquet c'était
l'abîme... surtout moi qu'avais fait ce canal est-
ouest et retour bien des fois, qui me rendais parfaitement compte... c'était rester aplati, jusque les
fusées s'éteignent... après ils cesseraient de bombarder... forcément... ils retourneraient chez eux dare-
dare au ravitaillement!... ça prenait au moins cinq
six heures qu'ils se remplissent de bombes et de
whisky... on avait un peu l'habitude de leurs raids
et manières... ils surgissaient tout feu tout flammes...
une vague! deux vagues!... tonnerre partout!... et
vzzz! plus rien!... plus une bobèche, plus un magnésium!... noir partout, nuit... c'était le moment de se
sauver! mais notre mécanicien le deuxième, s'était
pas envolé comme l'autre?... oh, foutre, je pivote!
je l'appelle... *heil! heil!...* fatal qu'il me réponde même
s'il est ivre... *los! los!* il m'a entendu... en route! en
route!... il est d'accord!... il a compris!... il veut bien
partir c'est du sauve-qui-peut!... mais nos petits
crétins?... s'il en manque je saurai jamais je les ai
pas comptés... eh foutre la façon qu'on nous bahute,
sous grêle d'éclats phosphore... et tornades, je vais
pas recenser!... mettons qu'ils soient douze ou quinze...
filles ou garçons?... maintenant n'est-ce pas il fait
nuit tout ce qu'on voudrait Lili moi c'est qu'ils nous
rejoignent... qu'ils traversent le pont... ça sera déjà
preuve qu'on peut, que le dur pourra peut-être
passer, que les rails tiennent, le tablier et les énormes
poutres s'étaient un moment distendus tordus, d'une

258

façon que tout était à craindre... non!... nos baveux
arrivent, ils nous rejoignent, ils semblent s'être bien
amusés... joyeux comme tout!... et dans le noir...
j'en tâte un, deux... peut-être y en avait d'envolés?...
ils pouvaient pas me dire... notre premier mécanicien lui je l'avais vu partir en l'air, avec son rasoir...
des mômes, j'avais rien vu du tout... le second
mécanicien était là... *los! los!* je lui hurle... il s'agit
qu'il mette son Diesel en route... je le vois pas mais
je suis sûr qu'il est fin saoul... il a dû bien se désal-
térer avec nos flacons... il vient tout près, il me parle
dans le nez il pue très fort... il sait pas ce qu'il dit...
des incohérences, en allemand... le principal, qu'il
démarre, et vite! et que les mômes grimpent! et Lili
et moi et Bébert... c'est compliqué... heureusement
que l'ivrogne trifouille ses outils son Diesel... j'ai
bien du mal à me hisser sur notre plate-forme... je
ne veux pas vous apitoyer, je vous indique simplement... ah, ça y est!... les mômes aussi!... là!... là!...
là! tout ça se case entre les dynamos, sous les replis
de bâche... enfin je crois... une chose, il ne fait plus
absolument noir... ça doit être déjà un peu l'aube...
pom! pom! pom! l'ivrogne a pu remettre son Diesel
en route... bravo!... *los! los! heil!*... il me répond de
même... *es geht?*... ça va?... eh maintenant qu'il
fonce!... si le pont cède on verra bien!... vous dire
notre moral... en avant!... le pont cède pas du tout...
mais il gode... dos-d'âne... et dos-d'âne!... genre
« scenic railway »... l'ivrogne est pas intimidé, je
dirais au contraire... *heil! heil!* qu'il hurle... moi bien
fatigué et pas saoul, je veux pas avoir l'air de bouder,
que je suis pas content ou que j'ai peur... notre
plate-forme, je vous ai dit montait redescendait...

suivant les dos-d'âne... « montagne russe »... ce pont
avait pas l'air flexible... mais si!... mais si!... il l'était
même souple!... on va le traverser ondulant... il pourrait craquer, s'écrouler,... je pourrais regarder un peu
en bas, voir le canal, s'il y a encore des sous-marins...
ils illuminent des falots rouges... s'ils existent encore?...
non!... pas de superflu! il suffit bien qu'on avance!...
enfin je crois... de dos-d'âne en dos-d'âne... toute
cette ferraille, je veux dire les rampes et les énormes
arcs pourraient craquer, se fendre, on jaillirait d'un
coup au vide, comme l'autre avec son rasoir, là on
verrait les sous-marins, de tout près... on boirait la
tasse... toute l'eau du canal... ça serait à rire! oh, ma
tête!... la preuve le rire me reprend, je peux pas
m'empêcher... la crise!... *heil! heil!*... mais faut pas
que notre vieillard s'endorme, le seul qui nous reste...
qu'il pousse! qu'il pousse!... qu'il en mette! qu'on
touche l'autre bord!... sûr ce pont va péter!... qu'on
soit en face! ça y est! il y est! nous ondulons plus...
je veux dire notre plate-forme... pour ainsi dire
maintenant à plat... ça va! nous roulons... *pom!*...
pom!... juste un peu de cahots... et il fait jour... là
partout autour c'est de la plaine... une terre jaune,
plus jaune qu'à Zornhof... et très au loin... deux...
trois chaumières, de nos mômes je vois rien... ils sont
sous les bâches... est-ce que nous roulons vraiment
nord?... toujours ma boussole, je l'ai autour du cou,
je veux pas qu'on me trompe!... oui, on va nord!...
nord un peu est... j'observe... ça peut aller!... je ne
peux me fier à personne... pourtant je me trouve
drôle... que j'ai envie de rire!... je le dis à Lili...
   — Ça doit être la brique, tu sais.
   Elle ne croit pas que j'ai envie de rire...

Une chose, on roule!... et *pom! pom!* et on roule nord!... avec ma boussole je suis sûr!... et on entend la machine... nous sommes juste derrière, tout contre... je vois pas le vieillard mécanicien... tant pis!... tant pis!... on est lancés, on s'arrêtera pas! Nord!... Nord!... aucune raison qu'on s'arrête... nulle part!... ce que j'ai envie de rire!... je vais pas me mettre à genoux, ni assis, je tiendrais pas... je veux pas parler à Lili elle me dirait encore que c'est la brique... je sais mieux qu'elle ce qui se passe!... et je veux pas être contredit! elle va voir, y aura de la surprise... dans mettons une heure... oh, je me doutais... c'était fatal qu'on approche...

Le franchissement de ce canal pour amusant qu'il
ait été arrangeait pas tout... oh là que non!... le plus
grave maintenant, dans un sens, la frontière danoise...
j'en avais parlé à personne mais j'y pensais je peux
dire depuis Paris... même mon idée depuis toujours,
preuve que tous les droits de mes belles œuvres, à
peu près six millions de francs étaient là-haut...
pas au petit bonheur, en coffre et en banque... je
peux le dire à présent *Landsman Bank... Peter Bang
Wej...* ça risque plus rien... seulement je voudrais
pas qu'on croie que cette chronique est qu'un tissu
de billevesées... vous pensez si la Police s'est demandé,
et jusqu'au bout, ce que j'étais venu foutre au Danemark... j'ai jamais dit, d'autres ont bavé, mais
jamais cette adresse exacte *Landsman Bank... Peter
Bang Wej...* maintenant ça n'a plus d'importance...
en attendant je vous oublie!... nous étions sur cette
plate-forme entre dynamos, projecteurs, et bric-
à-brac tous les genres... mais plus que Lili, moi et
les mômes, Bébert dans son sac... les autres avaient
disparu je vous ai raconté, La Vigue, Restif, etc...
on sème, c'est la vie, ci... là... je devais perdre encore

bien du monde... je vous raconterai au fur à mesure...
les péripéties... drôles plus ou moins... il faut de
tout pour faire un monde... et un livre donc!... vous
pouvez me penser bien gaffeur... il m'était facile de
rester chez moi et prendre les événements de haut,
m'occuper des mille avatars de nos folles armées de
la grande Colique, la façon qu'elles se débrouillaient
pour nous revenir Triomphales, Arc, Maréchaux, etc...
j'aurais poussé des cris de génie, que les boches
avaient tout inventé, les plus pires V 2 génocides,
les camps de dissection la *Volkswagen*, et le Grand
Guignol... j'aurais jamais dit que depuis Stalingrad
y avait plus de France, ni de colonies, qu'il n'y avait
plus que des figurants... noirs, jaunes ou verts,
simili-Brésil... plus que des personnes bien indé-
cises... Provence?... Normandie?... montagne ou la
mer?...
Là, nous n'étions pas en vacances, il s'agissait de
pas flancher, nous faire basculer au remblai!... d'un
cahot, hop! mettons que nous tenions, un autre péril :
cette foutue frontière! on s'y faisait refouler? agra-
fer? ultime pépin! cuits! cette frontière devait être
à peu près à une heure... deux heures du canal... ça
dépendait de bien des choses... surtout que ce train
change pas d'idée, qu'il aille pas prendre un bifur
Est... Ouest... non... toujours bien Nord!... je me rassurais à la boussole... elle ment pas!... nous arriverons à cette frontière... il s'agit de bien être préparé,
pas bafouilleux... d'abord et d'un, que ces mirages
cessent... que j'aie pas l'air dingue... cette locomotive aux nuages, vous pensez! que je divague pas,
parle pas de ma tête, de la brique non plus, rien!...
nous sommes attendus au Danemark plein d'amis,

les noms, les rues, *Ved Stranden* nous venons nous
reposer, *Staegers Allee* et surtout ma banque, mes
fonds, *Landsman Bank*... vous voyez n'est-ce pas un
petit peu si je me ressaisis là sur cette plate-forme
bric-à-brac à cahin-caha, je veux qu'on soit prêt à
tous les interrogatoires le désarroi la cafouillade sont
pas présentables... au jour du Déluge ceux qui s'en
sont tirés, la preuve, ceux qui sont sortis de l'Arche
en ordre, ficelés comme il faut, leur petit baluchon
sous le bras... nous serions ainsi, ficelés comme il
faut, Lili, moi, Bébert, et tous les mômes... y aurait
de l'imprévu, forcément!... ah, que je retrouve mon
esprit vif! bougre j'y suis pas!... pas le moment de
tituber pourtant!... je préviens Lili : je te donnerai
le bras, je prendrai qu'une canne, deux je fais trop
infirme... pendant que je parle, on roule... on roule...
y a des cahots mais rien de grave... le ciel est beau,
bleu, presque sans brume... là sur le dos je verrais
les avions... je pourrais regarder la campagne... enfin
la plaine jaune... je fais l'effort, ça y est... un peu
étourdi... c'est pas que de la plaine, y a de la brous-
saille et des fermes... des fermes même très hautes,
à pignons... comme ça le Schleswig, touristes... Léon
Bloy... il n'y avait rien compris du tout... lui c'est
la viande qui le passionnait, le bifteck... le Schleswig
est pas un haut lieu pour gourmets... c'est une lande
âpre entre deux mers, on aime, on aime pas... Bloy
se plaignait terrible, il avait pas été au gnouf, ni à
la guerre, précisément ce qui lui manquait, un peu
comme les gens d'aujourd'hui, si baffrants, grognas-
seux biberons, flatulents... et notre Grand Visage
Pâle dites donc? l'immense malheureux! qu'à ramasser les détritus des belles géantes écrabouilleries!

gangrènes, loques, mélis-mélos d'Oural, Stalingrad, Maginot... race blanche au pilon!... plus de degrés, plus rien!... Boulevard Saint-Michel à Hong Kong!... comme vous voulez!... tout jaune vous serez, vous êtes déjà, et merde ça boume!... et noirs en sus! le blanc a jamais été que « fond de teint »... il attendait... oui!... oui!... je débloque un peu...l'âge n'est-ce pas, plus les épreuves!... mais Schleswig d'abord... province et la ville...

— Lili tu verras... nous devons plus être loin...

Moi je me fie pas trop... vue encore trouble... je préfère qu'elle regarde... mais elle sait pas lire l'allemand, elle peut se méprendre... je réfléchis... peut-être encore cinq minutes?... le train ralentit... zut! je me force à relever la tête... là! droite!... oui, ce sont des maisons... j'ai pas trop le vertige... je regarde... on avance tout de même... très doucement... ah, une... deux pancartes... Schleswig!... nous y sommes!... un quai intact... la gare aussi... pas de civils... quelques militaires fritz... qui nous regardent même pas, ils doivent avoir l'habitude de... ce *poum! poum!* s'arrête pas... on fera que passer... c'est tout... ça va... je me rallonge...

— Lili attention!...

— Pourquoi?

Je lui explique tout... ça va être Flensburg un nom à l'époque qu'était pas encore si connu... moi-même je ne me doutais pas... un peu cependant... vu que le Danemark fait tête de cygne au plus haut de l'Europe... fatal que tout passe par le col... ce col serait le Schleswig et la frontière là précisément coupe le col... Flensburg...

Et les détails...

— La douane n'est-ce pas nous n'avons rien!...
sauf Bébert dans sa musette... pas de papiers non
plus ni de photos, tout perdu, brûlé! les mômes
parlent pas, savent rien!...

A mesure que nous approchons je pressens que ça
sera pas si facile, que je n'aurai pas de trop de tous
mes esprits, pour ce qu'il en reste... question des
visions au ciel, plus rien! ni avions ni locomotives!...
pas même un ronron au loin... nous sommes début
mai, le printemps... parfaite visibilité... s'ils avaient
voulu, facile, on n'existait plus, nous et nos wagons
de ferrailles... mais je vous ai dit ils voulaient pas
détruire ces voies... ni les aiguillages... ni les ponts...
les sous-marins qu'ils voulaient, nous avions vu au
canal... ravageurs, exterminateurs, mais pratiques!...
ainsi moi, sous moi, Renault Billancourt j'ai vu leur
façon... le Déluge du bombardement que tout Paris
semblait en feu, illuminé de la Butte à Suresnes...
vous auriez dit : fini le Renault! en poudre! balpeau!
ils avaient pas touché une vrille, que le lendemain
tout tournait de plus belle! tanks et camions et même
canons! pas un jour perdu! moi je vois très bien une
de ces fusées qu'ils parlent tomber sur New York et
pas détruire un seul drugstore, *business as usual*...
les vrais géants superpuissants comprennent soyez
sûr, sont prévoyants comme des vieilles filles, tra-
vaillent « pine de mouche » les tropicaux, eux chi-
chitent pas, foncent, enculent tout, Gouvernement,
bergères, bonnes sœurs... se poignent bien de l'avenir! coupe-coupe, sagaies à la bonne heure! rudimen-
taires servez chaud!

Voici bien du déconnage pour vous expliquer qu'il
faut pas se fier aux apparences, ainsi partout en

Bochie j'ai vu des usines fonctionner à bloc qu'étaient soi-disant plus que ruines... ce qu'on prétend et ce qui existe? abîmes! mais là pas d'abîmes, je voyais d'autres plates-formes comme la nôtre, sur d'autres voies accrochées à d'autres locos, surchargées aussi de plein de ferrailles, dynamos et projecteurs de toutes sortes... nous devions approcher vraiment de cette foutue frontière... et ça y était!... pas une pancarte!... mais je suis sûr que c'était Flensburg *poum!... poum!...* moins fort... ah, du monde partout!... plein de cheminots, femmes et hommes... on voit que c'est une gare qui trafique... les cheminots hommes en militaires... les femmes plutôt en sarraux... je vous donne ces détails que vous pensez pas que j'invente... la preuve un gros malpoli arrive tout de suite nous attaquer... « *raus!... raus!...* dehors » qu'il nous fait... « *Wartesaal! Wartesaal!* salle d'attente »!... bien sûr!... ce malpoli en casque à pointe porte la plaque autour de cou *Feldgendarmerie* nous connaissons!... il est là pour houspiller... y a qu'à obéir... mais pas si vite!... voilà!... aux cailloux, au remblai... cette brusquerie étourdirait mais il ne s'agit pas de sensations, de faire gaffe qu'il s'agit et drôlement! c'est à Flensburg qu'ils doivent trier ceux qui passent et ceux qu'ils refoulent... où c'est l'endroit?... ça doit être la *Wartesaal*... comme douane on n'a rien... mais la police?... c'est pas les papiers qui nous manquent, mais quels montrer?... la présence d'esprit un petit peu!... c'est du pile ou face!... il faut un tact pour pile ou face on nous laisse pas le temps de réfléchir, on nous pousse et dans un sous-sol, mieux dire une caverne sous la gare... tout de même j'ai le temps de lire : Flensburg... oh, que j'aime pas les

gares!... j'aime pas surtout les sous-sols, ni les crevasses... encore à présent tenez, pour un empire vous
me feriez pas prendre le métro, ni me risquer au
cinéma... l'expérience de très vilaines choses, réclusion et le reste... si on vous invite en sous-sol c'est
pour vous malmener horrible... vous vous enfoncez
tout tourne ectoplasme la preuve les films... et catacombes... y a des vicieux, c'est entendu... y avait
des volontaires au bagne... l'infini des hommes est
comme ça, ils mangent les fleurs, le fumier, ça va!...
ça va! d'autres attendent!

Nous on devait être aussi à l'attente... mais en
fait de douane et de police je voyais que plein de
formes allongées à même le carrelage, des gens... les
yeux se font... d'en haut d'un lustre, un énorme, il
vient je dirais pas une lumière, une lueur bleuâtre...
pas très bien à distinguer si ces gens-là tous sont des
morts... ou des gens qui dorment... pourtant n'est-ce
pas ça fait au moins dix fois que nous nous trouvons refoulés dans ce genre de salle d'attente... à
Oddort j'ai su pourquoi, ici je crois pas que ce soit
pareil... je les vois pas détruire Flensburg, surtout
la gare, qu'est l'endroit le plus stratégique, je dirais
le plus précieux du Danemark... je vous ai expliqué... alors?... c'est que faire comme les autres, nous
allonger nous aussi... pour un voyage ce fut un
voyage! morts ou vivants on a le droit, d'ailleurs
personne nous empêche... il me semble que ça ronfle...
pas très fort... on a tous les mômes autour, ils nous
ont suivis, très idiots baveux mais fidèles, je trouve
qu'ils vont mieux depuis qu'ils se baladent... combien
sont-ils? je sais toujours pas... tant pis, on les comp-
tera plus tard... il faut se rendre compte de notre

état, déjà un miracle d'être arrivé à cette frontière...
je veux, après combien de détours, haltes et zigzags!... et qu'on aurait pu prendre feu je ne sais
combien de fois!... on en a laissé en route... eux qui
nous ont abandonnés... Harras... La Vigue... Restif... Felipe... évident!... ils croyaient pas à notre
tourisme... ils se sont défilés, je dis rien, je suis pas
très confiant moi-même... dès Baden-Baden ils m'ont
dit : allez pas là-haut au Danemark encore plus
féroces... pire qu'en France, mais nous sommes ici
pour passer... j'ai mes raisons! *Landsman Bank*...
mon pécule, mon répondant... si on m'a pas tout
calotté!... les boches on m'a dit saisissent tout, les
coffres... et le reste, les Danois aussi, sans doute... et
mes amies qui ont la clef... les premiers qui servent les
amis, et les parents... les parents eux c'est un droit...
j'ai l'expérience... enfin ici qu'on nous laisse passer!...
Lili aussi est d'avis... là dans ce sous-sol, même sur
la pierre, on ne peut pas dire qu'on est mal... pourvu
qu'on me demande pas de bouger je suis bien partout... ça fait au moins je dirais trois semaines que
nous sautons entre les voies nous et notre marmaille... d'un train l'autre... tunnels, plates-formes...
maintenant ça y est, nous sommes à *Halt!* depuis
Baden-Baden la houspille... sautez! rigodon!... et zig
et zag! nous pourrions nous aussi baver... pire que
les mômes!... commode, ils l'ont!... pupilles des asiles!
on nous en foutra! on ne peut pas dire que nous
dormons, enfin presque... y a cette lueur bleue... les
allongés sont pas gênants, vivants ou non, ils remuent
pas, combien ils sont aussi ceux-là?... je crois des
centaines... militaires... civils... femmes et hommes...
peu d'enfants... y a les nôtres bien sûr... il fera jamais

jour là-dessous... peu à peu je sens que je vais céder...
je somnole... sommeil ou genre d'évanoui... il faut
foutre pas nom de Dieu!... que je sois absolument
lucide, lumière bleue ou pas lumière!... j'ai pas le
ciel pour m'éberluer me faire voir des locomotives,
je suis d'attaque, je veux... répondre à ce qui arrivera! bien une heure passe... deux heures... vous dire
que je suis fatigué, mais la volonté est là... aucune
indulgence pour moi-même, jamais j'ai eu, jamais
j'aurai... oh pour ça les autres non plus!... vacheries
infinies... je peux dire que j'ai été gâté... rien a man-
qué à ma nature... laissons la philosophie à la grande
publicité... nous c'était sérieux nous étions là pour
la douane... Peut-être que c'était dans le programme
cette attente en cave?... sans boire ni manger sous
lumière bleue?... l'attente infinie le cas de le dire...
non!... pas infinie!... la preuve un gendarme! même
un *Feldgendarme*... il titube... il devait faire dodo...
ou il est saoul?... « le train pour Copenhague!... passeports!... » il hurle... oh, en allemand, rauque, aboyé!...
pas beaucoup se lèvent... quatre... cinq militaires...
les autres s'en font pas ils restent allongés... j'ai
jamais su ce qu'ils étaient... des blessés?... ou seulement des endormis? ou des allongés pour de
bon?... ça nous était arrivé maintes fois dans les
salles d'attente de pas savoir si les gens comme ça
tout de leur long étaient des roupilleurs ou pire...
vous me direz : ça vous regardait pas... nous suivons donc le gendarme, nous et tous nos mômes...
eux se sont réveillés... pour eux c'est l'excursion ça
continue... ils bavent toujours, ils parlent pas plus,
mais ils sont gais, ils tombent, ils se ramassent...
pleurnichent et rigolent... comme mômes absolument

crétins ils sont parfaits... le gendarme nous sort de cette espèce de cave... tout de suite on voit, il fait jour... bien c'est un quai!... pas seulement un, deux!... et plein d'aiguillages y a de quoi regarder... on est ébloui... il doit être dans les cinq... six heures du matin... y a pas à s'occuper de fatigue, y a à bien regarder et nom de Dieu être prêt à tout!... le gendarme emmène nos compagnons, les cinq militaires... nous deux Lili et les mômes il nous hurle d'attendre qu'il va revenir que nous pouvons nous allonger sur les sacs là... plein de sacs vides, des piles... oui peut-être, mais penser d'abord!... foutre pétrin c'est le moment!... ce qu'on va dire, répondre?... qu'est-ce qu'on fout là?... et qu'est-ce qu'on veut?... d'où nous sortons, nous et les mômes? sûrement les questions... et où on va?... ça sera qui?... des boches?... des Danois?... on en voit aucun autour mais doivent être dans les guérites... c'est leur frontière on peut pas douter, c'est écrit partout... *Grenze*... et *Flensburg*... en petites pancartes... en grands écriteaux... et le drapeau danois, étendard plutôt, rouge à croix blanche... ils vont nous refouler ou mettre en prison... c'est le moment de bien réfléchir...

— Lili ma petite fille il faut passer, n'importe comment!

Elle est bien d'avis... je vois maintenant on n'est pas seuls sur ces voies... plein de monde... qui doivent aussi attendre un train... les trains, je ne sais pas... y a sûrement encore des gens sur ces mêmes plates-formes maintenant trente ans plus tard, mais plus les mêmes... des gens de partout, des touristes que l'endroit amuse... moi je suis guère des voyages une fois pour toutes, Lili aussi je crois... et encore cette

271

frontière Flensburg était qu'un début... je vous raconte donc... tout est facile après coup, mais dans les conditions là-haut, sur le vif, la minime gaffe même avec cette brute gendarme, je connais l'espèce, on nous épluchait, et à dame! vous remarquerez notre présence d'esprit, sans aucun repos, pas une seconde, depuis des mois... vous me direz : j'en ferais autant!... peut-être... je ne vous juge pas! je suis ici pour raconter...

Il me vient une idée!... d'instinct!... mon brassard!... j'oubliais! je sursaute!... dans ma poche! je me fouille... je l'avais!... bien gras poisseux, mais authentique... *Défense passive de Bezons*... croix rouge, tampons, tout... je me le passe au bras et je dis à Lili :

— Écoute!... on n'a plus de papiers, plus de passeports plus rien!... plus que mon brassard!

— Bien Louis!

— Écoute encore!

Y avait pas à écouter y avait à regarder subit! un grand mouvement de gens... je vous disais la gare de Flensburg était bien au moins à vingt voies... soudain pleines de monde... je me dis ces gens-là vont quelque part... avachi là sur les sacs je voyais pas bien où ils allaient... je me mets debout je me force... ah, je comprends!... ils étaient bien une centaine agrippés à un wagon, je dis cent peut-être mille... femmes hommes mômes... militaires, civils... ils voulaient escalader mais les portes bouclées, impossibles... pas qu'un wagon... quatre... cinq... tout un train... oh je vois ce que c'est, je saisis! c'est un train « Croix-Rouge »... plein de petits fanions... « Croix-Rouge » et de ces panneaux!... j'aurais pu voir si j'étais pas si abruti... et autre chose, il est en couleurs tout du long, tous les wagons... en bleu ciel et jaune... tout ce train de bout en bout... bleu ciel et jaune... encore un effort à comprendre : c'est le train de la Croix-Rouge suédoise, il remonte en Suède par Flensburg... bien sûr y a des amateurs!... pour ça qu'ils veulent le prendre d'assaut... parbleu! mais il semble déjà plus que plein... des femmes je dirais des centaines aux vitres et leurs mômes et des infirmières... ce train est bourré d'enfants... moi aussi un peu je suis « Croix-Rouge »! la preuve mon brassard!... et j'ai aussi une bordée de mômes! et en détresse!... ce foutu train approche d'où nous sommes... lui il va passer la frontière, pas question de douanes! ça aussi les fait goder tous, eux et leurs paquesons, comment ils se raccrochent!... je vous disais cent, mille!... j'exagère rien... civelots et troubades... même des griffes français, sûrement des camps ou des usines... ils s'en ressentent aussi pour la Suède... j'en appelle un qu'est hissé sur un soufflet, je lui demande ce qu'ils foutent?... les enfants suédois et leurs mères qu'on rapatrie, qu'étaient en Allemagne... la Croix-Rouge suédoise!... gî!... si ça tombe! les nôtres aussi sont suédois, tous!... je décide!... je dis! ça arrange tout!... c'est pas eux qui diront le contraire! l'idée, voilà!... je peux être gâteux, archi-blet jamais en retard pour une idée!... jamais je flanche, je saisis!

Lili me comprend... et vite... il faut!... d'autor que je trouve un fonctionnaire! mieux un officier que je lui explique! sûr y a un gradé qui commande! foutue Croix-Rouge!... que nous avons plein d'enfants suédois qu'il faut qu'il les prenne!... les sauve! que nous

273

n'avons plus rien pour eux!... que la Croix-Rouge arrive à pic!... que nous venons de Berlin... que ces enfants si bancroches, morveux, ont perdu tous, leurs pères et mères... au cours des horribles pilonnages... mais qu'ils sont suédois, tous!... garanti!... qu'ils ne savent ni parler ni comprendre, qu'ils ne savent que baver... c'est tout... à peine marcher... que j'avais leurs papiers, les preuves, mais que nous avions tout perdu à Hanovre, encore sous un bombardement au phosphore... et puis en passant le canal... personne viendra nous contredire... enfants commotionnés suédois ayant perdu pères et mères... et que nous sommes, eux nous, tout à fait sans biscuits, ni lait ni papiers... Lili est d'accord, mais à qui parler?... je vois ce train suédois s'arrête pas... il roule très doucement mais il va... il passe... il a plein de gens après autour en grappes aux portières et sur les tampons... je pense que c'est moche... voilà, en somme je suis tout con... Lili est pas... preuve : j'ai pas le temps de faire ouf!... elle est sous le train... oui! elle s'est jetée dessous!... et un de ces cris!... elle qui crie jamais, elle est écrasée?... pas du tout! elle qui se fait jamais remarquer! j'y vais à genoux, je rampe... je passe sous l'attroupement, je rampe... j'appelle : Lili! Lili!... sûr elle n'entend pas, ils gueulent trop tous!... oh, j'ai repris mes esprits!... en retard mais ça y est, il faut! il faut!... « Lili! Lili! »... ce train suédois s'est arrêté... il pouffe... fort : *ptchoum! ptchoum!* ils ont dû tirer la sonnette d'alarme... Lili est peut-être... je saurai! je saurai!... « Lili! Lili! » elle crie toujours là-dessous pareil... rampant je l'aperçois... elle a passé les deux rails... non! elle sous le wagon, entre les rails, sur les cailloux... « ici!... ici... ici!... »

c'est elle!... « Lili! Lili »... elle crie encore... tout de
même c'est pas un cri d'arrachement... tout de suite
je sais... je connais les cris... elle se plaint, elle
m'appelle, je suis pas sûr... il faut que je passe sous
ce wagon moi aussi... sur un rail d'abord!... je la vois!
elle est un peu contre l'autre roue... elle me semble
pas blessée... certainement elle est très souple... tout
de même c'est une prestidigitation de passer entre
des roues en marche... il allait très doucement ce
train, je veux, mais tout de même vous vous rendez
compte... tout l'attroupement tous ces gueulards
sont comme moi à essayer de voir ce qui se passe
sous le wagon et si Lili est en morceaux... au moins
à force de crier ils ont stoppé le train!... et *clac! clac!*
une porte s'ouvre!... du wagon là!... enfin!... un
officiel à lunettes paraît à la porte, il doit vouloir se
rendre compte... *hou! hou!*... s'il se fait conspuer!...
si ça houle, beugle! ils l'ont pourtant assez demandé...
oh, lui s'émeut pas, il nous regarde même pas surpris... je crois que c'est un officier suédois... ou un
chef de train... en tout cas c'est un « Croix-Rouge »...
il porte le même brassard que moi mais lui, le sien,
très propre... je me mets à genoux, plus à quatre
pattes, et j'arrive là à cette porte, pas loin, deux...
trois mètres... vous dire si j'ai repris du cran et à
propos!... je sens que c'est le moment ou jamais!... je
m'occuperai d'émotions plus tard!... la preuve tenez,
trente ans après... je me dis là devant ce galonné
« Croix-Rouge »... devant? non!... dessous! je suis aux
cailloux, à quatre pattes, au marchepied... lui est en
haut... il domine notre horde d'hurleurs... moi j'hurle
pas!... je parle fort mais pas trop... distinctement
qu'ils m'entendent bien!... et en français... et en

anglais!... qui nous sommes!... qu'il sache!... qu'il comprenne! que suis médecin français de la Croix-Rouge... ma femme infirmière là sous le train! c'est elle qui crie!... «vous l'entendez!...» avec nous avons seize enfants! suédois, tous!... qui viennent de Breslau!... ils n'ont plus de parents!... tous les parents sont morts, brûlés!... bombardements!... surtout au phosphore! ces enfants parlent pas du tout, ni une langue, ni l'autre... savent pas parler, trop secoués... et plus de parents!... ils ont été brûlés aussi, beaucoup sont morts, nous avons les seize qui ont survécu.

De l'avoir interpellé comme ça, en français, et puis en anglais, l'a fait me regarder... il me répond aussi en deux langues... il croit que c'est un genre que j'ai pris... les autres les hurleurs d'entendre comme ça anglais français ils se taisent ils essayent de comprendre...

— Qu'est-ce que vous faisiez en Allemagne?

— J'étais prisonnier, médecin dans un camp...

— Ces enfants sont tous suédois?

— Je pense bien!... j'avais leurs papiers et les nôtres... ceux de nous deux ma femme... moi... mais n'est-ce pas dans la gare d'Hambourg tout a brûlé!... vêtements, musettes, portefeuilles! nous n'avons plus rien!

Mais au fait lui qu'est-ce qu'il est? il m'a pas dit... convoyeur gradé?... capitaine?

Voilà! il me répond... médecin de la Croix-Rouge... moi aussi! « Passive » de Bezons... mon brassard le prouve!... il peut regarder!... il regarde... brassard noir crasseux mais authentique, tampons, tout!... ce qui l'intéresse en plus! où j'ai appris si bien l'anglais?... London Hospital Mile End Road... et à la

S.D.N. Genève et aussi en Amérique à la Fondation Rockefeller... ah voici qui nous rapproche...

— Où sont les enfants?

Ils sont là dans la cohue... dans les jambes... on ne peut pas les voir mais sûr ma femme les fera apparaître si elle les appelle... ils peuvent pas parler mais à elle ils obéissent, enfin un peu... mais Lili elle? je regarde sous le wagon... elle est de l'autre côté de la voie, elle est pas blessée Bébert!... Bébert!... il s'est sauvé!... et tous les attroupés autour rampant sous le train l'appellent aussi Bébert! Bébert!... ils s'amusent... le foutu greffe avait profité de l'occasion, ça faisait bien huit jours qu'il avait pas pris d'exercice on avait pas pu le sortir depuis avant le canal... lui qu'était bagotteur comme pas... naturaliste je dirais, renifleur, appréciateur d'herbes et plantes... lui pourtant qu'était le greffe de ville et même d'un grand magasin, du rayon des chats... une fois parti dans les talus salut pour le rattraper, sauf Lili... personne autre... cet officiel de la Croix-Rouge était pas si strict je voyais, je crois même assez compréhensif... surtout parce que je parlais anglais...

— Combien d'enfants avez-vous là?

— Je ne peux pas vous dire exactement... nous en avons perdu en route... nous en avons perdu deux... trois n'est-ce pas à Hanovre... et puis je crois au canal... ils doivent être à peu près dix-sept...

Nous pouvions parler tranquillement, les gens, les gueulards étaient de l'autre côté du train avec Lili à battre les fourrés, sûr elle rattraperait Bébert bien plus vite toute seule... l'avis aussi de ce Suédois... enfin il note : dix-sept enfants... mais où sont-ils?... Lili les rattraperait vite... ils doivent être en face...

— Ils sont tous suédois?...
Il veut que j'affirme :
— Certainement!
— Ils ont quel âge?
— Cinq à huit ans... vous verrez...
— Les parents sont morts?
— Très probablement...
Je vois ce Scandinave est compréhensif... il se
rend compte que ce que je lui dis est peut-être assez
arrangé... et que ces mômes sont peut-être pas si
suédois que ça mais pour le moment ce qui compte
c'est que son train nous prenne, qu'autrement on
est mal partis... je dirais plus que mal...
— Vous savez ce train est affecté « très spécial »...
absolument réservé au rapatriement des enfants et
mères suédois... vous me comprenez?
Oh, je le comprends! là il faut se taire, je me tais...
Lili juste revient, pas blessée... elle est pas repassée
sous le wagon... elle a pris le ballast... avec tous nos
mômes crétins... ils étaient dans les taillis avec
Bébert, ils rigolaient bien... pour ça que je les voyais
plus...
— *There! there they are!*
L'officier suédois les compte... ils sont pas dix-
sept... mais dix-huit!... au vrai je les avais jamais
comptés... il va les inscrire... il a un registre...
— Ils n'ont pas de noms?... filles?... garçons?...
— *We have never known...* nous n'avons jamais su...
Très vrai! le principal qu'il les laisse monter... il
ouvre la porte d'un wagon... ah, bien fermé!... à
clef... et puis un énorme cadenas... *clignediclac!*... les
gens recommencent à s'attrouper, les mômes grimpent
pas, peuvent pas, nous les hissons... des infirmières

viennent, nous les prennent, un par un, les emmènent, très gentiment... elles leur parlent, essayent... eux bavent et rient... nous les voyons... la dernière fois que nous les voyons... nous Lili moi nous devons aller tout de suite en queue... exactement à la cuisine... notre officier « Croix Rouge » nous mène... par un... deux couloirs... une grosse dame nous reçoit, très aimable... pleine de sourire... elle est chez elle... elle nous offre tout... de tout... de ces sandwichs!... poissons!... boudins!... et tranches de viande!... trois grandes tables... couvertes de plats froids et plats chauds... et salades et friandises... ah, si y en a!... et des bouillies tous les genres, au tapioca... macaroni, maïs, porridge!... une féerie de boustiffe! qu'ils amènent sûrement tout ça de chez eux... ils ont pas souffert là-haut, en tout cas pas de faim... sûrement que cette folle boustiffe vient pas d'Allemagne... ils ont amené tout ça de chez eux... ils doivent pas souffrir là-haut, en tout cas pas de faim... la grosse cuisinière nous fait signe de nous servir, d'y aller hardi!... de pas nous gêner... et hop!... largement!... elle parle pas français ni anglais... mais elle est si aimable avenante qu'on a honte d'être là devant toutes ces richesses comme frappés, stupides... ah, Bébert heureusement nous sauve, il sort la tête de sa musette et sa moustache... lui veut bien quelque chose... et tout de suite! heureusement ça va, ils se comprennent, succès! elle connaît les greffes, elle lui propose au creux de sa main une forte boulette de viande hachée... lui hésite pas... *mgnam! mgnam!* lui a de l'appétit!... moi j'ai pas... pas encore... je regarde... Lili regarde aussi... la fatigue, voilà!... on a été trop fatigué pour manger comme ça, but en blanc... oh, ça va revenir!... mais d'abord souffler... notre si aimable cuisinière veut bien, elle comprend... d'abord nous reposer!... à notre aise!... repos!... repos!... elle a là trois chaises contre la paroi... restons pas debout!... elle nous fait asseoir... je demande à Lili...

— Tu n'as pas mal?... nulle part?... tu n'as pas sommeil?... tu n'as pas faim?...

— Non Louis!... non!... rien!... et toi?

— Oh, moi rien du tout!

Voilà on peut dire, une affaire réglée... pauvreté d'époque!... Racine, Eschyle, Sophocle même, vous tenaient haleter trois et même quatre actes de ces tragédies avec moins que rien... les anciens temps étaient jouisseurs grandiosement cochons, fastueusement cocus, incestueux, je ne vous dis que ça, si mirobolants assassins que tous les dieux en bavaient... maintenant je vous demande : un continent à effacer?... affaire de deux... trois minutes!... au plus! comment vous trouverez le temps de jouir?... là dans cette cuisine d'abondance, d'extrême luxe, nous n'avons pas à nous hâter... tout de même qu'est-ce qui se passait dehors?... ce « Croix-Rouge » nous avait embarqués nous et tous nos mômes... maintenant je savais le nombre, dix-huit ils étaient... tous suédois d'un coup! un homme de cœur ce « Croix-Rouge »... je ne crois pas qu'il ait été dupe... j'ai vu pire plus tard, des passes bien plus périlleuses... sans les médecins et la médecine j'en serais pas sorti... pas pour rien que dans les hautes heures épileptiques, épuration, boucheries, dingueries les médecins qu'ils soient noirs jaunes blancs en prennent un vache coup... ils savent trop, ils se tiennent trop ils sont trop intimes, on leur passe rien.

Mais là revenons à cette cuisine, je me rendais pas compte si nous étions toujours à quai... ou si nous bougions... et l'aiguillage?... je pouvais pas regarder, il aurait fallu que je me lève, le « Croix-Rouge » nous avait mis là, assis, le dos à la cloison, au fond de la cuisine... c'était pas pour nous montrer... tout de même, dehors ça hurlait... sûr cette horde était en colère... joliment l'instant qu'on se décide! deux coups de pétard!... *ptaf! ptaf!* j'irai pas regarder... deux coups de revolver!... certain!... au même instant nous démarrons! enfin? oui!... tout doucement mais *tchutt!... tchutt!...* ça va!... qui a tiré?... j'ai jamais su, pas demandé non plus, le principal on est dans le dur et il avance... il va... prudemment je dirais... tiens une infirmière!... elle regarde pas de notre côté elle prend un plateau, elle se sert... un plein plateau... et un autre... sandwichs et salades... elle ne parle à personne... une femme assez jeune, pas vilaine, mais pas souriante... elle sort elle retourne, aux wagons sans doute... une autre infirmière vient se servir... elles sont habillées comme les nôtres, presque, coiffées d'une sorte de cornette... comme ça de suite six infirmières, toujours pas causantes, la dernière là prend que du porridge... des bols et des bols... je crois que c'est arrangé, entendu, qu'on ne nous regarde pas... bon! le principal de ne pas être viré!... ça serait pas commode maintenant que le dur est en route... à moins... à moins... rien est jamais sûr, je préviens Lili, le moment de dormir, nous pourrions certes, là sur nos chaises nous avons certainement le droit, des semaines de retard de sommeil, depuis la Butte en somme, et même je dirais depuis 39... y a pas que les sirènes des toits, y a celles du dedans, qui ne font aucun bruit, qui vous tiennent bien réveillé là sûr nous étions parfaits question de plus dormir du tout... d'ailleurs n'est-ce pas c'était le moment de veiller au grain, de pas croire que c'était arrivé... ce train roulait, et même assez vite, j'essayais de pas voir dehors, je restais où on nous avait mis, tout dans le coin du fond, Lili aussi, Bébert dans son sac... lui avait mangé, assez goulûment... la cuisinière nous faisait encore signe que nous pouvions tout manger tout ce que nous voulions... et si y en avait! je vous ai dit... et pas de la gargote, rien que du frais... excellent... Gargantua se serait régalé mais nous là?... je demande à Lili... elle avait pas faim, pas du tout, moi non plus qu'on roule tout ce que je demandais, et qu'on nous fasse pas descendre... toujours une... deux infirmières qui venaient chercher des assiettes pleines, des plateaux, des bols... certainement elles nous voyaient, même comme nous étions dans l'ombre de la cloison du fond, assis immobiles, elles regardaient pas par là, c'est tout... je vois par ma boussole que nous avançons toujours Nord... on ne sait jamais! je connais cette ligne... dans deux heures je compte, à peu près ça sera direct Copenhague... mais alors cap-est! franchement!... je veux pas qu'ils se trompent!... toujours ce « Croix-Rouge », le nôtre, revenait pas nous voir... sûrement c'était un bon cœur, il aurait pu nous refuser, nous et nos morveux... sûrement il avait compris... heureusement de nature je suis extrêmement prudent, je peux dire j'ai été à l'école de l'absolue discrétion, il y paraît pas dans mes livres et pourtant je suis l'effacé même... je vois les gens mettons une fois, je leur donne rendez-vous dans

trente ans, je les retrouve fatalement tout autres,
déjà si bouffis pourrissants que c'est plus la peine
de leur parler... discrétion va de soi...

Mais je vous perds!... nous en étions dans notre coin...
n'est-ce pas?... sur nos deux chaises... ce wagon-cuisine
allait... allait... ah, notre « Croix-Rouge »! il vient
vers nous du couloir... il me fait signe de pas bouger... il passe entre les deux tables... il nous demande :

— Vous n'avez pas mangé du tout?

— Plus tard!... plus tard!...

Ce que je voudrais savoir précis c'est où ce train
nous mène?... enfin où nous devons descendre?...

— Mais où vous voudrez!...

Je sais bien où je veux aller, à Copenhague!...

— Certainement! certainement!

En Suède?... impossible! je me doutais... mais
Copenhague, très bien! très bien!... Copenhague à
peu près encore trois heures... oh parfait! je suis tout
d'accord!.... j'ai des amis à Copenhague... qui nous
attendent!... j'ai même leurs adresses... je les lui
montre... *Staegers Allee, Ved Stranden...* et puis
Landsman Bank... ma banque...

Lui pourtant, j'ai pu me rendre compte, pas
démonstratif! je dirais même très impassible, me
fait : oh! oh! oh! comme de peur de ces deux adresses...
et de cette banque... et il se lance à nous avertir!

— *Beware!...* méfiez-vous!... très anti-allemand
Copenhague! et tout le Danemark!... pire que la
Suède!... pas dire vous venez des nazis! jamais!
rien à personne!... vous sortez du chaos, c'est tout!
dans le train à Flensburg le chaos... Hambourg
chaos! bombes! les enfants suédois avec vous?...
chaos! trouvés! perdus! vous me comprenez?

— *Certainly!... certainly!*

Je comprends que je saisis! pas moi qui gafferai!... en somme trois heures encore à rouler dans cette cuisine... bien sages... pas envie du tout de nous montrer... lui Bébert a faim il sort sa tête de la musette... la cuisinière lui offre des rillettes... *mgnam! mgnam!...* il attaque... il fait honneur... ce très providentiel confrère, j'oubliais, a laissé pour nous sur un tabouret deux manteaux, un pour moi, d'homme, je le passe... tout neuf, splendide... et pour Lili une de ces capotes d'infirmière, doublée astrakan, il me semble... le luxe continue!... je crois qu'ainsi couverts, nos loques, nous sommes très présentables partout, je perds pas mon temps, je pense, je dors pas, je prévois ce que nous allons faire... les Danois sont donc assassins... bon Dieu fichtre c'est pas les premiers!... enfin tout de même c'est mieux d'être sûr... je dois dire je connaissais Copenhague, certes j'ai appris à mieux le connaître... je le connais assurément mieux que son Excellence Ambassadeur, tout enivré de lettres de créance, d'immunité et de petits fours...

— Lili t'en fais pas... je crois que le plus dur est passé...

Je vois que Lili est pas si confiante... elle doute que nous soyons bien reçus... même moi sapé très convenable et elle sa doublure astrakan... je pèche par optimisme... pas tellement allez, que ma boussole et d'un me rassure! exact nous avons changé de direction, à angle droit!... est!... est, donc!... Copenhague c'est encore au moins trois cents bornes... je crois bien... je crois bien... les deux bras de mer à passer... Petit Belt... au Petit Belt, un pont... Grand

Belt un ferry enfin ce train roule, sans plaies, ni bosses, je vous dirais, comme avant 39... au Petit Belt je regarderai... on courra plus de risques... je crois...

On ne peut pas dire que nous ayons senti le Petit Belt, le bras de mer, le pont... peut-être sans doute trop abrutis pour nous apercevoir de rien... convenir, ce train était berceur, plus du tout en montagnes russes... qu'il y ait eu des sabotages et des bombes, ci là, sans doute, on nous l'avait dit... mais il n'y paraissait pas, ce train allait à la perfection, roulait, un charme... je bouge pas, Lili non plus, comme si on dormait... oh, c'est même pas du demi-sommeil, c'est du repos je dirais, en raideur, voulu... quand vous avez pris l'habitude de cette somnolence très spéciale, alertée, vous êtes entré et pour toujours dans un autre monde, où votre fine plaisanterie flageole et peut plus! grince et cette bonne jeanfoutrerie donc! l'idole de l'Espèce! allez faire le plein dans ces conditions... la catastrophe aux Séminaires, asiles, bistrots, travaux forcés!... plus d'ivresse! la vie marche plus!... enfin n'est-ce pas ce que je vous raconte est insipide... mon contrat avec Achille est autrement rédigé! que je vous raconte et c'est tout! on aura beau dire nous allions à très belle allure... bientôt j'allais regarder dehors, je lèverai l'espèce de persienne... la cuisinière refusera pas... sûrement au Grand Belt nous serons forcés d'ouvrir les yeux... là c'est pas un pont c'est le ferry... le train monte dessus et on navigue jusqu'à l'autre bord, je vous ai dit je connaissais cette manœuvre... ce bras de mer est bien calme... tout de même il faudra regarder... personne est encore venu nous voir, nous demander d'où on venait et où nous allions... tant mieux!... tant mieux!... que *ça doure!* je croyais pas si bien dire... voici Nordport... notre dur ralentit... ça va y être... oh, zut, je regarde! c'est bien ça... la ville, la gare, pas une ébréchure il semble, rien de cassé... ça fait drôle, même louche, une petite ville comme ça, peinarde, vous vous dites : qu'est-ce qu'ils attendent?

Nous avons plutôt l'expérience!... dites depuis la Butte!... enfin c'est le Danemark, nous verrons... comme je vous ai dit, comme je pensais, ce Grand Belt est très calme, cette mer-là d'un bleu pour touristes... une robuste houle quand même, juste assez pour que les vagues aient toutes une jolie crête de mousse, et que les mouettes virevoltent bien autour... vraiment pour affiches, pas à résister... dire tout, ces mouettes font pas que picorer la mousse, elles foncent aussi aux hélices, aux remous et surtout aux hublots de cuisine, aux épluchures, aux fonds de poubelles... tout ce qui flotte s'éparpille très loin... là-bas aux mousses... à la houle... jusqu'à l'horizon aux nuages maintenant si énormes qui montent au ciel... on en a je pense pour bien une heure... je connaissais l'autre rive où nous devions accoster, Korsör... chaque chose en son temps, je vous ferai visiter... maintenant le plus délicat, *le ferry* se vide, tout le dur passe le joint, le petit sursaut pour chaque wagon... les pas-

sagers ont pris l'air pendant la traversée du Belt...
je vois les infirmières, c'est pas nous qu'allions nous
montrer!... vite à notre cuisine, et en route!... c'est
cent bornes jusqu'à Copenhague... toujours nous sur
nos deux chaises tout au fond du wagon-popote... par
l'épuisement je vous ai dit, absolument somnam-
bules, je vois que Lili cligne il ne faut pas cependant céder... ni que Bébert sorte de sa musette, elle
l'a sur les genoux... je crois nous avons dû somno-
ler de-ci, de-là... depuis Flensburg sans savoir, sans
nous rendre compte, et foutre bigre il faut pas!... le
moment de nous raccommoder avec si j'ose dire,
vous me comprenez, cette sorte d'atmosphère de
paix, la preuve comme nous avançons, là si aisé-
ment... comme sur des roulettes!... hi!... hi!... c'est-y
drôle?... non!... pas drôle!... nous n'est-ce pas de la
rue Girardon... du passage Choiseul... Bezons et la
suite, nous sommes plus du tout en paix... pas plus
en Bavière qu'au Danemark, qu'ailleurs... juste bons
qu'à être emmerdés... tenez je compte plus les journalistes qui sont venus me voler des heures, et Télévi-
sion, bien me faire chier « ô Maaître! » avec roulotte,
et cent micros,... et disparaître comme ils étaient
venus... évanouis à toujours... le monde entier en
vérité hurle de pas avoir d'arènes... le monde entier
nous demande pour nous traiter comme il faut, Petiot
a tout préparé, Cousteau et Landru et Vaillant... et
même ceux qu'existent pas encore, embryons en
incubateurs, justiciers, qu'évolueront plus déchique-
teurs, délacéreurs, que tout ce qu'on aura jamais vu...
nous verrons... tenez de bric et broc je vous fais
remarquer la muflerie monstre!... depuis le *Voyage*
c'est à qui me pique, plagie, s'en baffre, me vole

288

tout, bien simple... la horde au complet!... je me fais l'impression de les régaler tous depuis 33, ils sont à table, à ma table, et ils en redemandent, tant et plus, baffrent et jamais, jamais ils avouent... vous diriez des invités, que j'ai pourtant jamais conviés et qui pensent que tout leur est dû... et mieux qu'ont tout fait depuis 33 pour qu'on m'écartèle, dépèce, dépiaute... tel à rien, que ce soit eux qu'existent et que moi j'aie jamais existé!... la friponnerie de ces pillards! depuis 33 que ça dure, moi le gargotier je râle! vous me direz : ils ont bien le droit, évidemment je suis d'accord mais pas qu'ils clament un jour, plus tard : « le sale con en a jamais rien su! » Allons l'indignation me remonte, d'une allusion j'ai pris feu... pardonnez-moi!... je reviens à notre train, plutôt à notre wagon-cuisine... je vous dis question suspension et confort, comme avant la guerre, vous sentiez pas du tout les rails... et n'est-ce pas on ne nous refusait rien... nous n'avons qu'à nous servir, la grosse cuisinière nous offrait... prenez ceci! et cela! je veux bien un petit café, Lili aussi, Bébert... rillettes!... il se sert *mgnam!... mgnam!...* il se gêne pas... ça va! je vais me risquer à regarder... soulever le store... je connaissais le paysage... les fermes comme en Normandie... sauf les pâturages... là-haut la terre si ingrate, l'herbe si rare que le bétail sort jamais de l'étable... l'hiver si long, implacable, presque toute l'année... les deux mois à peu près possibles s'ils foncent, se jettent sur leur glèbe impossible, total hystériques, y font rendre, font rendre, à leur façon, envers contre tout, froment, fourrage, patates, haricots... le plus bath attendez, résultat que tout ça a le même goût « baltique »... absolument insipide,... morues, fraises, haricots, asperges, parfaitement interchangeables... même goût « baltique » heureusement que dans deux cent mille ans les vagues le vent auront tout repris, les vagues le vent tout effacé, envolé, fondu... Danemark, Tivoli, prisons, monarchie et agriculture, toutes ces horreurs... je sais ce que je cause!... ils m'ont eu deux ans en cellule, pour rien du tout, pour s'amuser, une bonne chose ils iront jamais me demander que je leur fasse venir un touriste... encore je ne sais pas, y a des vicieux, y en avait bien aux galères, qu'étaient pas du tout obligés, des passionnés de la grande souffrance, qu'aimaient bien périr sous les coups... voyez les personnes à auto, en plus riches, en plus distinguées, elles tiennent qu'à sauter une borne, déraciner le plus fort platane... tous leurs boyaux dans les taillis!... plus vite! ô plus vite!

Je divague, je vais vous perdre, mais c'est l'instinct que je ne sais pas si je finirai jamais ce livre, très beau, chronique des faits et gestes qu'ont eu de l'importance y a vingt ans... trente ans... mais les faits d'aujourd'hui alors?... tous les gens de ma classe sont partis sauf quelques déchets qui savent plus, ergotent, grattouillent, débloquent d'une gazette cafouillette à l'autre, d'un prix Cognac à Garganne, d'Eichmann-Relaps à Sekout-Marrant, on a qu'une vie c'est pas beaucoup, surtout moi mon cas que je sens les Parques me gratter le fil, et comme s'amuser... oui!... joujou! n'empêche vous m'attendez et qu'au lieu de chroniquer en ordre, je sais plus où j'en suis... ah si!... nous en étions au café... et j'allais me risquer, me lever, regarder cette campagne... voici! un petit coup d'œil... la même plaine... quelques

labours... pas d'incendies... ni de décombres... certes
ça peut venir mais ils n'ont pas encore souffert... le
ballast non plus, ni les voies... ce train roule, un
charme... comme ça, Copenhague dans une heure, à
peu près... l'officier « Croix-Rouge », sûrement reviendra pas nous voir... je pressens... la faveur qu'il nous
a fait pourrait bien lui coûter cher, nous embarquer,
nous et nos mômes! il va falloir qu'il s'explique, ça
doit être des belles peaux de vaches ses supérieurs
là-haut, en Suède... « neutres » c'est tout dire... enfin
nous avons profité... notre « Croix-Rouge » le nôtre,
fut bath... y a toujours une petite chance, très
fluette, au cours des pires calamités... je voyais à
Ablon, tout môme, pendant les inondations, vous
savez 1910, vous aviez qu'à friser la berge, les cailloux, à la godille, et vous remontiez peinard... un
chouïa de travers? hop!... vous vous retrouviez à
Choisy, embarqué toupie dans les remous... quille en
l'air!... votre fin! ah ça va!... ça va!... je regarde
encore... la plaine toujours... on s'arrêtera peut-être...
ce sera Roskild... leur genre de Chambord... Chambord tout en briques!... ce pays manque de pierres...
oh pas que de pierres,... de tout!... fripons de siècles
s'en tirent pas mal, baptisent leurs maquereaux, sardines et leurs navets, fonds d'artichauts!... que je
vous perde pas en route, nos mômes sont casés mais
vous? que je vous égare, ce que vous ferez?... pas
question!... Roskild-Copenhague, à cette allure, une
demi-heure... notre train passe Roskild siffle pas...
il fera nuit quand nous arriverons... tant mieux!
l'obscurité est favorable aux personnes plutôt mal
vêtues... avouons, de bâches et de cordes... y a nos
pèlerines qui nous sauvent... mais nous regardant à

la lumière c'était fatal qu'on s'aperçoive... là!... là!...
le dur allait moins vite... et presque tout de suite...
arrêt!... le temps de faire « au revoir »! à notre si
gentille cuisinière et hop!... mes deux cannes et au
quai!... je vois toute cette gare ils sont comme en
France, en « passive », toutes les lumières, bleues...
peut-être ils ont été bombardés?... ou seulement la
précaution?... oh mais c'est pas long quelqu'un là
tout de suite... je suis repéré... un autre officier
« Croix-Rouge »... il vient à nous « Bonjour docteur!... bon voyage?... et à vous madame tous mes
respects, je vous prie!... tous mes hommages!... »
c'est un Danois, d'après l'accent... aussi la tournure.
Oh mais quel bizarre uniforme!... brandebourgs qui
se replient, bouts pendants... coquet décor, genre opé-
rette... pas beaucoup l'heure ni l'endroit... enfin il
est là pour quelque chose...? il doit trouver que nous
tombons pile... je vais pas le contredire... je vois que
personne ne descend de ce train... seulement pour
nous cet arrêt?... le train doit aller plus loin au port,
à l'embarquement pour Malmö... je connais... enfin,
en somme l'arrêt ici c'est que pour nous trois Lili,
moi Bébert... nos petits crétins eux sont placés, ils
ont plus à s'occuper de nous, suédois qu'ils sont,
baveux, muets, sourds... je pense là à eux, trente
ans plus tard, s'ils vivent toujours foutre ils sont
grands l'heure actuelle, là-haut... aussi peut-être
qu'ils ne bavent plus, qu'ils entendent très bien,
absolument rééduqués... des vioques rien à espérer
n'est-ce pas? mais des mômes, tout... ce qu'on en a
laissé ci et là des petits enfants... surtout depuis Sartrouville... je me demande à propos de Sartrouville
ce qu'est devenue la petite Stéfani! elle alors pas

ratée du tout, costaude, huit jours elle avait quand je l'ai emmenée en ambulance jusqu'à Issoudun, est arrivé là un drame qu'elle a jamais su, tout fut broyé autour d'elle, tout le quartier, une vague d'avions, la maison en flammes, elle dans son berceau, rien! nous sommes revenus la chercher pour la ramener à Sartrouville, à la mairie en parfait état... je me demande ce qu'elle a pu devenir?... nous nos baveux, nos dix-sept déchets infantiles il a jamais été question d'avoir des nouvelles... l'heure présente ils sont peut-être champions olympiques, ski?... pancrace?... pas de quoi ricaner, avec les mômes tout est possible, avec les vioques, rien de rien... enfin nous sommes là sur ce quai avec notre nouveau « Croix-Rouge »... assez surprenant, je dois dire... d'abord comment il a su que nous arrivions, prévenu par qui?... le même micmac qu'en Allemagne où nous n'avons jamais pu, un fait, être quelque part, même très planqués, pris dans les suies sous des tunnels ou sous des cataractes de bombes, sans nous arrive un ostrogoth entamer la conversation, là je voyais à peine, pied à terre, cet individu qui ne demandait qu'à nous aider... et puis d'abord où nous allions?... à moi d'être curieux!... « vous êtes en alerte comme ça toutes les nuits?... » il me répond, non!... mauvais je vois, il ment, deux voies plus loin, sous la lumière bleue deux... trois équipes de terrassiers... et qui creusent-pilonnent... c'était déjà comme ça à Ulm... et à Rostock... je veux voir ce chantier, je suis curieux, et que j'y vois...! ils sont éclairés à l'acétylène... je vois qu'ils sont très maigres et qu'ils ont tous très mauvaises mines, *tous*, ils ne sont pas jeunes et ils sont blêmes et ratatinés... je pense « les

Allemands leur prennent tout! »... comme à Paris...
oui bien sûr, évidemment, mais plus tard j'ai pu me
rendre compte, les fritz partis, qu'ils avaient toujours
la même mine, crevarde par 15°... 20° au-dessous...
et très peu vêtus, presque à poil... des gens qui se
refont la mine en prison... je parle pas en l'air...
mais trêve n'est-ce pas de réflexions le quai est à
nous... Lili, moi, Bébert... et ce bizarre « Croix-
Rouge »... danois il est, il nous le dit, il parle français, et anglais il me demande où je veux aller... à
Copenhague?... et qu'il peut très bien nous recevoir,
qu'il met à notre disposition tout un étage... oh!
là! là! non! bien obligé!... « Hôtel d'Angleterre! »
tac au tac! là pas ailleurs! s'il veut nous conduire!...
il est venu avec une auto... parfait!... deux minutes...
Vesterbrogade!... nous y sommes!... la rue la plus
commerçante, diriez la rue Sainte-Catherine à Bordeaux... la Grand-Place tout de suite... *Konges Ny
Tow* diriez aussi encore Bordeaux... grande province... une adaptation quand même, c'est une vie
que nous avons oubliée! pas tant parce que c'est la
province, mais parce que les rues sont comme avant,
à trottoirs, devantures normales, pas en décombres,
que c'est un décor que je croyais que nous rever-
rions jamais... que c'est nous qui sommes étrangers
qu'avons plus rien à faire ici... que c'est un terrible
péril même d'être ainsi dans les rues, mettons comme
avant... des vraies chaussées, des trottoirs, et des
devantures... ça sera pire quand y aura du monde
quand il fera jour... tout de suite vous savez la
Grand-Place... *Konges Ny Tow* la statue du roi au
milieu, équestre, Christian je crois, IV... à l'autre
bout, le théâtre... comme à Bordeaux, même style,

mais moins réussi... oh pourtant mieux que le Châtelet!... le chenal en face, perspective des plus pittoresques, fait petit port, très coloré, d'un côté les bouges à gros numéros, vous diriez l'ancienne rue Bouterie, compris brochets et vieilles maquerelles et leurs tapins et mâles, et fillettes... plus loin les embarcadères pour tous les paquebots long-courriers... vous pensez tout ça presque à la porte de l'hôtel, cet enchantement pour touristes... à mon sens bien plus réussi que la rue de Lappe ou les nuits d'Harlem... je sais ce que je cause, le fait que j'ai connu, et parfait, l'envers et l'endroit, la situation, le privilège, j'ai entendu pendant deux ans, pas un jour, le déchargement des rafles, à l'aube, sous les hautes voûtes de la prison *Vesterfangsel* prison de ouest, toutes les nuits, deux, trois pleins paniers, brochets et tapins, michés leurs épouses, brouteuses, drogués et ivrognes, embrassés... à la dérouille, je ne vous dis que ça! massages à zéro! hurleries que toute la voûte, pourtant un morceau, vibrait, et tout le vitrail, presque fendait... que même les enchaînés comme moi, condamnés à mort, attendaient le moment, savaient l'heure aussi, leur seule distraction, la dérouille des rafles, cette hurlerie... toujours à peu près « trois heures »... *Kloken tre! Ny Ham* ce petit bout de port, havre tous les vices, juste devant l'Hôtel d'Angleterre... vous me direz : vous divaguez!... non!... je sais parfaitement où nous étions, à la gare... sur le quai, avec ce baroque « Croix-Rouge »... il ne s'agissait pas de gaffer...

— Hôtel d'Angleterre si vous voulez bien?

Je pourrais lui donner d'autres adresses... que je m'en garde!... mais du quai de cette gare, à là-haut leur « pas-perdus », c'est une ascension, enfin pour moi... même allant doucement marche à marche... je réfléchis... ce que je ferais à l'Hôtel d'Angleterre? et surtout quelle tête ils feront eux?... j'ai dû bien changer... le portier me connaissait bien... certainement ils sont « résistants »... et certainement ils nous « donneront »... tout de suite je ne sais à qui?... au Diable, au Roi, à l'Ambassade, au Pape, à ce qu'ils pourront!... Dieu sait nous avons l'habitude!... qu'on me bourrique pas, me diffame pas, me menace pas de tout... je me sens drôle, à vrai dire depuis le *Voyage* j'ai pris ma distance me suis fait haïr et pire en pire, tout ce qu'il faut pour, ainsi, plus à être aimable avec personne, sauf avec Achille que je traite assez gentiment... depuis son « centenaire »...

Que je vous perde pas! à nos Danois! vous remarquerez je suis certain, qu'eux ne font jamais la guerre, l'approvisionnement c'est tout... et des deux côtés... vers la fin, ils optent, pour le gagnant, et la partie est jouée!... du jour au lendemain!... alors ça va, cagnotte et la gloire! et place aux touristes! nous là, nous arrivons mal, en somme en avance... entre deux actes... cependant une contenance!... il faut! mais laquelle?... touristes bien heureux de retrouver le Danemark?... ce qui s'y passe ne nous regarde en rien? nous sommes là pour tout admirer et surtout leur « Résistance filmée en couleurs, commentée... tournée sous la botte... » la horde teutonne écumante... bien sûr le même climat qu'ici mais là-haut plus drôle parce qu'ils étaient tous allemands, surtout le roi Christian je dirais né *Glücksburg, Hesse, Holstein,* boche absolu... ayant été dans ses prisons, et pas qu'un peu, traité on ne peut pire, à fond de

fosse je me suis toujours demandé si c'était pas un
ordre d'Himmler vous me direz bien improbable!...
je vous accorde... mais on a vu pire, bien pire,
incroyable... et rien à côté de ce que vous verrez...
tenez par exemple, cette petite idylle entre votre
femme de ménage, blanche et votre facteur, noir...
sang dominé, sang dominant!... les jeux sont faits!...
laissez aux somptueux chefs d'États le monopole du
Vide Emphases, leurs gardes sur la bride, trompettes!
j'aurais pu dire un facteur, jaune, encore bien plus
triomphal! ça que nos princes ne parlent jamais,
si absorbés, confondants divagants blablas... sang,
blanc perdant!... et nous voici au Brésil!... Ama-
zone!... au Turkestan!... aviation, fusées pour la
Lune sont en tout et pour tout que bruits de gueule,
clowneries...

Il n'y aura plus de blancs, l'an 2000, pas de quoi
se frapper... je suis d'accord! je vous annonce tout
ça en vrac, quelques lignes... vite à nos oignons! je
vous ai fait remarquer, depuis la brique, Hanovre,
je dirais je m'emmêle je me retrouve, comme je
peux, par devoir et automatisme, en somme assez
comme à la guerre... je veux dire à la guerre autrefois où ils la faisaient pour de vrai tout de suite et
pas « par on dit »... tout cela ne nous regarde plus,
place aux janissaires, aux Balubas parfaits racistes,
aux cadres fellagas... aux voltigeurs viets décapi-
teurs cent pour cent... en eux est le Pouvoir, la
tranquillité des banques, et le retour aux bonnes
manières tous les blousons fonçant aux vieillards
leur faire leur ménage... allons!... allons! que je me
modère, cette crise de rire vous savez depuis ce
choc à la tempe, Hanovre... la tempe... la brique...

je ne veux plus être distrait!... je ne veux plus rire...

Vous n'étiez n'est-ce pas avec nous, presque à l'Hôtel d'Angleterre, dans l'auto de cet individu... cet individu marmonne... je réponds, je réponds : Hôtel d'Angleterre!... qu'il nous conduise!... qu'il ne nous emmène pas ailleurs!... assez! assez d'être détourné!... oh je connais le chemin!... *Vesterbro* cette rue... *gade*... après *Radhusplatz*... mais il me semble qu'ils soient en « alerte »... pourtant pas entendu les sirènes... ni rien au ciel, ronrons, projecteurs... rien ne clignote aux fenêtres... les maisons et les chaussées me semblent pas avoir souffert... leur grand magasin « Illum » pareil comme avant, tout bourré de camelote, même je remarque de ces cortèges de robes de mariées... et de tenues de sport... c'est peut-être que la devanture!... si notre zigoto nous trompe pas nous mène direct où j'ai dit, c'est tout de suite... oui!... ça y est!... *Konges Ny Tow*... le théâtre royal au fond à droite... il fait un peu clair de lune mais pas assez pour admirer comme il faudrait... les vraiment belles places sont très rares, elles se comptent sur les doigts, cherchez en une deux... à Paris... autant à Rome... enfin vous verrez celle-ci plus tard... car il ne fait pas assez clair de lune... au centre je sais, le roi, en bronze, à cheval, un de leurs « Christian »... toutes les agences vous diront lequel... toujours nous y sommes, nous... Hôtel d'Angleterre!... quatre porteurs sont au garde-à-vous... grand service je vois... nous n'avons rien à leur confier...

— Nos bagages viendront tout à l'heure.

Je préviens... belle lurette que nous sommes sans

bagages, maintenant à la « réception » le portier
me fait remplir une fiche, il ne semble pas étonné
de me voir il me demande rien pas de détails je ne
lui présente rien, ni voir non plus... je vois on est
d'accord en somme que ce qui se passe n'existe pas.
Nous nous rencontrons tacitement... d'accord! ne
rien déranger!... je sais que ce portier parle français
je suis descendu ici souvent... sûr il me reconnaît,
même si je suis pas beau... oh, bien d'accord, moins
on parle! un valet nous mène à notre chambre il
nous précède avec la clef... immense, somptueuse, à
deux lits... j'ouvre la fenêtre... et puis trois fenêtres...
nous donnons sur une terrasse... sur tout le décor,
Neiham en face, le petit port je vous ai dit, très
théâtre, grands zincs, avec machines à sous, guinches
à voyous, tout du long, à un quai c'est-à-dire, jusqu'au grand chenal et la douane... vous diriez le
genre Saint-Vincent, au Havre autrefois... les mêmes
consommateurs bien saouls et ces dames, marins du
commerce et de l'État, méli-mélo, touristes à pas-
sions, pédales et mangeurs de caca... tout ce qui se
fait à l'accordéon entre trois... quatre heures du
matin... l'heure de pointe des grands compliqués...
croyez pas que je sais pas ce que je cause... mais
si!... que si!... au moins un truc que pas un touriste
pourra voir, l'arrivage, passage à tabac des paniers
de la rafle... entendre surtout, cette dérouille... *pang!*
piff! ouaah! ce massage en série... *ooouh!* si ça hurle!
on peut dire chaque nuit en saison... deux trois
autobus... et *bing!* et *boung!* qui se font dégriser!
vous savez peut-être pas, la prison est haute, vide,
sonore comme une cathédrale... *pfaf, ouaah! oooh!*...
il manque que les orgues... qu'en voici, bigre!... un

autre panier à salade!... envoyez!... moi qu'ai fait
deux ans de réclusion pavillon K *Vesterfangsel* je vous
bluffe pas... d'abord de même tous les patelins, la
vérité est qu'en prison, dehors tout est que babil-
lages, postillons de salons, hors cellule tout est gratuit rien est payé... il a fallu le Temple que les nobles
apprennent ce qu'ils pesaient... Moscou, Amérique,
Carpentras, kif au même... passez-y vingt-quatre
heures en tôle, vous saurez tout, vingt ans en touriste, vous reviendrez plus puceau que jamais... là
n'est-ce pas je vous parle, je me permets, bric et de
broc... sans ordre, mille hâtes!... je viens d'avoir
soixante-sept ans, ma peau de chagrin bien racor-
nie, je devrais être claboté depuis belle, j'ai tout fait
pour... applaudissez!... je me dirais : j'emmerde bien
du monde, ça serait une bonne raison de rester, mais
même pas...! de temps en temps un coup de téléphone, quelque curieux...

— C'est pas vous des fois, autrefois, qu'avez écrit
ceci... cela... sous le nom de Céline?

Je réponds rien, je raccroche... Achille a qu'à s'occuper d'eux, il a la Pléiade et la Pléiade est faite
pour...

« Reliques » foisons, mironton d'auteurs disparus...

Nous ne sommes que trois vivants là-dedans je
vous les ai cités « Dur-de-mèche » « Buste-à-pattes » et
moi-même qui veut pas répondre... pensez cette
« Pléiade » trois vivants! tous les autres sont morts...
le plus compact des charniers... là vous pouvez voir
le vice d'Achille, à cent sept ans il inventera encore
d'autres trucs... « contrats » qu'il appelle...

Eh là! je vous sème! ô, hideux ravages!... la jeunesse déconne, la vieillesse rabâche... débrouillez-

vous!... nous étions dans cette chambre si haute, si vaste, trois fenêtres sur terrasse... il faisait nuit... je lui chuchote...

— Lili écoute!

Elle m'écoute... elle est de mon avis que cette chambre est à microphones... et sûrement à trous dans les murs... que nous avons quelque chose là sous Bébert, dans sa musette... je vous en ai pas encore parlé... quelque chose de pas méchant du tout mais qui regarde personne, vous vous rendrez compte... microphones je pense, pour qui? les fritz?... les Danois?... les deux bien sûr! et d'autres! ici je sens c'est une perfidie dont je n'ai pas encore l'habitude... que devais apprendre... j'ai mis deux ans à l'apprendre et j'en suis sorti bien sonné... je peux dire pour le compte!... j'entends comme ça à la radio le mal qu'ils se donnent à Tel-Aviv pour accueillir leurs braves frères juifs qui leur arrivent de partout, de Patagonie en Alaska, de Montreuil à Capetown, tous si persécutés, pantelants, héros du travail, du défrichage, du marteau, de la banque et faucille... le mal qu'ils se donnent à Tel-Aviv pour recevoir leurs frères dispersés! Comités affectueux d'accueil, larmes à gogo, gerbes d'azalées, dons en nature, espèces, orphéons, baisers... merde! si ça se passe pas du même ici!... « Ah, te voici immonde!... arrive qu'on t'achève! » parents, amis, tribunaux, bourreaux, si tous s'y mettent! et hardi!... si on te fera payer de revenir! d'oser! que les boches t'ont pas fini! damné!... vous arracher le rien de bout de viande qui peut vous pendre encore à l'os... tout ce que le Comité « des Français de souche » peut pour vous... je sais ce que je cause... je dis que ce pays d'Israël est bien une vraie patrie d'accueil et que la mienne est toute charognerie... parole d'engagé volontaire, mutilé 75 p. 100, médaillé militaire et tout... en plus, vous me permettez, j'ajoute, écrivain styliste du tonnerre, preuve comme je suis, absolument de la « Pléiade » tels La Fontaine, Clément Marot, du Bellay et Rabelais donc! et Ronsard!... vous dire si je suis un peu tranquille, que dans deux, trois siècles j'en aiderai à passer le bachot...

« Vous êtes que des morts dans votre collection!... » non!... nous sommes encore trois en vie!... « Dur-de-mèche » et « Buste-à-pattes »... et votre zélé serviteur qui tient plus beaucoup debout, j'avoue... allons! allons! que je vous rattrape et ne rigole plus!... « Dur-de-mèche » ne plaisante jamais, ni «Buste-à-pattes» donc! c'est leur force... surtout en Pléiade vous pensez!...

Nous étions je vous ai dit dans cette si belle chambre, à trois fenêtres, deux vastes lits... parfait silence... nous n'allions pas dormir pour ça!... que non!... au diable la fatigue! vous entendez comme un petit bruit, un grattement, quelque chose... non! rien!... je vais voir à la fenêtre... le ciel est un peu éclairé, les nuages c'est-à-dire... deux ou trois projections là-haut... de très loin... passent... deux rayons qui se croisent... s'éteignent... et c'est fini... une sorte d'alerte très discrète... sans sirènes... sans avions non plus, je crois... ils devaient avoir un « couvre-feu »... ils étaient sûrement « occupés » mais encore très discrètement... plus tard que nous avons vu les Allemands, mais alors à pleins camions, et à pied, et en vélos, armées de Laponie, de Tromsö, Narvik, Bergen... le reflux, vous pensez, aucune surprise, partout pareil, Ypres en 19, Maisons-Laffitte en 40, viandes ahuries lasses, perdus leurs rôles... muletières à la traîne, flingos en béquilles... y avait là, décoratives, que les troupes hongroises à hauts bonnets rouges... et les « chasseurs » bavarois à trompes de chasse et si belles meutes... je crois ils allaient se reformer tous, en principe, en camp près de Lübeck... il s'en est perdu en route beaucoup, j'en ai retrouvé en prison, traînards, déserteurs, surtout ramassés dans les « salles d'attente »... les « salles d'attente » suprême pensée des armées défaites... Napoléon aurait eu des salles d'attente plein la Pologne, il aurait retrouvé tout son monde, il aurait sûrement repris Moscou... vous vous êtes fidèle, vous me quittez pas, voici le petit jour... j'ai cru aussi à Zornhof que nous allions pouvoir nous reposer... vous avez vu un petit peu... à Rostock encore puis à Ulm... que nous aurions le droit... maintenant ça va, je crois plus à rien... je suis sûr seulement que les jeux sont faits, qu'une fois pour toutes, Berlin, Ulm, Francfort ou ici, sommes bons qu'à être servis hachés... par ceux-ci... ceux-là... encore tenez mon gourbi, Meudon, j'ai toujours eu bien le sentiment... preuve les pétitions, les affiches... et remarquez, deux pas d'où je suis né, Rampe du pont 13, Courbevoie... « tout de même maintenant ça s'arrange ! »... je vous entends...

— Oh je ne trouve pas !...
— Votre désir alors ?
— Les Chinois à Brest !

Bon !... vieillard je déconne, j'ai le droit... mais pas le droit de vous perdre... nous étions là-haut au Dane- mark pour tout admirer... folles astuces prouesses de leur Résistance, sublimes, indéniables, filmées, sonorisées... toute l'infernale « occupation »... là dans l'instant je voyais rien... pas d'hordes teutonnes écumantes... plus tard on m'en a parlé, raconté, massacres, vols, viols... j'ai même eu droit aux deux versions, celle officielle, celle de prison... le théâtre et les coulisses... bien rigotes aussi bobardes l'une que l'autre... hordes teutonnes?... le roi le Christian X en savait un bout, il parlait qu'allemand, il était qu'allemand, absolument indéniable *Glücksburg, Hesse, Holstein*... et sa *dronnin* donc!... ayant été dans sa Bastille et pas qu'un peu je me suis toujours demandé si c'était pas par ordre d'Himmler que j'étais là?... vous direz : bien affabulé!... je vous accorde... mais on a vu pire, bien pire... et on verra je vous assure encore bien plus chouette... les Chinois à Brest, les blancs au pousse-pousse, pas tirés! dans les brancards!... que toute cette Gaule et toute l'Europe, les yites avec, changent de couleur, qu'ils ont bien fait assez chier le monde!... elle et son sang bleu, prétentieux, christianémique!

Je m'emballe, je vous oublie... pas du tout!... je vous emmène... maintenant il fait jour, enfin presque... « toc! toc! entrez!... » un loufiat... il apporte le petit déjeuner... il savait que nous allions sortir... oh mais je n'avais rien demandé!... le petit déjeuner très complet sur un de ces plateaux servi à l'anglaise, porridge, toasts, jambon, thé... café!... je vous ai dit, on nous gâte... heureusement nous nous sommes bien tus, toute la nuit, sûr ils écoutaient... d'une façon ou l'autre... en plus trois liasses de tickets de tout... pain, beurre, viande... des tickets danois... *bröd... smör...* ce loufiat parlait français...

— Le poisson est en vente libre, saumon fumé... le café aussi... vêtements aussi... vous verrez en vous promenant... vous savez n'est-ce pas?...

Oh, oui que je sais!... *Magasins du Nord... Illum... Vesterbrogade* ce que je savais pas, on me l'a appris par la suite... au moment nous allions sortir... attention!... je dis à Lili prends la musette moi mes deux cannes, il faudra que ça aille! j'ai réfléchi... d'abord voir un peu les « nouvelles »... y a de tout en bas, journaux, la banque, le portier, les renseignements, je vous dis presque comme en temps de paix... mais un petit quelque chose... que rien ici est pour nous, que nous sommes pas du tout à notre place... superflus, sortes de douteux, pire que chez les boches, où pourtant ça a tenu qu'un fil que tout soit dit... là ici c'est un théâtre où nous sommes... entrés comme ça... où nous n'avons aucun rôle... où tout va disparaître, bientôt, s'abattre : décors, les rues, l'hôtel, et nous dessous... vous me comprenez... quand on ne dort plus on se rend mal compte... il est encore de très bonne heure... question gazettes seulement en danois et allemand... le danois il faut s'habituer qu'ils ont fait du *nicht* un *ikke*... ça compris, tout va... du patois, en somme... le communiqué *Wehrmacht*... toujours le même... ça va... ça va... ce portier me connaît depuis longtemps, certainement il est renseigné, il sait très bien quel vent nous pousse.

— Docteur, là vous le voyez?

Drôle à cette heure-ci, si tôt, un genre d'officier suédois... en kaki.

— Il vient d'arriver de Berlin...

Un homme dans la quarantaine... pas défraîchi, ni poussiéreux, même en belle tenue et bien rasé!...

— Comte Bernadotte! Croix-Rouge!... il remonte
de Potsdam voir Hitler!...

J'en demande pas tant!... j'ai rien demandé... que
peut nous foutre?... il remonte en Suède? nos mômes
aussi sont là-haut maintenant... avant lui!... si on
pensait à nous d'abord?... là tout de suite! bien sûr
nous n'avons pas dormi mais n'est-ce pas comme ça
depuis Montmartre nous devons être un peu habitués... pas trop que ça se remarque... enfin dans les
moments critiques... là y a pas de pet, personne
semble encore levé sauf le portier et ce Bernadotte...
je vous parle de ce grand hall à l'entrée... la « banque »
est encore fermée... ont-ils eu jamais d' « alertes »?...
oui, deux fois!... une bombe... « occupés » ils sont...
la preuve « résistants »... j'ai su plus tard, et pas
qu'un peu, Vikings très sanglants, en prison, je veux
dire contre les prisonniers... là devant la porte le
concierge attend que je lui parle, je dis rien... le jour
vient tout doucement... on voit le théâtre à l'extrême
droite au bout de la place... l'autre bout c'est l'ambassade de France tout de suite là... les Allemands
n'y sont pas entrés... si elle pouvait rester telle quelle,
bouclée, scellée!... mais y aurait bien une après-guerre
et retour des Français d'ambassade... les Danois
peuvent être bien fumiers ils seront jamais aussi
infects que ce qui viendra de France, je veux dire
pour nous... là au petit jour devant cet hôtel j'ai
bien pressenti ce qui se préparait toutes sortes de
divertissements, vous aurez de quoi rire... vous irez
peut-être au Danemark en touriste l'endroit... vaut
la peine... vous êtes forcé de vous y reconnaître...
Kongsnutord, place Royale... Christian IV... cette
statue équestre... le tramway tourne autour, voi-

tures très longues, couleur jaune... comme celui de Bruxelles... je dis à Lili! allons voir!... je sais bien ce que je veux voir, pas du tout la ville! je vous ai jamais parlé!... de notre petite planque ni à Harras, ni à Restif, ni à La Vigue... il s'agit de quelques objets et papiers au fond de la musette... oh beaucoup certes s'en sont doutés!... je suis parti toujours juste à temps, pensez que j'allais rien exposer dans cette grandiose chambre où sûr y avait des trous partout et des voyeurs et microphones... je savais ce que je cherchais, un endroit vraiment isolé... je croyais me souvenir... pas Hellerup où pourtant le jardin est des plus tranquilles où même rare vous y voyiez quelqu'un... le jardin enchanteur on peut le dire entre le petit port et le tramway, et remarquablement fleuri et à massifs et feuillages d'une diversité que je n'ai jamais vue ailleurs... et bien ce jardin n'attire personne, voilà tout... ce petit port de yachts vous le trouverez facilement, juste au terminus du tramway... j'y pensais là sur le trottoir devant l'Hôtel d'Angleterre... mais ce qu'aurait voulu Lili c'est qu'on aille d'abord et tout de suite au « Groenland » le magasin juste à côté... elle avait vu en vitrine de ces costumes en peaux de phoque, avec hautes bottes, et brodés toutes les couleurs qu'étaient des merveilles, d'ailleurs les derniers qu'ils ont eus... après ça a été comme le reste les Groenlandais se sont habillés comme tout le monde, mi-bureaucrates, mi-plombiers...

Là que Lili remarque, je lui fais voir à ma montre qu'il est pas encore sept heures que le « Groenland » est pas ouvert... ce comte Bernadotte a pas bougé... il est comme nous, sur le trottoir il ne nous regarde

pas... il regarde droit devant lui... il regarde rien...
sûrement il attend pas le tramway... peut-être une
auto?... ah voici!... dig!... dig!... le nº 11... je vous ai
dit tout jaune l'Hellerup pour nous!... le premier je
crois... « viens Lili!... » je grimpe je dois dire avec
assez de mal... enfin!... Lili et Bébert dans sa musette...
je vous ai pas raconté, en arrivant au Danemark
j'avais de l'argent boche, bien deux cents marks, le
portier m'avait affranchi.

— Changez tout ça! jamais n'en parler à personne!
vous iriez tout de suite en prison!...

Ce coup du change « d'argent maudit » on me l'a
fait vingt fois par la suite... escroquerie rituelle... il
m'a tout changé sur le pouce, en « couronnes »
danoises, ça devait aller pour le tramway et même je
crois pour l'hôtel... j'avais d'autres idées, heureusement... il m'a demandé en même temps si j'avais
une arme sur moi?... et si j'avais un compte en
banque?... son métier n'est-ce pas d'être curieux...
Mais il en savait assez...

Là dans ce tramway pas beaucoup de monde...
quelques couples assis, bien tranquilles... « deux
Hellerup » le deux en danois fait *to*, pas *two!*... trois,
tre!... pas *three!*... ni *drei!*... ces gens là assis, oscillent,
bringuebalent comme nous... hue!... dia!... ces rails
sont moches mais ils valent mieux que ceux d'Hambourg!... que ceux de Bruxelles aussi je suis sûr!...
de ceux de Berlin on parle plus! hi! hi! et de ceux
de la rue du 4-Septembre!... je les ai bien connus!...
les Lilas! toute l'Europe d'abord est à refaire!... je
pourrai me marrer un fameux coup! hi! hi!... je
m'empêche... je me force à pas! je poufferais!... je
poufferais!... positif, je me rentre la main dans la

bouche... ça va! ça va!... je tiendrai jusqu'à Hellerup... rire, pas rire! vent que le reste!... tout ce
véhicule grince... et *dig! dig!* on va y être!... oui,
là je sais... je me souviens bien... au trottoir! descendons!... et à pied un peu plus loin... presque jusqu'au
bois... disons plutôt aux très hautes ronces, genre de
buissons... là je sais y a jamais personne... j'y ai été
assez souvent... non! je me trompe... c'était pas ça...
ça devait être plus haut... nous avons dû passer le
chemin...
— Lili j'en peux plus... tu dois être à bout toi
aussi... un instant!
On s'assoit là, je peux pas dire dans l'herbe, sur
un tas de lianes et ronces... et ça pique!... déchire-
ment!... on se relève, on va... oh mais je retrouve la
mémoire! je sais!... je sais!... « par ici Lili!... par
ici » maintenant je me souviens parfaitement... c'est
un chemin de sable de teinte je dirais presque rose...
ça fait des années bien avant la guerre, que j'ai pas
été par là... oui!... oui! nous y sommes!... je me
retrouve... le banc!... de l'autre côté du chemin
et en contrebas, les ruines... même le nom : la Citadelle... enfin ce qu'il en reste... Citadelle détruite,
rasée... une guerre?... je ne sais quelle?... à voir juste
les cachots en sous-sol... les barreaux, les chaînes...
toute cette ferraille bien rongée de rouille... pour
ainsi dire en dentelle... tout ça juste au bord de la
mer, là j'aurais dû me souvenir... vous entendez les
galets, le clapotis... les mouettes... y a de quoi se
reposer pas aucun promeneur... j'avais remarqué
avant la guerre... y avait presque jamais personne
dans ce chemin pourtant très bien tenu, sable rose...
vous allez me dire : au moins vous vous étiez tran-

309

quille!... oh pas du tout!... bien inquiet j'étais!... mais pas assez! j'aurais dû penser beaucoup plus! conscient bien précis de ce qu'était perdu... qu'allait nous tomber! maintenant je sais, à bout de rouleau, à quoi ça me sert? gratter du papier pour Achille... même en l'insultant tous les noms s'en fout et comme! vogue à son deuxième milliard! je suis à la rame et il m'enchose! lui cent ans bientôt qu'il ne fout rien... demain j'y serai plus, lui non plus... y en a qui font le tour du monde en stratosphère, en galère ça va bien aussi, dépend comment vous êtes placé, à la rame ou sur la dunette... moi la rampe du pont Courbevoie ils prenaient que des hommes de chiourme... allons! allons! à mon devoir!... que je vous raconte!... que je divague pas... je vous disais nous reposant là devant la Citadelle, enfin les ruines, personne dans l'allée... je pouvais enfin faire l'inventaire... des mois que j'y pensais, certainement Lili aussi... mais vous avez pu remarquer nous n'avons parlé de rien jamais... pourtant extrêmement important!... nous aurions pu être fouillés, pensez, surtout à Zornhof!... si suspects! et là tout de suite à cette frontière, Flensburg... ils auraient certainement trouvé... oh que c'était pas des explosifs!... juste nos vrais passeports, notre livret de mariage, et quatre ampoules de cyanure... rien que de très honnête vous voyez... mais cyanure dont j'étais certain pas mouillé comme celui de Laval... du vrai cyanure de potassium, mortel sec... je l'avais eu par.... par... je ne veux plus compromettre personne même si lointainement... un jour viendra, un historien communiste, jaune, sans doute, écrira un livre : le martyre des « collabos » mettons dans un siècle... j'aurai mon heure...

mon « mémorial » sera au bachot... vous avez là
une chance inouïe vous qui êtes si friands de tout
premiers frissons que je vous fasse vivre un moment
qu'ils sauront seulement dans un siècle... vous appré-
cierez, je suis sûr, nés que nous sommes vous et
moi, en pleine « relativité »!... là où nous étions de
si bonne heure, personne allait nous déranger...
Lili savait bien ce que je voulais... si ce que j'avais
mis à Bezons dans la musette à Bébert y était toujours, notre cyanure, nos deux passeports et le
livret... l'essentiel lorsque vous n'avez plus rien...
le livret de mariage... je n'avais pas encore l'expérience de l'hallali général, mais j'avais tout de même
assez bien imaginé... « lorsque tout est fini », que vous
êtes pour ainsi dire à fond de cloche, pustuleux,
lépreux criminel! vous pouvez vous attendre trois
choses, d'un : d'être accusé d'être en faux nom, faux
passeport, faux tout... nous les nôtres, ils pouvaient
y aller!... j'aurais pu en avoir des faux, certes...
mais pas le cas!... bien sûr mon blase était affreux,
la preuve l'article 75! mais y avait des pires « criminels de guerre »... ceux-là, les listes à Washington,
à Londres... *Chief Justice*... oh qu'ils ont farfouillé
deux ans, moi au gnouf, si j'étais pas un « évadé »...
un bel bien « criminel de guerre »... « camouflé »
Céline... deux ans qu'ils m'ont tenu à fond de fosse,
en maturation de dossier, prétexte, loque, viande
pourrie, à la voierie... je me sens encore un peu comme
ça moi là qui vous parle... et même l'odeur, je dois
avouer... l'autre péril de cette chasse à courre : qu'ils
ne vous trouvent pas mariés... je veux dire très régu-
lièrement, là pas de fantaisie!... je vous assure que
demain les communistes, slaves, jaunes ou noirs

prennent la barre, même les Balubas, la première chose qu'ils regarderont : si vous êtes des unis comme il faut... pas en turlupins fantaisistes déréglés cochons pour vous alors pas de livret de mariage... on nous séparait, on se revoyait plus!...

Même absolument réguliers, Dieu sait si on a eu du mal!... deux années minute par minute... infiniment abruti, au fond du noir... à se demander ces hurlements?... s'ils venaient du « 14 »... ou d'en face?... de l'autre fosse?... y en a qui ont connu bien pire, c'est vrai, je reconnais... regardez un peu cet Eichmann, juif relaps, comme Sachs, Riefensthal, infinis vicieux masochistes ce qu'ils ont été chercher!

Alors dites où nous en sommes?... que je vous retrouve!... sur le banc là, je vous ai dit, absolument personne autour, ni au loin... Lili sait bien ce que je veux regarder... elle pose notre musette sur le banc... Bébert sort, s'étire, je le connais, il se sauvera pas... il restera là tout près, dans l'herbe...

C'est moi qui sais ce qu'il faut regarder, notre trésor dans le double fond... depuis Paris... bien des fois j'ai voulu voir... à Sigmaringen ils se doutaient... là, ça y est! le double fond!... je dégrafe... je vois... y a tout... on n'a rien perdu... nos deux passeports, notre livret de mariage... et un pistolet Mauser de dame... notre flacon de cyanure... le reste était à la banque, enfin devait y être, je vous ai dit, en ville, *Landsman Bank, Peter Bang Wej*... la banque, ça viendra... quand on sera un peu reposé! l'urgence d'abord!... que je ragrafe ce double fond... que Bébert s'y retrouve... il comprend tout de suite, il saute, s'installe, et ronron... c'est pas un greffe n'importe quoi il comprend nos conditions, je suis

sûr qu'il en sait plus qu'il dit et même sur ce qui va
se passer... le silence animal c'est quelqu'un... je
demande à Lili « y a tout, tu crois? »... elle est pas
bien sûre... allons!... tant pis!... on reviendra! on y
regardera un autre jour... cette allée est vraiment
tranquille... mais tiens!... Lili voit mieux que moi...
c'est rien... là-bas dans les herbes, un oiseau... mais
pas un oiseau habituel... un oiseau je dirais « de collection » de Jardin des Plantes... un oiseau grosseur
d'un canard, mais mi-rose, mi-noir... et ébouriffé!
je dirais les plumes en bataille... je regarde plus loin...
un autre! celui-là je le connais!... c'est moi qui l'ai
vu le premier!... un ibis... drôle de piaf ici... et une
aigrette!... celle-là sûrement pas du Danemark!...
un paon maintenant... ils viennent exprès!... et un
« oiseau-lyre »... c'est à manger qu'ils voudraient...
l'endroit est pas bien nourrissant, ruines, ronces,
cailloux... encore un autre!... cette fois un toucan...
on les a presque à trois... quatre mètres... ils seraient
familiers si on avait à leur donner, mais vraiment
vraiment on n'a rien... là je dis à Lili « ferme bien le
sac, qu'il sorte pas la tête! »... je pense à Bébert...
comme ça entourés d'oiseaux si il venait quelqu'un il
se demanderait ce qu'on leur fait, si des fois nous
ne sommes pas charmeurs... charmeurs d'oiseaux...
— Allons-nous-en!
Je crois que pour nous tout est dangereux... ces
oiseaux, je suis sûr sont en « rupture de volières »...
ils doivent venir comme nous d'en bas, de « zoos »
en Allemagne, bombardés... en tout cas, mes cannes!...
et un grand effort et debout!... et au tramway!...
je vous ai dit, au « terminus »... d'où nous sommes
venus... on va se retrouver...

A vrai dire c'en était assez... 791 pages... ouf!... assez?... assez?... voyez-vous! j'étais « engagé » bel et bien... il s'agissait d'en finir... oh, pas que j'y tienne!... mais n'est-ce pas Achille ne se fendait pas d'« avances » pour que je m'interroge... n'étant ni pédale, ni cocaïnomane, ni droit commun, je n'ai aucune excuse... les dettes, si vous êtes ministre, ne comptent pas... si vous êtes d'une Académie on comprendra vos faiblesses... mais là moi vous vous rendez compte, j'aurais beau parler du *Voyage*, que c'est une date, que tout ce qui fut écrit depuis n'est que « pénibles imitations, galimatias tièdes »... comment on m'enverra foutre!...

— Eh, personne n'a lu votre *Voyage!*... arrogant gâteux!

Rien à répondre!... la jeunesse est conne absolue, qu'est-ce que j'y peux?... elle a le cinéma pour elle! fadée jeunesse!... pas un metteur en scène sait lire... raison de plus!... le cinéma ne se doute rien, et ne doute de rien... de ces audaces! bravo!... si vous mettez à peu près debout 791 pages ah, que vous vous dites, ça ira! surtout n'est-ce pas que cette chronique est pas tellement drôle... et peut-être que j'aurais du mal à vous faire rire avec le reste?... pas que je recherche la tragédie vous avez remarqué!... je l'évite... je l'évite... mais *broum!* n'est-ce pas dans nos conditions difficiles que nous soyons pas rattrapés... on serait resté rue Girardon on aurait tout de suite eu notre compte... la « corrida » fignolée, « Institut dentaire » ou « Villa Saïd »... la galère d'Achille est assez sévère, j'admets, surtout vu mon âge, mais tout de même une rigolade à côté de ce qui nous attendait... écorcherie à vif, premier temps... second temps, lardé à la broche, et aux petits oignons, piments, au petit feu... vous allez me croire partial... oh, boxon que non!... qu'ils étaient semblables des deux bords! ce Cousteau tout aussi ordure, bourrique enragée que le Sartre... que moi qui vous parle j'ai vu des chevalets de torture tout aussi prêts, coins et brodequins fignolés, chez les Petiot d'un bord que de l'autre... où ça? vous me direz... je me gratte pas, le coup d'œil coûte rien... sous la « permanence » L.V.F. vous voyez, l'ex-« Intourist » au coin Caumartin-Auber là dans la cave, très vaste, profonde, genre Piranesi, à cet endroit, bien incroyable!... vous pouviez tout de même vous rendre compte qu'ils pensaient à tout... je vous répète l'endroit : en face du « hammam »... vous voyez si je suis impartial, vraiment historique... qu'ils étaient aussi sadiques par-ci, que par-là... le rigodon qu'est tout! perlipopette que ça saute!... cervelles en gibelotte, esclaves aux murènes, dodus, chrétiens aux jaguars, collabos Villa Saïd... et demain tenez vous m'en direz des nouvelles!... de ces marmites écumantes à tous les carrefours... pour qui?

pour qui?... pour vous, pardi! lentement à bouillir, avec cris de saison... le petit détail qui me froisse un peu, où je tique, c'est la galanterie... ç'aurait été là par exemple l'Hitler gagnant, il s'en est fallu d'un poil, vous verriez je vous le dis l'heure actuelle qu'ils auraient tous été pour lui... à qui qu'aurait pendu le plus de juifs, qui qu'aurait été le plus nazi... sorti la boyasse à Churchill, promené le cœur arraché de Roosevelt, fait le plus l'amour avec Gœring... ça tourne tout d'un côté, d'un autre, ils se précipitent, s'en foutent sur quel membre ils tombent, le principal qu'ils soient mis à fond... oh qu'ils prennent la petite à Adolf, je vous dis, s'en est fallu d'un poil!...

J'avais le droit, vous admettez, 796 pages, de souffler un peu... oh, pas d'envoyer des messages!... les « messagiers » sont d'autre sorte, philosophico-cormouilleux, malheur qui s'y frotte, se perd dans leurs ondes, pissotières, terrasses, abbayes... complexes, algues, entortillages, vous vous retrouvez plus... *toc! toc!* quelqu'un frappe... *ouah! rrra! miou! tuii!... tui!...* je vous imite la meute... et les arbres, les oiseaux... et *drrrrng!* la porte!... et le chat *Flûte...* c'est un téméraire!...

— Entrez!... entrez!...

— Ah, bonjour!

C'est Ducourneau! lui, c'est du sérieux... il vient pas pour rien... tout de suite nous tombons d'accord... ah encore quelques petits doutes... ça y est!... à peine un accent... une virgule... il faut se méfier des correcteurs, ils ont n'est-ce pas le « solide bon sens »... le solide « bon sens », mort du rythme!... tous baiseurs de femmes imparfaites, je sais ce que j'avance...

Ducourneau vient me voir pour la N.R.F.... vous vous êtes douté, pour les ultimes menus chichis, pelures de coquilles... sur le papier que vous savez, des cuves du fin bout de terre, de chez Mme Bolloré... des retouches s'il se peut, nul n'ose!... pensez!... *Voyage* et *Mort à crédit*... à paraître vers la fin de l'année, sous son commandement... qu'on se le dise!... puisqu'il est là nous venons à parler de choses et d'autres... Balzac, à propos!... Balzac serait venu à Meudon... il aurait demeuré à Bellevue chez le comte Apponyi, alors ambassadeur d'Autriche... Ducourneau est « balzacien », mais pas qu'un peu en « dilettante »!... non!... très sérieux!... il a pas ménagé sa peine pour retrouver trace de Balzac et de ce comte Apponyi... recherches partout vaines!... à la mairie... au cadastre... chez le notaire... rien!... si un lecteur a une idée il sera bien aimable de m'écrire... nous en sommes là... « et vous? » me demande Ducourneau... « vos affaires? »

Mon cher Ducourneau c'est pas la « Pléiade » et ses 4 p. 100 de droits d'auteur qui va mettre à l'aise! évidemment 4 p. 100 c'est se foutre des muses... les auteurs de la « Pléiade » ne vont pas se plaindre ils sont tous morts... sauf deux... trois... là, survivants... « Dur-de-mèche »... « Buste-à-pattes »... et moi qui râle... « Dur-de-mèche » est riche... « Buste-à-pattes » a besoin de personne, nanti à l'antique, faisan d'Olympe, coqueluche des Académies...

— Vous votre cas est vraiment hideux, pléiadeux semi-vivant, presque ignoré, sauf votre passé de gibier de potence...

Ducourneau disait vrai mais si je râle pour ces 4 p. 100 que cette « Pléiade » est qu'une maquereauterie éhontée, je serai envoyé foutre, bourré d'autres outrages, chassé du « cimetière »...

Ducourneau est bien d'accord.

Déjà mon père ma mère ont pas tenu au « Père-Lachaise », on leur a effacé leurs noms...

— Mon cher balzacien les choses en resteront pas là!...

— Pourquoi?

— Pourquoi? voici!... je suis informé! les Chinois, les vrais, les Chinois de choc, ceux qui viendront nous occuper, bivouaquent déjà en Silésie... Breslau et les environs... mines et hauts fourneaux... il en viendra d'autres! bien d'autres d'à travers les steppes... de ces hordes!... kirghizes, moldo-finnois, balto-ruthènes, teutons... vous les verrez à Pantin, à la porte que vous connaissez, accueillis je ne vous dis que ça par de ces foules! hurlantes au pinard, au bonheur, à la liberté!

— Bravo! bravo! quand voyez-vous les jaunes ici?...

— Bientôt... mettons deux-trois ans.

— Tout ce monde communiste?

— Il va de soi! détail!... l'important le sang!... le sang seul est sérieux! tous « sang dominant »... n'oubliez pas!...

Je lui fais remarquer qu'à Byzance ils s'occupaient du sexe des anges au moment où déjà les Turcs secouaient les remparts... foutaient le feu aux bas quartiers, comme chez nous maintenant l'Algérie... nos Grands-Transitaires vont pas s'en occuper du sexe des anges!... ni de péril jaune! manger qui les intéresse... toujours mieux!... et vins assortis... de ces cartes! de ces menus! ils sont ou sont pas

les maîtres du peuple le plus gourmand du monde?
et le mieux imbibé?... qu'ils viennent, qu'ils osent
les Chinois, ils iront pas plus loin que Cognac! il
finira tout saoul heureux, dans les caves, le fameux
péril jaune! encore Cognac est bien loin... milliards
par milliards ils auront déjà eu leur compte en
passant par où vous savez... Reims... Épernay...
de ces profondeurs pétillantes que plus rien existe...

Œuvres de
LOUIS-FERDINAND CÉLINE

nrf

Cet ouvrage
a été achevé d'imprimer
sur les presses de l'Imprimerie Floch
à Mayenne le 4 mars 1969.
Dépôt légal : 1er trimestre 1969.
No d'édition : 14150.
Imprimé en France.
(8706)

DATE DUE